ELIZABETH NOBLE

DE TENKO CLUB

$$\frac{V}{R}$$

VAN REEMST UITGEVERIJ
Unieboek BV, Houten/Antwerpen

VAN REEMST
—————— *heerlijke romans voor elk moment*
ROMAN

Oorspronkelijke titel: *The Tenko Club*
Oorspronkelijke uitgave: Hodder & Stoughton
Copyright © 2004 by Elizabeth Noble

Copyright © 2006 Nederlandstalige uitgave:
Van Reemst, Uitgeverij Unieboek BV,
Postbus 97, 3990 DB Houten

www.unieboek.nl

Vertaling: Ans van der Graaff
Omslagontwerp: Wil Immink
Omslagfoto: Trina Dalziel/Meiklejohn
Opmaak: ZetSpiegel, Best

ISBN 90 410 1429 2/ NUR 340

Voor zijn liefde, zijn geduld, en zijn bekwaamheid met Word,
mijn fantastische man David

Citaat uit *Come On Home* van Everything But the Girl, van het album *Baby, The Stars Shine Bright*, 1986

Citaat uit *With or Without You* van U2, van het album *Joshua Tree*, 1987

Proloog
Oktober 1985
St Edmund Hall, Oxford

De kamers van het Kelly-blok lagen direct boven de hal. Een van de grote ramen van spiegelglas was helemaal opengeschoven. Freddie Valentine zat op de vensterbank met één lang been in de kamer en het andere buiten, met haar voet op het betonnen balkon. Ze rookte een Silk Cut en tikte de as weg in de avondlucht. Ze mocht in Tamsins kamer niet roken, maar deze kamer bood het beste uitzicht op de binnenplaats, waar de rugbyspelers bijeenkwamen voordat ze naar het feest gingen.

'Born in the USA,' klonk het door de lucht, en ieder woord van Springsteen was kristalhelder, zelfs drie verdiepingen hoog. God helpe degenen die probeerden te werken. Hoewel... als je daar de derde vrijdagavond in het herfsttrimester mee bezig was, dan had je niet de hulp van god maar die van de duivel nodig.

'Heb je hem gezien vorig jaar, tijdens zijn tournee?'

'Ja. Hij was fantastisch. Wat is je favoriete Springsteen-nummer?'

'Dat moet "The River" zijn.' Freddie knikte goedkeurend. 'En het jouwe?'

'"Drive All Night".' Tamsin kende het niet. 'Het staat op "The River". Het heeft de beste tekst.'

'Juist.' Tamsin nam zich voor het album te kopen, al had ze geen flauw idee waar Freddie het over had. Ze had dat nummer nooit gehoord. Ze was helemaal weg van haar nieuwe vriendin Freddie.

Ze hadden elkaar op de eerste dag ontmoet. Toen haar vader en moeder vertrokken waren, zat Tamsin doodsbang op haar eenpersoonsbed drie verdiepingen hoog tussen de dromenvangers. Ze voelde zich verloren en dwong zichzelf naar beneden te gaan om te lunchen. Iedereen in de rij stond te kletsen. Tamsin was de eerste van haar school die aan de universiteit van Oxford ging studeren en ze kende helemaal niemand hier, tenzij je de wezenloos voor zich uit kijkende dochter van mams vriendin Muriel meetelde, maar die zat niet eens op Oxford. Ze volgde een secretaresseopleiding midden in de stad. Hoewel Tamsin haar moeder en Muriel had beloofd dat ze het meisje zou opzoeken, was ze daar helemaal niet zo zeker van. De meisjes voor haar praatten over hockeytryouts. Er was weinig kans dat zij op die manier vrienden zou maken, tenzij er ook een sumoteam was. Tamsin had altijd geweten dat ze te zwaar was en in het bijzijn van deze slanke meisjes in hun strakke spijkerbroeken voelde ze zich een olifant. Het had haar nooit eerder kunnen schelen – althans niet genoeg om er iets aan te doen – maar nu wilde ze dat ze het wel had gedaan.

Ze wilde net de lunch maar laten schieten – maar meteen met het dieet beginnen, nietwaar? – toen er een nieuw meisje achter haar in de rij kwam staan. Ze was alleen... dat was positief. Maar ze was erg mooi en, al was ze niet direct mager, welgevormd. Tamsin liet de moed alweer zakken, maar het meisje glimlachte naar haar en stak haar hand uit. Ze sprak met een Amerikaans accent. 'Hoi, ik ben Freddie.'

'Ik ben Tamsin.' Ze kon niets anders bedenken.

'Luister eens,' zei Freddie. 'Ik ben daar binnen geweest en heb gezien wat voor lunch ze hebben; volgens mij zijn we beter af bij McDonalds. Die hebben ze hier toch wel, hoop ik?'

'Ik geloof het wel – in High Street, in het centrum.'

'Ga je mee?'

En daarmee was het bekeken. Ze heette Freddie Valentine, was bijna een meter tachtig lang en wat Tamsins moeder statig zou noemen – een echte vrouw. Ze had grote blonde krullen, een V-vormige lok op haar voorhoofd en aquamarijnkleurige ogen, en Tamsin vond haar erg knap. Ze woonde in Emden, het blok tegenover het hare – dus ze konden elkaar wenken door met een fluitketel en koekjes te zwaaien – en ze had alle muren en oppervlakken bedekt met fantastische Indiase sjaals en kleedjes die ze ergens in de Covered Markets had gekocht, zodat je het idee had dat je in Sheherazades tent midden in de woestijn zat in plaats van in het Emden-blok. Ze brandde wierookstokjes en dronk vreemde theesoorten. In een volgend leven wilde Tamsin terugkomen als Freddie.

Het duurde een poos voor ze in de gaten kreeg dat dat gevoel helemaal wederzijds was. Het dekbedovertrek van Winnie de Pooh waaraan ze vanaf de tweede dag een hekel had, het fotolijstje naast haar bed met foto's van haar ouders erin, de doos HobNob-koekjes en de frisdrankfontein – Freddie vond het allemaal prachtig. Tamsins verlegenheid had al snel plaatsgemaakt voor de warmte en het vermogen lol te maken die haar onweerstaanbaar maakten voor Freddie en anderen. Freddies kamer zag er exotisch uit, maar het was Tamsins kamer waar iedereen wilde zijn om thee te drinken, haar voorraden te plunderen en zich te laten bemoederen.

Ze zaten nu ook hier te wachten om naar het feest te gaan waar ze niet te vroeg wilden verschijnen. Ze wachtten trouwens nog op Sarah. Ze woonde twee kamers van Freddie vandaan. Tussen hen in woonde een sullige maar aardige derdejaars chemiestudent die hen bij een wat onbehaaglijke kop thee in zijn kamer aan elkaar had voorgesteld. Sindsdien beschermden ze elkaar tegen verdere bezoekjes aan Graemes kamer, hoewel ze het wel erg hadden gevonden toen hij het eerste weekend naar huis ging – voor een bijeenkomst van de Ramblers Association – en de andere chemiestudenten in zijn kamer hadden ingebroken om tuinkers op zijn tapijt te planten. Ze hadden een paar nachten Freddies kamer gedeeld terwijl hij in Sarahs kamer sliep tot de tuinkers helemaal was opgeruimd. Sarah was de hele middag bij de roeiwedstrijden op de rivier geweest, maar had beloofd snel te douchen en dan naar hen toe te komen.

Tamsin wist niet of het wel verstandig was om samen met Sarah ergens binnen te stappen, want ze was zo knap dat jongens letterlijk midden in een zin zwegen als ze langsliep. Tamsin had niet gedacht dat vrouwen als zij echt bestonden, maar dat was wel zo en ze kwamen uit The Mumbles. Ze was echter niet op zoek, had Sarah hun bij de eerste gelegenheid verteld. Ze had een vaste relatie, had ze gezegd. Ze waren praktisch verloofd. Hij had haar alleen nog geen ring gegeven en het haar ronduit gevraagd omdat hij dacht dat haar ouders haar te jong zouden vinden. Was dat niet lief van hem? Hij was beslist knap en ja, ze moesten toegeven dat hij een beetje op Sting leek. Ze hadden een paar foto's – oké dan, honderden foto's – van hem gezien in Sarahs kamer. Als Freddies kamer een hommage was aan Marrakesj, was die van Sarah een altaar voor Owen. Hij kwam binnenkort, beloofde Sarah, dan konden ze allemaal kennis met hem maken.

'Kunnen we die spanning wel verdragen?' had Tamsin tegen Freddie gegrapt met een imitatie van Sarahs Welshe accent.

Natuurlijk vond Tamsin het niet meer zo erg sinds ze zelf Neil had ontmoet. Nou ja, tegen hem op was gebotst eigenlijk. Ze fietste graag door Oxford rond, maar was er niet erg goed in en was op een middag in de eerste week tegen hem aan gereden. Gelukkig studeerde hij medicijnen en had hij zijn eigen vleeswond zelf verbonden. Hij nam het haar niet kwalijk, te oordelen naar hun uitgebreide geknuffel tijdens het dansfeest van Queen's College vorige week. En hij leek ook geen problemen te hebben met haar vetrolletjes. Ze had heel nonchalant iets over het feest van vanavond gezegd toen ze hem in het koffiehuis had gezien. Ze was ervan overtuigd dat hij er zou zijn en kon niet wachten.

Freddie had haar sigaret op en deed het raam dicht. Ze droeg een wijde tuinbroek van spijkerstof; Tamsin wist dat zij er in zo'n broek uit zou zien als een demente presentatrice van een kinderzender, maar Freddie zag er heel leuk uit.

Reagan was er in elk geval wel. Ze had haar vanuit de gang naar binnen getrokken toen ze zogezegd op weg was naar de rechtenbibliotheek, die in een oude kerk gehuisvest was. Tamsin was daar 's avonds nooit geweest, deels uit principe en deels omdat het gebouw omringd werd door een kerkhof en ze daar ze de kriebels van kreeg. Toen Tamsin eenmaal had vastgesteld dat Reagan niet naar de rechtenbibliotheek ging voor een heimelijk afspraakje met een medestudent in de rechten – wat Tamsin nog wel goed zou hebben gevonden omdat het romantisch was – maar om zich echt op de wetboeken te storten, had ze haar wat droge en saaie buurvrouw verboden te gaan, en haar een glas cider ingeschonken. 'Je gaat vanavond met ons mee. Geen discussie.'

Reagan was een beetje vreemd, dacht Tamsin. Een lastige tante. Ze had zo'n uitwisbaar bord aan haar deur en vaak stond daarop: ALSJEBLIEFT NIET STOREN! TOETSCRISIS! (kennelijk een poging om cool over te komen, die jammerlijk mislukte). Op een ochtend na een avond met veel drank had een of andere grapjas het TOETSCRISIS uitgeveegd, maar het uitroepteken laten staan, en erbij geschreven: IK LIG ME TE VINGEREN. Tamsin had het uitgeveegd zodra ze het had gezien, maar was er niet achter gekomen of Reagan het al had gelezen.

Reagan was broodmager, dus niet op een mooie manier. Ze had geen borsten en nauwelijks billen. Al haar kleren waren bruin – als dat al niet de feitelijke kleuren waren, dan was het toch beslist het algehele effect – en flodderden om haar heen. Er moest beslist het een en ander aan haar gedaan worden. Tamsin dacht aan iets uit de serie *De man van zes miljoen*: 'Heren, wij kunnen deze man opnieuw opbouwen. We kunnen hem beter maken dan voorheen.' Tamsin hield wel van een uitdaging. Wel een prachtige naam, trouwens: Reagan had hun verteld dat *King Lear* haar moeders favoriete toneelstuk van Shakespeare was, en het had erger gekund: een van Lears andere dochters heette Goneril. Een exotische naam was een goed begin, dacht Tamsin. Denk je eens in hoeveel saaier Reagan zou zijn geweest met een andere naam. Reagan had alleen meesmuilend opgemerkt dat haar moeder het had verprutst door de naam verdorie verkeerd te spellen.

Tamsin keek naar Reagan, die tegen Freddie praatte. Reagan glimlachte en ze was een van die mensen bij wie een glimlach een wereld van verschil maakte: haar ooghoeken kwamen erdoor omhoog, er kwamen rimpeltjes in haar neus en ze zag er bijna aardig uit.

Tamsin vulde hun glazen en keek heimelijk op haar horloge. Als Neil nu eens beneden op zoek was naar haar, en zij nog hierboven zat? Hij wist niet welke kamer ze had. Toch bonkte haar hart tegen haar ribben toen er aan de deur werd geklopt. Misschien had hij haar gevonden. Misschien was hij in de portiersloge geweest, had hij in haar postvakje gekeken en de portier om informatie gevraagd... en misschien had een vriendin van haar hem gehoord... en....

Het was Sarah, nog steeds in haar zwarte lycra roeishorts en waterproof jack en met haar lange haren in een paardenstaart. Ze had duidelijk een hele poos gehuild; haar gezicht was vlekkerig.

Tamsin sloeg haar armen om haar heen en trok haar de kamer binnen. 'Wat is er aan de hand? Sarah?'

Dit blijk van sympathie bracht een nieuwe stroom snikken teweeg en ze moesten wachten tot daar een eind aan kwam.

Reagan wou dat ze ergens anders was. Ze voelde zich een indringster, ook al leek de rest dat niet te denken – ze concentreerden zich allemaal op Sarah.

Sarah had een brief vast. Eén velletje, beschreven met zwarte inkt. Ze stak het hun toe als verklaring, maar niemand wilde het aanpakken: een brief was privé. Sarah liet hem op de grond vallen. 'Owen heeft me gedumpt.'

'Ach, arme meid.' Dat was Tamsin.

'Klootzak,' zei Freddie.

'Het spijt me,' voegde Reagan er zachtjes aan toe, alsof ze vond dat ze ook iets moest zeggen.

Sarah keek haar aan en glimlachte zwakjes. 'Dat is nog niet het ergste. Hij is ervandoor gegaan... met mijn beste vriendin. Met Cerys.'

Cerys was in The Mumbles achtergebleven. Ze wilde kapster worden, had Sarah hun verteld. Ze had haar zinnen gezet op een kapsalon in de winkelstraat. En kennelijk ook op Owen.

'We zouden gaan trouwen.' Nog meer gesnik. 'En nu zegt hij dat ze erover denken samen te gaan wonen.'

'Dat hij uit respect voor je ouders wilde wachten lijkt dus een smoesje,' zei Freddie, maar Tamsin keek haar streng aan en aaide Sarah over haar hoofd.

'Ik bedoel, ik ben pas drie weken weg – drie weken, in godsnaam.'

Ze wisten niet hoe ze haar moesten troosten. Ze hadden nog geen van allen het soort relatie gehad waarin je echt dacht dat je zou gaan trouwen. Tamsins liefdesleven had tot Neils komst bestaan uit een paar keer schuifelen tijdens avonden van de Jonge Boeren, en een zeer teleurstellende ontmoeting met een vriend van haar broer afgelopen oudjaar. Ze had erover gedacht het met hem te doen, maar eerlijk gezegd was het eerste gedeelte zo teleurstellend geweest dat ze van gedachten was veranderd, haar rok recht had getrokken en terug was gegaan naar de disco. Nu ze Neil had ontmoet was ze daar blij om. Het leek haar veel leuker om het met hém te doen. Als ze tenminste ooit nog op dat feest terecht zouden komen.

Freddie had het, voorzover Tamsin kon beoordelen, in Amerika met een indrukwekkend – of angstaanjagend – aantal jongens gedaan, maar die leken geen van allen iets voor haar betekend te hebben. Ze praatte in elk geval niet over hen.

Freddie dacht werkelijk dat er niets beters had kunnen gebeuren. Ze vond Sarah erg aardig, je kon echt lol met haar hebben, en ze zou waarschijnlijk veel meer van de komende drie jaar genieten zonder een of ander onnozel vriendje dat thuis in Wales op haar wachtte. Freddie kon zich niet voorstellen dat ze ooit zou trouwen, maar erover denken als je amper negentien was, was helemaal belachelijk. Er waren zoveel jongens. Ze had er net een aantal bekeken op het plein. Het zou veel leuker zijn om samen met Sarah op jacht te gaan.

Reagan voelde een zekere afgunst, die haar verwarde. Stel je voor dat je zulke sterke gevoelens voor iemand koesterde. Natuurlijk waren het liefdesverdriet en het dumpen vreselijk, maar om dat gevoel te hebben gehad...

'Mannen zijn hufters!' riep Tamsin uit. Ze meende het niet, maar het leek nu wel op z'n plaats.

'En Cerys dan?' Reagan kon zich niet inhouden. 'Hij doet dit toch niet in z'n eentje, wel dan? Ik dacht dat die Cerys je beste vriendin was?'

Sarahs gezicht vertrok weer.

'Reagan heeft gelijk.' Freddie pikte het op. 'Ik bedoel, mannen, zelfs de goede, zijn toch maar simpele wezens, of niet soms? Ze laten zich sturen door hun maag en hun pik, en niet per se in die volgorde.'

Tamsin bedacht dat ze geen recht van spreken had, omdat ze niet veel mannen kende – en er al helemaal geen 'kende'. Freddie leek echt boos. Misschien zat er toch meer achter die scharrels dan ze had laten merken.

'Waar je voor op moet passen zijn de vrouwen,' zei Freddie nu. 'Vrouwen hebben zoveel lagen, wij zijn veel gecompliceerder. Kijk die Cerys maar. Kijk maar wat ze Sarah heeft aangedaan.'

'Wat? Bedoel je dat ze zich als een man gedraagt? Dat ze denkt met haar... nou, je weet wel.'

'Ik wed dat het veel erger is. Sarah denkt dat het pas drie weken gaande kan zijn, maar we kennen de vrouwen toch zeker wel beter, toch? Denk je niet dat ze dit al lang – waarschijnlijk al maanden – van plan is, misschien zelfs al sinds ze wist dat Sarah naar de universiteit zou gaan?'

Tamsin was er niet van overtuigd dat Freddies benadering echt hielp, maar Sarah keek haar aandachtig aan. Freddie had een stem – misschien kwam het door het Amerikaanse accent – die maakte dat je naar haar wilde luisteren als ze iets zei.

'Ik bedoel, denk eens terug, Sarah,' vervolgde Freddie. 'Denk eens aan hoe ze waren, die twee, tegen de tijd dat jij wegging. Denk aan hoe Cerys zich tegenover jou gedroeg... en tegenover hem.'

Sarah staarde even in de verte, kneep toen haar ogen tot spleetjes en knikte. 'Ik begrijp wat je bedoelt... ja.'

'Zie je wel? Vrouwen!'

Freddie leunde tevreden achterover.

Reagan was onder de indruk. 'Je moet rechten gaan studeren,' zei ze.

Freddies ogen schoten vuur. 'Ik peins er niet over! Ik heb een hekel aan advocaten. Mijn vader is advocaat.' Reagan wilde dat ze niets had gezegd.

'Ik vind het niet helemaal eerlijk, Freddie,' wierp Tamsin tegen. 'Wij zijn immers ook vrouwen, toch? Bedoel je dat we elkaar geen van allen kunnen vertrouwen? Want ik ben niet zo en volgens mij jullie ook niet.'

Een betraande Sarah schudde nadrukkelijk haar hoofd.

'Keken jullie ooit naar *Tenko*?' vroeg Reagan.

Sarah en Tamsin knikten.

Freddie schudde haar hoofd. 'Nee.'

'Het was een tv-serie, een jaar of vijf geleden, denk ik. Het ging over een stel vrouwen die in een Japans krijgsgevangenenkamp ergens in Singapore zaten, voornamelijk Engelse vrouwen. Een kamp zonder mannen. Het was een fantastische serie. Ik geloof dat je vijf minuten naar een vrouw kunt kijken, met haar praten of naar haar luisteren, welke vrouw dan ook, en dan weet hoe ze zich in zo'n situatie zou gedragen, in een van die kampen. En als je dat eenmaal hebt bepaald, kun je vrij goed inschatten hoe ze zich in andere situaties zal gedragen.'

'Hoe bedoel je?' Ze keken nu allemaal gefascineerd naar Reagan: ze hadden haar nog nooit zoveel achter elkaar horen zeggen.

'Nou, kijk maar naar Sarahs zogenaamde beste vriendin, Cerys. Ik heb haar nog nooit ontmoet, maar ervan uitgaande dat ze is zoals ik denk dat ze is, zou ze in een Japans krijgsgevangenenkamp zo iemand zijn die met de bewakers naar bed zou gaan om voedsel te krijgen en het vervolgens niet met de anderen delen. Zelfzuchtig, vol van zichzelf. Immoreel.'

Ze staarden haar allemaal aan.

'Ga door, hoe zit het dan met ons?'

'Ik ken jullie amper.' Ze had hier eigenlijk geen zin in.

'Je zei dat vijf minuten genoeg was. Je hebt ons al veel langer dan vijf minuten meegemaakt!' porde Freddie haar.

'Laat haar met rust, Freddie,' zei Tamsin. 'Ze hoeft het niet te doen als ze dat niet wil.'

'Zie je?' Reagan kon het nu niet meer laten. 'Tamsin zou zoiets als de kampmoeder zijn. Degene die alle ruzies oplost, voor de zwakkeren opkomt en zich over iedereen zorgen maakt. Zij zou het bindmiddel zijn.'

Tamsin glimlachte. 'Dat klinkt niet slecht.'

'Sarah zou de kwetsbare zijn. Ze zou beschermd moeten worden.'

'Tegen de bewakers – geen twijfel mogelijk! Ze zouden allemaal op haar vallen!'

'Tegen alles. Tegen slecht nieuws, infecties en de zon – en waarschijnlijk ook tegen de bewakers,' vervolgde Reagan. Sarah keek een beetje gekweld. 'Maar iedereen zou haar ook onder zijn hoede willen nemen, niemand zou het als een belasting ervaren.'

'En ik dan?' Freddies heldere ogen keken haar uitdagend aan. Reagan wist dat ze nu dapper moest zijn. Dit was van Freddies kant een soort vriendschapstest, en Reagan wilde dit eigenlijk liever niet doen.

'Jij zou ook met de bewakers slapen, maar alles delen wat je van hen kreeg,' zei Reagan.

Freddie lachte. 'Je hebt gelijk. En hoe zit het met jou? Ik neem aan dat jij het principiële type zou zijn dat in opstand kwam tegen de bewakers en de tweede dag al werd neergeschoten?'

Reagan glimlachte breeduit. 'Ik heb alleen gezegd dat ik andere vrouwen kon doorzien. Ik heb nooit gezegd dat ik mezelf door-had.'

Ze gingen niet meer naar het feest. Tamsin dronk de laatste cider op zodat ze een excuus had om naar beneden te gaan om bier te halen. Neil was nergens in de zaal te bekennen en ze was al op weg terug naar boven toen ze hem met afhangende schouders naar de straat zag lopen. 'Hé daar,' riep ze. Hij draaide zich om en kwam stralend naar haar toe lopen. 'Luister, ik kan niet komen vanavond,' zei ze. Hij keek haar verward aan. 'Ik kan niet uit het kamp deser-teren.' Dat maakte het er niet echt duidelijker op voor hem. 'Maar kan ik je morgen zien? Misschien kunnen we wat gaan drinken of zo? Mijn kamer is daar boven, het Kelly-blok. Derde verdieping, kamer vijf.'

'Oké,' zei hij en ze rekte zich uit en kuste hem vol op de mond. O, hij had iets...

Ze speelden het Tenko-spel, Sarah huilde nog een poosje, ze aten al Tamsins koekjes en twee van Reagans pakken pasta op en ze praatten, praatten, rookten en werden dronken. Diverse malen keken de meisjes de kamer rond en dachten dat dit was waarvoor ze gekomen waren, dat dit was zoals ze hadden gedroomd dat het zou zijn. En tegen de tijd dat de drie meisjes teruggingen naar hun eigen kamers, lang nadat beneden de muziek was gestopt, waren ze de Tenko Club. De regels van de club waren simpel: mannen, kin-deren, werk, winkelen en chocola – allemaal belangrijk, maar niet zó belangrijk. Als ze je nodig hebben, dan ben je er. Je laat de ander niet vallen. Ja, ze waren de Tenko Club en zwoeren terwijl ze door de gang strompelden dat ze dat altijd zouden blijven.

September 2004, Engeland

Er zou een wet moeten zijn die het autorijden terwijl je huilde verbood. Het was waarschijnlijk veel gevaarlijker dan je op de weg wagen na een paar glazen wijn. Freddie bedacht dat ze zelden de A3 op reed zonder te huilen. Ze zag het hele landschap altijd wazig, van de afschuwelijke moderne kathedraal van Guildford die boven de stad uit torende tot aan de borden voor de afrit naar de hortus botanicus van Wisley, met zijn uitvoegstrook vol oudere tuiniers die echt overdreven langzaam en voorzichtig reden. Ze liet altijd Harry achter.

Ze snoot haar neus in een tissue, beet hard op haar onderlip en zette de radio aan. *Woman's Hour.* Luisteren naar de stem van Jenni Murray was zoiets als met kasjmier sokken aan op een suède bank Galaxy-chocolade eten. Als Freddie ooit de loterij won, zou ze Jenni Murray grof geld bieden om bij haar te komen wonen en alle rekeningen en brieven, boodschappenlijstjes en takenlijstjes voor te lezen – hoeveel leuker zou het leven dan niet zijn.

Jenni Murray was echt een Tenko-moederfiguur.

Ze probeerde zich te concentreren op de vrouw die vol hartstocht over de spandoeken van de suffragettebeweging praatte, maar bleef steeds Harry voor zich zien. Hij was veel dapperder dan zij – dat moest hij wel zijn – dus huilde ze niet waar hij bij was. Ze wist dat haar stem breekbaar en onnatuurlijk klonk toen ze zijn revers rechttrok en de weerbarstige krul plat streek die omhoogstak uit de V-vormige lok die hij van haar had geërfd. Die had hem de bijnaam Pugsley opgeleverd, wat, zoals hij haar had verzekerd toen ze die de eerste keer op het parkeerterrein had gehoord, niet erger was dan Jugs, Billy One Ball of Timmy Tampon – waarschijnlijk minder erg. Ze wist dat hij zijn hoofd weg zou trekken, precies

zoals ze wist dat hij thuis op hetzelfde gebaar zou hebben gerea-
geerd door haar te omhelzen. Hij was groot voor zijn leeftijd, maar
zij was nog groter. Ze zei niet tegen hem dat hij zijn handen uit
zijn zakken moest halen, al zou een van de meesters dat beslist wel
doen. Ze wist dat hij ze tot vuisten gebald had.

Voor haar viel het wel mee. Zij was maar enkele ogenblikken van
de auto verwijderd, waar ze kon huilen zonder dat iemand het zou
zien. Harry moest de aula, de slaapzaal en vierhonderd jongens
onder ogen zien. De komende zeven weken kon hij niets doen
zonder dat iemand het zag. Daarna zou ze hem komen halen voor
de herfstvakantie.

Adrian had geen idee hoe erg ze dit vond. Tegen de tijd dat hij
's avonds thuiskwam, had zij al haar tranen al geschreid. De eerste
keer was ze voor zijn ogen ingestort; zijn ouders waren er toen
ook. Ze had zich geërgerd aan hun aanwezigheid, het feit dat ze
hen moest bezighouden en te eten geven, terwijl Harry er niet eens
was. Ze had huilend het eten klaar staan maken.

Clarissa, Adrians moeder, (die twee derde van de vrouwen in het
kamp van zich zou vervreemden en, met een beetje geluk, al heel
snel zou worden doodgeschoten wegens minachting en insubordi-
natie) had haar aangekeken met een mengeling van verachting en
verwarring. 'Natuurlijk is het moeilijk,' had ze gezegd, maar het
klonk alsof zij het helemaal niet moeilijk vond, 'maar het is absoluut het beste.' Tegenspraak werd niet geduld.

'Absoluut,' had Charles, de hoogdravende vader van Adrian, met
haar ingestemd. Ze gebruikten het woord 'absoluut' allebei heel
vaak. Dat gaf hun nog meer het gevoel dat ze altijd gelijk hadden.
Wat die twee misten aan intelligentie, maakten ze ruimschoots
goed met hun arrogantie. Absoluut om gek van te worden.

'Het heeft mij gemaakt tot wat ik ben, Freddie, en het zal hem
ook maken.' Adrian praatte en knikte met hen mee. Ze leken op
een rijtje van die fluwelen hondjes die mensen op de hoedenplank
van hun auto zetten.

Freddie had hen allemaal wel willen slaan. Ze had willen schreeuwen: 'Hij hoeft niet te worden "gemaakt", stomme idioten. Ík heb
hem al gemaakt. En hij is perfect. En hij is pas acht.' Maar zelfs zij
besefte dat dat geen zin had. Het was al besloten. Het was zelfs al

besloten zodra de vroedvrouw hem omhoog had gehouden en Adrian de gezwollen paarse testikels had gezien waarvan hij zeker had geweten dat de baby ze zou bezitten. Adrian was naar dezelfde school geweest als zijn vader en grootvader, en Harold Thomas Adrian Noah, bijna zeven pond zwaar, zou geen uitzondering vormen.

Ze kon het niet tegen hen allemaal opnemen. Ze zou het misschien wel hebben gedaan, maar Harry had dat niet gewild. Hij wilde dat zijn vader trots op hem was, en zijn grootvader ook. 'Het komt wel goed,' had hij tegen haar gezegd. 'Ik red me wel.' En hij had zich gered. Na drie jaar waren hij en zij nu wel gewend aan het vreselijke afscheid. Achttien afschuwelijke keren hadden ze van elkaar afscheid genomen op dat gehate parkeerterrein. Het brak haar hart dat Adrian niet wist wat het van haar vergde.

'Frederica is Amerikaanse.' Dat zei Clarissa altijd wanneer ze haar tijdens een of ander vreselijk feestje of een bijeenkomst van de golfclub voorstelde. Zoals Sibyl Fawlty altijd zei dat Manuel uit Barcelona kwam. Zoiets als 'Frederica heeft vreselijk last van spataderen'. Alleen was die kwaal dan nog te behandelen. Er was geen geneesmiddel bekend tegen een Amerikaanse afkomst, behalve misschien meedogenloze indoctrinatie en veelvuldig gebruik van het woord 'absoluut'. Ze zou de noodzaak van een opleiding aan een particuliere kostschool beslist inzien als ze 'een van ons' was. Clarissa had nooit begrepen waarom Adrian met een buitenlandse vrouw getrouwd was; dat kon immers alleen maar leiden tot allerlei culturele problemen, waar deze ongepaste vertoning er één van was. Het arme kind heette Noah, in hemelsnaam. Goddank gingen daar drie fatsoenlijke christelijke namen aan vooraf – de meeste aanmeldingsformulieren zouden niet genoeg ruimte bieden voor de vierde naam. Ze had erop gestaan zelf de aankondiging van zijn geboorte in de *Telegraph* te plaatsen, met de uitdrukkelijke opzet de vierde naam weg te laten, en ze was zo beschaafd geweest om Frederica's onplezierige uitbarsting toen die dat zag te vergoelijken als zijnde het directe gevolg van een lange, vermoeiende bevalling.

Freddie had altijd gedacht, of gehoopt, dat Adrian verliefd op haar was geworden omdat ze anders was dan de andere meisjes die hij kende. Ze hadden elkaar ontmoet in de Alpen, waar Freddie in

Méribel voor een skischool werkte. Het was haar vijfde baantje sinds ze was afgestudeerd, en verreweg het leukste. Ze deelde een flat met vier andere meisjes, haalde gemiddeld niet meer dan drie uur slaap per nacht, overleefde op een dieet van Rice Krispies en schnaps (dat ze samen met haar flatgenotes 's avonds in de nachtclubs in legendarische hoeveelheden consumeerde), en had die mythische 'tijd van haar leven'. Adrian was binnengekomen met een paar legermaatjes en had haar gezien voor ze hem had opgemerkt. Hij vertelde haar dat zijn vriend Stuart naar haar had gewezen en gezegd: 'Dat is nou het soort vrouw waar ik mee wil trouwen.' Ze had boven op een houten tafel 'Unbelievable' staan zingen, ongelooflijk vals, had hij er altijd lachend bij gezegd. Hij lachte vroeger veel. Voorzover zij wist had hij er in geen jaren aan gedacht. Ze vroeg zich wel eens af of hij alleen met haar was getrouwd om wat Stuart had gezegd.

Ze was die avond met hem meegegaan naar het chalet waar hij en zijn maten logeerden. Ze waren natuurlijk allebei te dronken geweest om iets te doen. Maar de volgende morgen, opgefrist na een kop koffie, een warme douche en een tandenpoetsbeurt... Mijn god, toen hadden ze het gedaan. Ze hadden er een hele dag skiën door gemist.

Hij zag er destijds fantastisch uit. Langer dan zij, al was het niet veel, en breed. Freddie was zelf ook groot – 'statig', zoals Tamsins moeder het noemde, al had ze zich jarenlang alleen maar reusachtig gevoeld – en was niet gewend om zich zoals kleine vrouwen beschermd en bemind te voelen in de armen van een man. Ze achtte de kans groot dat ze de meeste mannen met wie ze ooit uit was geweest zou kunnen verslaan met armpje-drukken, maar Adrian niet. Ze was van de tafel gestapt en hij had iets te drinken voor haar had besteld. En toen ze om elkaar heen draaiden, elkaar bekeken en leerden kennen, had hij van achteren zijn armen om haar middel geslagen. Hij had zijn kin tegen de zijkant van haar hoofd gelegd en ze had zich plotseling klein en veilig gevoeld. Dat was een nieuwe en plezierige ervaring. De vrienden met wie hij die avond samen was, hadden hem Rooie genoemd, maar dat was niet eerlijk: zijn haar was koperkleurig en hij had bijpassende koperen vlekjes in zijn reebruine ogen. Hij was gebruind door het skiën en zag er groot, gezond en stralend uit. Freddie vond hem fantastisch.

Toen hij haar een paar maanden later mee naar huis had genomen om haar aan zijn ouders voor te stellen, dacht ze dat het geen wonder was dat hij die avond op haar af was gestapt. Ze waren vreselijk saai, kleingeestig en kil. Ze was er een hele dag geweest en niemand had iets gezegd waar ook maar enig gevoel uit sprak. Het weer, golf, eten, golf, mensen van de golfclub, golf. Zijn moeder had het even gehad over de meer acceptabele dingen die Adrian haar over Freddie had verteld: dat haar vader advocaat was geweest in de Verenigde Staten en nu, na zijn pensionering, op Cape Cod woonde; dat Freddie zelf maar liefst in Oxford had gestudeerd (wat indrukwekkend was zonder bedreigend te zijn, omdat ze geen neigingen vertoonde iets met haar bachelorgraad te doen). En ze was knap. Lang en slank en met een hoofd vol blonde krullen, met die opmerkelijke lok midden op haar voorhoofd en de buitengewoon witte tanden die Amerikanen zo vaak hadden. Clarissa legde vooral de nadruk op die tanden, waardoor Freddie zich bijna een paard voelde. Charles gaf haar, nadat hij had vastgesteld dat Freddies vader een enthousiast golfer was die diverse keren per week op zijn club speelde, een afwezig klopje op haar schouder en negeerde haar verder grotendeels. Hij wilde Adrian graag de nieuwe golfclub lobwedge laten zien die hij met de loterij tijdens het voorjaarsdinerdansant had gewonnen.

Als ze niet had gemeend dat ze vreselijk verliefd op Adrian was, was ze na dat eerste bezoek misschien wel hard weggelopen. Maar ze was wel verliefd en had gedacht dat het hij en zij tegen de rest van de wereld was, inclusief zijn ouders. Ze hadden er naderhand hysterisch om gelachen. Hij had zijn dure Austin Healy bij een meer in de buurt van het huis van zijn ouders geparkeerd en haar gezicht in zijn grote handen genomen. 'Laten we die tanden eens nader bekijken, oké?' Hij duwde zijn tong in haar mond en ging ermee langs haar tanden, liet toen een hand naar haar dij zakken en gaf er een tik op. 'Hmm. Prima flanken. Laten we maar eens kijken hoe ze rijdt.' Ze hadden natuurlijk uit moeten stappen. De Healy bood niet genoeg ruimte. Hij had staande de liefde met haar bedreven, tegen de auto, een van haar voeten op de motorkap, hippische termen fluisterend die ze nooit eerder had gehoord, en haar zelfs terwijl ze zich concentreerde nog aan het lachen gemaakt. In die tijd deden ze het overal. Het bed was nog wel de minst favoriete plek voor Freddie.

Wanneer was hij overgelopen? Wanneer was het zij en hij tegen haar geworden?

Tegen de tijd dat ze de M25 bereikte, was *Woman's Hour* afgelopen. Het was druk op de weg, zoals altijd. Ze voegde in op de snelweg en reed op de middelste baan niet harder dan zo'n dertig kilometer per uur. Ze had geen haast. Ze drukte een knopje in en schakelde over van Radio Vier naar Radio Een. Ze herkende het nummer – Harry had de cd en had hem de hele zomer gedraaid. Ze zette de radio harder. Het was fijn om naar iets te luisteren wat hij mooi vond. Het was warm voor september en ze opende het raampje om de bries binnen te laten. Ze was al veel rustiger.

Ze hoorde haar mobiele telefoon niet rinkelen – de radio stond te hard – maar zag hem wel aanhoudend groen oplichten in de handsfree-set naast de radio. Adrians nummer op zijn werk. Met tegenzin zette ze Harry's muziek zachter. Ze had een hekel aan mobiele telefoons. Je was nooit meer 'onbereikbaar'.

'Hallo?'

'Hallo, met mij.'

'Dat weet ik. Nummerweergave.'

'Natuurlijk. Hoe ging het?' Hij belde haar nooit om dat te vragen.

'Goed.' Ze was dan ook niet van plan het hem te vertellen.

'Kun je praten?'

Volgens haar wáren ze al aan het praten. 'Ja. Het verkeer is stroperig. Ik rijd ongeveer drie kilometer per uur. Wat is er?'

Ze hoorde hem diep inademen – ze hoorde het echt. 'Misschien kan het beter wachten tot we thuis zijn.'

'Wat?'

'Nee... het is in orde.'

Freddie was meteen geïrriteerd. 'In hemelsnaam, Adrian, wat is er aan de hand? Het is duidelijk dat je niet zomaar belt...'

Toen hij weer sprak, was zijn stem luider en krachtiger. 'Ik vind dat je moet weten dat ik een ander heb. Het is in feite nogal serieus geworden. Ik hou van haar en we willen samen zijn. Ik wilde wachten tot Harry weer weg was. Ik weet dat het allemaal nogal ingewikkeld zal worden...' Zijn stem stierf weg.

Hij was zo goed begonnen, dacht ze. Je zou denken dat, als je je vrouw eenmaal had verteld dat je verliefd was op je minnares, het niet veel moeilijker zou zijn om te zeggen dat je wilde scheiden en dat een van jullie uit het huis moest dat jullie deelden. Maar dat was kennelijk wel zo.

Stilte. Ze kreeg bijna medelijden met hem. De doos van Pandora: deksel eraf. Blik wormen: open. Kat: niet meer in de zak.

'Freddie? Ben je daar nog? Freddie?'

Nog meer stilte.

'Freddie, toe nou. We moeten hier over praten...'

'Nee, Adrian. Jíj moet er kennelijk over praten. Je zult inmiddels wel gemerkt hebben dat ik daar helemaal geen behoefte aan heb.' Daarna drukte ze op het rode knopje om de verbinding te verbreken. Haar hand trilde.

Ze zette de radio weer harder. De onverklaarbare file was net zo onverklaarbaar weer opgelost en algauw reed ze zeventig, negentig en toen honderdtwintig kilometer per uur. Ze nam de linkerbaan en hield het gas ingedrukt.

Het zou nog onvergeeflijker zijn geweest als ze verbaasd was geweest. Natuurlijk had ze ervan geweten. Was het mogelijk dat je als echtgenote zoiets niet wist? Ze betwijfelde het. Het was veeleer de vraag of je het wilde weten of niet. Want als je dat wilde, moest je er iets aan doen. En ze vreesde dat dat meer dan 'nogal ingewikkeld' zou zijn.

Ze vond het bijna erg dat ze had opgehangen. Beroerde timing. Het was waarschijnlijk zoiets geweest als een steenpuist opensnijden. Of overgeven na bedorven garnalen. Hij had waarschijnlijk gewacht tot hij het niet langer voor zich kon houden. Ze had Harry ongeveer een uur geleden achtergelaten.

Antonia Melhuish. Als ze eerlijk was moest Freddie toegeven dat ze de vonk tussen hen had zien overspringen tijdens hun eerste ontmoeting. Antonia was getrouwd geweest met Jonathan, een vriend van Adrian uit het leger. Ze was veeleer mooi dan knap. Elegant, had Freddie altijd gevonden. Ze zou zijn doorgedraaid als er in het kamp geen warm water was om zich mee te wassen. Ze was het soort vrouw dat de deur niet uitging zonder make-up of een ceintuur in haar broek, en die er in de zomer voor zorgde dat de kleur van haar teennagels bij haar kleren paste. Het soort vrouw dat Freddie jaren geleden het gevoel zou hebben gegeven dat ze niet goed genoeg, niet vrouwelijk genoeg was. Maar nu niet meer. Freddie was min of meer tevreden met zichzelf en vond dat soort aandacht voor details maar absurd. Antonia en Jonathan hadden geen kinderen, en Freddie was er altijd van uitgegaan dat dat was omdat kinderen niet samengingen met de elegantie: van haar figuur, haar thuis, haar leven. Ze waren echter nooit zo goed bevriend geraakt dat Freddie het haar kon vragen. Jonathan had drie jaar geleden een vrouw gevonden die minder netjes was en ze hadden nu een baby. Hij had haar in een dronken en ellendige bui tijdens een feestje eens verteld dat Antonia altijd uit bed ging om zich te wassen nadat ze de liefde hadden bedreven. Het idee dat ze niet kon slapen met iets van hem op haar lijf maakte dat hij zich vies voelde.

Ze wist niet hoe lang het al gaande was. Waarschijnlijk langer dan ze dacht. Wat was dat statistisch gegeven ook weer waar Jenni Murray het een paar maanden geleden over had? De gemiddelde buitenechtelijke relatie duurde zeven jaar. Misschien was dat bij hen ook wel zo. Het had niets van een soap gehad, zoals Freddie erachter kwam – ze had geen slipje van Antonia uit de wasmachine gehaald na het wassen van de lakens, of bonnetjes gevonden van romantische etentjes waar zíj niet bij was geweest wanneer ze de zakken van Adrians pak controleerde voor ze het naar de stomerij bracht. Ze was daar in feite niet netjes genoeg voor, en Adrian was een voorzichtig man – hij zou zich door zoiets simpels niet verraden. Ze had hen ook niet betrapt terwijl ze elkaar beminden in haar bed, of hen hand in hand gezien, of met hun enkels verstrengeld onder de tafel bij een etentje. Het was veel subtieler geweest. Hij was opgehouden haar in vertrouwen te nemen en haar om advies te vragen over dingen op het werk. Hij vroeg haar niet meer hoe hij eruitzag en of ze van hem hield. Hij leunde niet meer op haar. De manier waarop hij de liefde met haar bedreef was ook veranderd. Niet dat hij had geweigerd het met het licht aan te doen of iets dergelijks.

Freddie vroeg zich af of Antonia Melhuish wist dat Adrian en zij nog even vaak seks hadden. Misschien niet. En dat hij meer gaf in bed, dat hij minder op zichzelf gericht was. Hij was altijd al een goede minnaar geweest, maar nu was hij fantastisch. Een minnaar op z'n best. Op een dag was het kwartje gevallen. Hij had niets meer van haar nodig; hij kreeg het van iemand anders.

Antonia Melhuish.

En nu wilde hij de hele tijd bij haar zijn. Hij wilde weg bij Freddie en Harry, en uit de hoekwoning in Shepherd's Bush waar ze al tien jaar woonden. En dat wilde hij nu.

Het was grappig, maar hoe langer de verhouding duurde, hoe minder waarschijnlijk het leek dat hij bij haar weg zou gaan. Mannen lieten hun vrouw en kinderen niet in de steek. Hoe vaak had ze dat niet gelezen in de adviescolumn van een vrouwenblad? Ze zeiden wel dat ze van die andere vrouw hielden, dat die hen beter begreep, en dat ze wachtten op het juiste moment, maar ze gingen nooit.

Jonathan was echter wel weggegaan en Freddie was een paar maanden bang geweest. Antonia Melhuish zat daar helemaal alleen in haar pakhuis in Battersea.

Maar Adrian was gebleven, ze hadden haar er niet mee geconfronteerd, en Freddie had zich weer ontspannen. Getrouwde mannen laten hun vrouw niet in de steek.

Freddie reed nu op de M4. Ze voelde zich licht in haar hoofd, en bedacht dat ze misschien beter niet kon autorijden. Ze sloeg af naar een benzinestation en parkeerde de auto in een bijna lege rij op de parkeerplaats. Adrian had een wegblokkade in haar hoofd opgetrokken en die doemde groot, donker en ondoordringbaar voor haar op. Hij dwong haar er iets aan te doen.

Freddie was niet zo'n huilebalk. Haar vader had altijd gezegd dat vrouwentranen bedoeld waren om te manipuleren en ze had al jong geleerd dat ze met tranen niets bij hem kon bereiken. Wat ze wel deed was droog-huilen, waarbij ze haar ogen dichtkneep en haar longen voelde verkrampen, maar er verder niets gebeurde: er rolden geen smekende tranen over haar wangen; er was geen snot te zien, geen opgezette ogen. Het was bij lange na niet zo bevredigend, maar iets beters kon ze niet. Ze legde haar hoofd op het stuur en sloot haar ogen. Ze was uitgeput.

Toen de telefoon weer ging, klonk die luid en opdringerig in de stille auto. Ze hief onwillig haar hoofd op. Ze was niet van plan weer met hem te praten eer ze daar aan toe was. Ze had geen idee wat ze tegen hem moest zeggen.

Ze zag echter niet zijn nummer in het schermpje – niet van zijn mobiel, van kantoor of van thuis. Het was zelfs niet het nummer van Antonia Melhuish. Het was een nummer in Amerika.

'Hallo?'

'Hallo, Freddie?'

'Ja, hallo?' Het was een slechte lijn, onduidelijk en zwak.

'Met Grace.'

'Ik hoor je nauwelijks.'

'Het gaat om je vader, Freddie. Ik ben bang dat ik...' De lijn viel weg.

Freddie kende het nummer niet uit haar hoofd – ze belde het zelden – en moest haar agenda uit haar handtas opdiepen. Ze toetste het nummer zorgvuldig in. Deze keer was de lijn kristalhelder.

'Grace?'

'O, Freddie. Godzijdank. Het is je vader...'

'Wat? Wat is er gebeurd?'

'Hij is dood, Freddie.'

Het kostte Tamsin Bernard vijfentwintig minuten om in haar grote, bourgognerode busje van huis naar Heston Services aan de M4 in westelijke richting te komen, en nog eens vijf minuten om te voet de brug over te steken naar de andere kant. Haar zwangerschap belette het haar om sneller te gaan. Zelfs met zevenentwintig weken was haar buik al zo reusachtig en hing hij zo laag dat het traplopen maar langzaam en moeizaam ging. Ze bleef even staan voor de Kentucky Fried Chicken, herinnerde zich toen dat ze haar tas in de auto aan de andere kant van de weg had laten liggen en vervolgens dat ze op weg was naar haar vriendin. Ze duwde de poort naar het parkeerterrein open. Ze kneep haar ogen half dicht tegen de septemberzon op zoek naar Freddies zilverkleurige Volvo.

Freddie stond tegen haar auto geleund, met haar rug naar Tamsin toe, een sigaret te roken. Dat had Tamsin haar al jaren niet zien doen. 'Thelma,' riep ze, 'Louise is gearriveerd. Waar gaan we heen?'

Freddie had niet gezegd waarom ze haar nodig had, alleen dat dat zo was en waar ze stond. Tamsin had niets gevraagd. Ze wist dat Freddie een hekel had aan de telefoon en dat ze het niet zou vragen als ze niet wanhopig was – ze deed zoiets nooit.

Freddie draaide zich om en glimlachte naar haar beste vriendin. Het was zo'n opluchting haar te zien. Tamsin glimlachte ook. 'Als we ver weg gaan, kunnen we dan eerst nog eventjes langs de Kentucky?'

Freddie spreidde haar armen in een hulpeloos gebaar. 'Mijn vader is dood, Tamsin.'

'Wat? Wanneer?'

'Vannacht. Hij is in zijn slaap gestorven.'

'Hoe weet je dat?'

'Grace belde me net voor ik jou belde.'

'Grace? Je vaders huishoudster, nietwaar?'

'Ja. Ze heeft hem gevonden.'

'Arme meid. Gaat het goed met je?'

'Ik weet het niet. Wat moet ik doen, Tams?' Freddie nam een lange haal van de sigaret.

Tamsin pakte haar de sigaret af en drukte hem met de punt van haar schoen uit. 'Dat niet, in elk geval. Het helpt niet en je krijgt er alleen maar longkanker en vieze adem van.'

Freddie rolde met haar ogen en Tamsin trok haar in haar armen, hoewel ze nog geen een meter zestig was en ze er waarschijnlijk absurd uitzagen zo samen.

Freddie zei over Tamsins schouder: 'Ik mocht die man niet eens.'

'Ik ook niet.'

Freddie lachte, huilde bijna. 'Hij kon je niet uitstaan.'

'Je wordt bedankt.'

'Graag gedaan... Nou...'

'Nou, wat?'

'Nou, ik heb hem al bijna twee jaar niet gezien. Hij maakt nauwelijks deel uit van mijn leven. Ik kan me niet herinneren dat we ooit bij elkaar waren zonder ergens ruzie over te maken, zonder dat hij me het gevoel gaf een mislukkeling en een teleurstelling te zijn, en een slap aftreksel van de zoon die hij ongetwijfeld liever had gehad. Ik geloof niet dat hij van me hield, en ik weet niet of ik wel van hem hield. Ik ben naar een ander werelddeel verhuisd om bij hem uit de buurt te zijn. Dus waarom sta ik hier in godsnaam nou te roken en heb ik het gevoel dat de grond onder mijn voeten is weggeslagen?'

Tamsin klopte haar troostend op haar arm. 'Dat je een ouder niet mag, wil niet zeggen dat er geen bagage is waar je wat mee moet doen als ze doodgaan, Fred. Het betekent waarschijnlijk alleen maar meer bagage.'

'Bagage? Waar heb je het over?'

'Bagage. Gedoe. Rotzooi. Gevoelens. Je weet best wat ik bedoel.' Freddie haalde haar schouders op.

'Heb je het Adrian al verteld? Of heb je mij gebeld omdat je hem niet te pakken kon krijgen of zoiets?'

Ze was het vergeten. Ze keek naar Tamsins open, lieve gezicht.

'O, Tams. Er is nog meer...'

Het bourgognerode busje was smerig en stonk naar honden. Honden en Kentucky Fried Chicken. Freddies laatste onthulling was te veel geweest voor Tamsin, die nu onder het rijden kipnuggets uit een doosje op haar schoot zat te eten. De zilverkleurige Volvo stond nog steeds op de parkeerplaats. 'Dat kan Adrian verdorie wel uitzoeken, denk je ook niet?' had ze gezegd. 'Jij gaat met mij mee.'

Dat was wat Freddie had verwacht en waarnaar ze had verlangd. Ze ging al bijna twintig jaar lang op de een of andere manier met Tamsin mee naar huis. De eerste keer kenden ze elkaar eigenlijk nog nauwelijks. Ze zaten pas een paar weken in hun eerste trimester. Tamsin moest destijds naar huis om bruidsmeisje te zijn voor haar oudste zus, zei ze, en het zou vreselijk deprimerend zijn, allemaal perzikkleurige tafzijde en moeilijke dansjes, en Freddie moest echt met haar mee, alsjeblieft, alsjeblieft, alsjeblieft. Freddie liet de scriptie over de pre-rafaëlitische beweging die ze had moeten schrijven liggen en ze namen samen de trein op vrijdagavond. Wat Tamsin haar niet had verteld eer ze in Reading waren overgestapt en het voor Freddie te laat was om nog terug te gaan, was dat ze één van negen kinderen was, waarvan zeven meisjes, en dat Freddie in chaos en kakofonie geworpen zou worden.

Freddie was enig kind. Niets had haar kunnen voorbereiden op wat haar te wachten stond of, vreemd genoeg, hoe het haar ontroerde en haar hart deed zingen. Het huis van de Johnsons in Wiltshire lag overal kilometers vandaan; een smerige Land Rover deed er eeuwen over om er te komen over een lang, hobbelig pad dat tot de vorst van de afgelopen paar dagen kennelijk vreselijk modderig was geweest. De auto werd bestuurd door Tamsins oudste zus Anna, de niet-snel-blozende-aanstaande-bruid, die bulderend lachte terwijl ze tot in detail alles over haar vrijgezellenfeest het vorige weekend vertelde. Ze stopte voor een grote, bouwvallige oude boerderij en zodra ze uitstapten kwamen twee bordercollies hen onstuimig tegemoet.

Tamsins vader verscheen in de deuropening, riep de honden, zag toen Tamsin en holde naar haar toe, pakte haar op en zwierde haar in het rond. 'Mijn lieve meisje! Welkom thuis!' Hij was duidelijk heel blij haar te zien. Freddie voelde zich verlegen, een vreemde en tamelijk eenzaam op deze plek, die zo volstrekt anders was dan elk thuis dat zij ooit had gehad. Toen zette hij Tamsin neer en kwam hij naar haar toe. 'Tams heeft ons alles over je verteld, Freddie. We zijn heel blij dat je gekomen bent.' Ook zij werd door hem omhelsd en dat voelde helemaal niet vreemd. 'Kom binnen, kom binnen – je moeder heeft hard hulp nodig, Tams. Je bent geen moment te vroeg.'

Tamsins moeder Caroline was in de keuken. Die was reusachtig en werd aan één kant gedomineerd door een zwart Rayburn-fornuis, en aan de andere door een muur vol foto's; schoolfoto's, foto's van trouwpartijen, dopen, diploma-uitreikingen, kinderen die over het gras rolden, triomfantelijk boven op heuvels stonden en lachend op winterse stranden speelden.

Midden in het vertrek stond een lange geschuurde grenen tafel. Aan de ene kant stonden zo'n twintig roomkannetjes, elk gevuld met perzikkleurige rozen, gipskruid en groen. Aan de andere kant stond Tamsins moeder geconcentreerd over een bruidstaart gebogen en legde ze een perzikkleurig rozenknopje op de bovenste laag. Ze was klein en rond, net als haar dochter (net als al haar dochters, zo bleek later), en had Tamsins glanzende donkere haar (al gaf ze toe dat haar kleur nu uit een flesje kwam). Ze straalde en

veegde haar handen af aan haar schort toen ze hen in de deuropening zag staan. 'Jullie zijn thuis!'

Het was alsof je in een donsdekbed werd gewikkeld, het samenzijn met hen allemaal. Die eerste keer en alle keren daarna.

De boerderij was Freddies Engelse toevluchtsoord geworden, en
de familie haar geadopteerde clan, van Anna, die nu zelf drie kinderen had, tot George, Tamsins mongoloïde broer die nog steeds bij
Caroline thuis woonde. Freddie had het altijd heerlijk gevonden
erheen te gaan. Tamsins vader was gestorven en Freddie herinnerde zich zijn begrafenis als de enige keer dat ze op de boerderij was
geweest en dat die niet gonsde van het gelach, geroep en Frank Sinatra. Maar zelfs toen was er een plek voor haar bij hen geweest, en
ze had bijna net zo hard gerouwd als de familie.

Toen Tamsin met Neil was getrouwd, had ze haar eigen versie
van de boerderij in Wiltshire in een halfvrijstaand huis in Ealing
gepropt, waar de muren in talloze primaire kleuren geschilderd
waren en het porselein een ratjetoe was. Het was nu het thuis voor
haar eigen drie kinderen (ze was zwanger van de vierde), een la-
brador en de Australische au pair Meghan, en was gevuld met dezelfde geluiden als haar eigen vroegere thuis, hoewel Frank Sinatra
tot wanhoop van Neil en Caroline was vervangen door Robbie
Williams.

Het was nog steeds de eerste plek waar Freddie wilde zijn als er
iets misging. Vandaag was een goede dag om daar te zijn.

Ze praatten niet veel op weg naar huis. Freddie kon zien dat
Tamsin kwaad was. Ze had haar rode lippen samengeknepen en
haar knokkels waren wit van het knijpen in het stuur. Het was lief
van haar dat ze zo boos was op Adrian. Freddie vroeg zich af waarom ze dat zelf niet was. Tot Tamsin op de parkeerplaats naar hem
had gevraagd, was ze zijn telefoontje bijna vergeten. Het was als een
klap in haar gezicht gekomen, meteen gevolgd door een stomp; de
klap had pijn gedaan, maar was weggevaagd door de stomp. In gedachten bleef ze zeggen: 'Mijn vader is dood. Mijn vader is dood,'
maar het klonk niet goed.

Tamsin had parkeerruimte op eigen grond, omdat Neil de voortuin had bestraat. Ze parkeerde naast Meghans Fiat Uno en miste
daarbij op een haar na de buitenspiegel. Rijden was niet haar sterk-

ste kant en ze reed nog aanmerkelijk slechter wanneer ze zwanger was. Alleen de jongste van het gezin was thuis met Meghan. Flannery – genoemd naar Flannery O'Connor, een van Tamsins heldinnen van de Amerikaanse literatuur maar algemeen bekend als Flancase, behalve bij haar moeder, die altijd de volledige naam probeerde te gebruiken, en Caroline, die al haar kleinkinderen Popje noemde omdat dat eenvoudiger was – hield buiten hof in een kinderstoel en zwaaide met een halve banaan waarvan ze de andere helft in haar haren en kleren had gesmeerd. Meghan, in heupbroek en een piepklein bikinitopje (de bewakers van het kamp zouden maar wat graag met haar geslapen hebben, maar Meghan had principes, en lef) zat naast haar in een terrasstoel aanmoedigingen en vermaningen te mompelen terwijl ze haar boek probeerde uit te lezen. Ze verslond Tamsins paperbackcollectie van de klassieken.

Tamsin had meer boeken dan wie dan ook die Freddie ooit had gekend. Literatuur was haar passie. Vandaar de namen van de kinderen en haar bereidheid haar zoon te veroordelen tot een leven lang van de uitleg: 'Homer... zoals in de *Ilias*, niet Simpson.' Tamsin vond Homer Bernard een prima naam. Ze was met haar aanstekelijke enthousiasme een buitengewoon succesvolle onderwijzeres aan een middelbare school. Tegen bijna elke muur in huis hingen boekenplanken; tot verbazing van degenen die dat opmerkten stonden de boeken nauwgezet op alfabetische volgorde. Zelfs de kinderen hadden al vroeg geleerd dat het acceptabel was om de keukenkastjes leeg te ruimen of de bloembollen in de tuin op te graven, maar heiligschennis om Marvell op Miltons plaats te zetten.

'Hé daar.' Meghan stond niet op toen ze hen zag.

'Hallo. En jij ook hallo, lieverd! Hoe is het met mama's kleine meid?' Tamsin kuste een bananenvrij plekje op Flannery's voorhoofd.

Freddie maakte het haar van de baby in de war, zei: 'Hé, Flancase,' en werd beloond met een grijns van 100 watt.

Meghan stak haar hand op. 'Hoe gaat het met je, Freddie?'

Freddie glimlachte met opeengeklemde lippen. 'Prima, dank je. Fantastische nazomer, hè?' In stilte dacht ze: potverdorie, ik ben een echte Engelse geworden. Wanneer is dat gebeurd?

'Ik heb die salade gemaakt die je zo lekker vindt, Tams, met pecannoten en dressing, en er ligt een ciabatta klaar die alleen nog maar tien minuten hoeft te worden afgebakken. En een kruisbessenvla. Flancase en ik zijn over een paar minuten weg, toch, engel?'

Tamsin keek verward. 'Waar ga je heen? Ik weet dat je het me hebt verteld, maar... zwangerschapsgeheugen...'

'Muziek. Dingle Dangle Scarecrow, wat echt behoorlijk swingt, toch, Flan? En daarna gaan we misschien nog even koffie drinken. Ik haal op de terugweg Homer en Willa op.'

'Geweldig.'

Nu zag Freddie de terrastafel, die voor twee personen was gedekt, met stoffen servetten en een vaas gerbera's. 'O, Tamsin, het spijt me. Je verwacht iemand voor de lunch en nu gooi ik alles in de war. Bel maar een taxi voor me, dan ga ik ervandoor.'

'Doe niet zo raar. Je gaat nergens heen. Bovendien heb ik die Kentucky al op, dus blijft er salade over.'

'Maar ik ben niet in de stemming voor gezelschap.'

'Het is geen gezelschap, het is Matthew. Hij werkt deze week thuis, aan een of andere tekst van een miljard bladzijden die hij moet lezen, en ik heb gezegd dat ik hem te eten zou geven. Dat is alles.' Ze keek Freddie van opzij aan. 'Ik kan hem afbellen, als je wilt?'

'Nee, Matthew is prima.'

'Hij zei trouwens afgelopen weekend nog dat hij jou en Adrian al zo lang niet heeft gezien. Hij zou het geweldig vinden. Jij bent veel beter gezelschap voor hem dan ik. Ik val tegenwoordig tijdens de lunch na drie slokjes al in slaap.'

Freddie lachte. 'Hou op.'

'Goed, dat is dan geregeld. Haal jij de kurk hier eens uit.' Ze gaf Freddie een fles sauvignon blanc. 'Dan zorg ik dat deze jongedame er een beetje respectabel uitziet terwijl Meghan ontdekt wie de moord heeft gepleegd.'

'Hé,' hoorden ze Meghan naar beneden roepen, 'dit is Thomas Hardy hoor, niet Agatha Christie. Het is maar dat je het weet.'

'Blij dat te horen!' Tamsin haalde Flannery uit de kinderstoel en zette haar op haar heup. 'Vooruit, Freddie, ga naar buiten en ga zitten.'

Freddie ontkurkte de fles, schonk zichzelf een groot glas in en ging in Meghans tuinstoel zitten. De zon scheen fel en ze schoof haar zonnebril van haar hoofd omlaag en voor haar ogen. Toen deed ze haar ogen dicht, leunde ze achterover tegen het canvas en probeerde ze tot rust te komen door zich te dwingen gelijkmatig adem te halen en nergens aan te denken.

Ze hoorde Matthew niet aankomen. Hij had zich langs de enorme driewieler-buggy bij de voordeur geperst en Tamsin had hem naar buiten gestuurd, terwijl zij met Flannery bezig was.

Een minuut lang bleef hij alleen maar naar haar kijken. Naar de zon die op haar blonde krullen scheen, naar haar lange bruine benen en roze teennagels en naar haar vertrouwde gezicht.

Tamsin kon er elk moment zijn. Uiteindelijk stapte hij naar de stoel en raakte hij zacht haar schouder aan.

'Freddie! Ik had je hier niet verwacht.'

Ze draaide haar hoofd om, duwde haar bril weer bovenop haar hoofd, en keek hem met half dichtgeknepen ogen aan, waardoor aan weerszijden van haar neus drie lijntjes verschenen. 'Hallo, lieverd.' Ze stak haar armen naar hem uit.

Hij knielde en steunde met een hand op de armleuning van de stoel om haar te kunnen omhelzen. En zelfs zo was het moeilijk het gewicht van zijn borst niet op de hare te laten drukken. Ze rook naar Aromatics Elixir, zoals altijd.

'Ik sta op instorten, vrees ik,' zei Freddie, en toen: 'Ik heb net Harry naar school gebracht.'

Zijn gezicht stond bezorgd. 'Arme jij. Was het erg?'

Ze haalde haar schouders op, nog steeds in zijn omhelzing. 'Je weet wel.' En het voelde aan alsof hij het inderdaad wist. Kinderloze Matthew.

Hij omhelsde haar nog eens, ging toen rechtop staan en trok haar mee omhoog. 'Zeven weken en bezig af te tellen?'

'Inderdaad.'

'Je ziet er fantastisch uit,' zei hij.

'Jij ziet er gestrest uit.' Dat was waar. Zijn donkere haar was aan de zijkanten wat grijs aan het worden en hij had geen nazomers kleurtje. 'Ik heb toch gezegd dat je met ons mee moest gaan naar Portugal. Of je had met Tams en Neil naar Frankrijk kunnen gaan.'

'Jezus! Dat adviseer je toch niet serieus als middel tegen de stress, is het wel?' Matthew trok een grimas. De Bernards en Meghan waren in het oude paarse busje naar Euro Disney geweest.

'Misschien niet? Maar Portugal?'

'Was het mooi?'

'Het zou leuker zijn geweest met jou erbij. Ik heb je weigering feitelijk nog steeds niet verwerkt.'

'Ja, ja!'

'Tweeëndertig graden in de schaduw. Ik kreeg Harry niet bij het zwembad en Adrian niet van de golfbaan vandaan. Ik had best wat gezelschap kunnen gebruiken.'

'Wat is er van Toscane geworden? Je zegt elk jaar dat je naar Toscane gaat.'

'En elk jaar ben ik weer niet in de stemming.'

'Volgend jaar.'

Freddies gezicht verstrakte even. 'Weet je wat, Matt? Misschien ga ik volgend jaar echt wel naar Toscane.'

'Misschien ga ik dan wel mee.'

'Afgesproken. Waar blijft Tamsin?' Ze was er nog niet klaar voor om anderen over Adrian te vertellen. Trots? Of was het zinnetje 'Adrian heeft een ander' te moeilijk? Ze wist ook niet hoe ze hem over haar vader moest vertellen. Niet na Sarah.

Tamsin vertelde hem dat wel. Zij was minder voorzichtig met Matthew. Dat was ook de reden waarom hij zo op haar gesteld was. Ze zei het terwijl ze de salade in schaaltjes schepte. 'Freddies vader is gisteren gestorven. In zijn slaap.'

'God.' Matthew legde zijn hand op die van Freddie. Hij voelde warm aan. 'Wat vind ik dat erg voor je, Freddie. Ik wist niet... Was er... Hij was toch niet...?'

'Hij was niet ziek, Matt. Helemaal niet. Maar hij was oud... tweeëntachtig. Ik neem aan dat het stom klinkt als ik zeg dat ik geschokt ben.'

'Het is altijd een schok, denk ik. Of je het nou verwacht of niet.' Nu legde Freddie haar hand op de zijne. Tamsin waggelde om de tafel heen, ging tussen hen in staan en trok hun hoofden tegen zich aan.

Sarah was nu iets meer dan drie jaar dood. Het verbaasde Freddie altijd weer als ze erbij stilstond hoe lang het geleden was. Ze kon zich precies herinneren wanneer het een week, een maand, zes maanden, een jaar was geweest. Het was altijd een schok om te beseffen dat het leven doorging. En nu was het meer dan drie jaar geleden. En Sarah was een echtgenote geweest, geen vader.

Veel later bracht Matthew haar naar huis, nadat ze de wijn hadden opgedronken en drie cafetières vol sterke koffie. Voor Matthew en Freddie was de tuin lekker warm en de steun tastbaar. Voor Tamsin was hun aanwezigheid een goed excuus om niets aan de was te doen. Homer en Willa waren uiteindelijk teruggekomen met Meghan. Flannery, Matthew en Freddie luisterden terwijl ze voorlas en Tamsin worstjes bakte en aardappelpuree klaarmaakte. Willa van zes was glunderend op Freddies schoot gesprongen, druk vertellend over een debacle op het speelplein met een meisje dat Phoebe heette. Vervolgens eiste ze dat Freddie zou blijven tot ze in bad waren geweest. Homer en Matthew begroeven hun donkere hoofden in een roman van Philip Pullman. De tune van *Neighbours* blèrde door het huis en Flannery trok in de woonkamer haar luier uit.

'Waar is Harry?' vroeg Willa.

'Hij is op school, schatje.' Willa en Freddie hadden dit gesprek vaak.

Willa begreep niet waarom het nodig was dat je op school sliep als je daar al de hele dag was geweest: 'Het is veel leuker om thuis bij je pappa en mamma te slapen. Je moet hem gaan halen, Freddie. Hij is vast heel erg verdrietig.' Wijs kind, dacht Freddie.

Homer vond kostschool geweldig. Grotendeels, zo vermoedde Freddie, omdat daar geen zusjes waren. Ze had Homer een keer zijn gebedje horen zeggen 's avonds: 'Alstublieft God, laat de nieuwe baby een jongetje zijn en trouwens, ik meende het niet echt toen ik zei dat ik Flannery haatte. Ik haat het alleen dat ze mijn spullen kapotmaakt, God, en dat doet ze de hele tijd. Amen.' Freddie hoopte ook dat de nieuwe baby een jongen was, hoewel ze lichtelijk vreesde voor zijn naam.

'Bel me,' zei Tamsin toen ze wegging. 'Wanneer je maar wilt.'

'Ik weet het.'

'Is Adrian thuis?' Matthew had zijn auto een paar huizen van dat van Freddie vandaan in Addison Gardens stilgezet. Er brandde geen licht in de woonkamer aan de voorkant, en ook niet in hun slaapkamer.

'Ik denk het wel. Tenzij hij op de golfbaan is.' Of bij Antonia Melhuish, maar dat zei ze niet. Ze had het Matthew nog steeds niet verteld.

'Wil je dat ik even mee naar binnen ga?'

'Dat hoeft niet. Ik red me wel. Ik moet het een en ander regelen, neem ik aan.'

'Ga je erheen?'

'Ik zal wel moeten, denk ik. Er zijn toch een aantal dingen die moeten gebeuren, nietwaar?'

Matthew knikte. 'Weet je wie je moet bellen?'

'Ja, Reagan. Ze is goed in dit soort dingen. Misschien doe ik dat wel.'

'En Adrian. Zal hij er voor je zijn?' Matthew keek haar niet aan. 'Je kunt ook op mij rekenen. Dat weet je toch, hè?' Nu keek hij haar wel aan, met een vriendelijke blik op zijn dierbare, vertrouwde gezicht.

'Er is wel iets wat je kunt doen, Mat.'

'Zeg het maar.'

'Kun je morgen met me naar Harry gaan? Ik wil het hem persoonlijk vertellen. En ik moet hem zien.'

'Natuurlijk, maar zal Adrian niet...' Hij brak zijn zin af. 'Zal ik je rond tien uur ophalen?'

'Dat lijkt me prima. Ik zal van tevoren de directeur bellen en hem vertellen dat ik kom. Bedankt, Matt, ik stel het erg op prijs.' Ze kuste hem licht op zijn wang. Hij woelde een keer zachtjes met zijn hand door haar haren.

Terwijl ze voor de deur met haar sleutel stond te rommelen, opende hij het raampje aan de passagierskant en boog zich naar haar toe. 'Bel Reagan!'

Ze knikte. 'Welterusten.'

Toen reed hij weg.

Het was november 1988, vijf maanden na hun afstuderen. Reagan volgde een rechtenstudie in Chester. Ze stond aan het begin van haar laatste jaar voor de stages en was al ingelijfd door een grote macho-firma in de City van Londen. Als ze volgende zomer klaar was, zouden ze samen rond gaan reizen met de trein en daarna samen een flat zoeken. Freddie werkte op de parfumafdeling van Harrods tot ze met de kerstdagen naar huis in Boston zou vliegen. Sarah werkte voor de plaatselijke krant in Wales, waar haar ouders nog steeds woonden, en schreef 's avonds in haar vaders werkkamer korte verhalen en tijdschriftartikelen. Tamsin was in Nottingham aan de lerarenopleiding begonnen nadat ze de zomer thuis had doorgebracht om haar moeder te helpen op de boerderij terwijl haar vader herstelde van een licht hartinfarct.

Ze misten elkaar. Toen Reagan Freddie belde en zei dat er een feest werd gegeven, ontmoetten de drie anderen elkaar op het station van Euston, waar ze op de trein wachtten.

Reagan haalde hen glunderend van het station af en ze liepen gearmd naar het kleine rijtjeshuis dat ze deelde met twee relatieve vreemden van de rechtenopleiding.

'De een is wel in orde, geloof ik,' zei ze, 'maar ze zou met de bewakers naar bed gaan voor eten en het dan allemaal voor zichzelf houden. De andere zou de eerste week niet overleven.'

De anderen knikten wijs.

Reagan trok een paar flessen Bulgaarse cabernet sauvignon open en ze gingen om beurten douchen in haar piepkleine avocadokleurige badkamer en kwamen daarna samen in Reagans grote slaapkamer om giechelend en in hun ondergoed elkaars make-up te delen. Madonna klonk blikkerig uit Reagans gettoblaster naast een oude gevlekte en gebarsten spiegel. Tamsin stond in de stijl van MC Hammer te dansen om hen aan het lachen te maken. Haar slipje was grauw en versleten en haar beha was waarschijnlijk twee maten te klein. Reagan had helemaal geen borsten, alleen tepels. Ze trok een piepklein zwart slipje aan en keek argwanend naar Tamsins ondergoed. 'Kunnen we veilig aannemen dat je vanavond niet op jacht gaat, Tams?'

'Natuurlijk niet,' zei Tamsin spottend.

'Je meent het.' Soms, heel soms, had Reagans stem iets scherps. 'Nog steeds dik met Neil?'

Freddie antwoordde voor haar – Reagans toon stond haar niet

aan. 'Meer dan ooit, hè, Tams? Maar dat weerhoudt ons er niet van samen een flat te zoeken, wel? Je bent toch nog niet echt klaar voor de huwelijkse staat, is het wel?'

'Daar is ze al klaar voor sinds ze in hun tweede jaar een rooster in de koelkast deelden.' Reagans toon was weer luchtiger. Wat het ook was geweest, het was voorbij.

'Neil heeft nog een jaar of drie, vier te gaan voor we erover kunnen denken samen te gaan wonen,' zei Tamsin, 'en ik wil mijn lerarenopleiding afmaken en dan een school vinden.'

'Dus je hebt het al helemaal gepland?'

'Nou,' zei Tamsin giechelend, 'ík wel. Ik hoop alleen dat Neil er hetzelfde over denkt...'

'Dat doet hij. Zeker weten.' Daar twijfelde Freddie niet aan.

'Hoe zit het met Sarah?' Reagan knikte in de richting van de badkamer. 'Heeft zij iemand?' Ze hoorden haar boven het geluid van de douche uit zingen.

'Volgens mij niet,' antwoordde Freddie.

Reagan stond, op haar kanten slipje na nog steeds naakt, een kohllijntje op haar bovenste ooglid te tekenen.

'En hoe zit het met jou?' wilde Freddie weten. 'Jij loopt hier rond in een broekje dat gezien mag worden, en je ruikt naar... wat is dat? Chanel?'

Reagan gaf haar het flesje. 'Cadeautje van mijn oma voor mijn diploma. Heerlijk, vind je niet?'

'Verander niet van onderwerp.' Freddie nam een slonk van de mousserende rode wijn. 'Wie is de gelukkige?'

Ze meende dat Reagan bijna bloosde.

'Niemand.'

Tamsin was nu aangekleed, raapte haar handdoek op en sloeg met de punt naar Reagan. 'Kom op! Wij weten het – nietwaar, Fred? – als jij op jacht bent. Wie is hij?'

Reagan wreef over de rode plek op haar dijbeen. 'Dat deed zeer...' Ze keken nog steeds naar haar. Sarah had de kraan nu dichtgedraaid.

'Oké, oké. Als het vanavond gaat zoals ik zou willen komen jullie er toch snel genoeg achter, neem ik aan. Hij volgt dezelfde studie als ik. Heeft hiervoor in Bristol gestudeerd. Hij heet Matthew

Bartholomew en is schattig. Lijkt een beetje op Tom Cruise, maar is langer. Met bruine ogen. En hij ziet er veel slimmer uit. In feite ziet hij er serieus uit, maar ik geloof niet dat hij dat is. Hij komt uit Newcastle.'

'Kijk haar gezicht eens!' zei Tamsin. 'Ze is verkocht.' Reagans gezicht leek zachter, vond Freddie. Ze zag er heel mooi uit. 'Je bent een onverwachte mededinger.'

Reagan schudde haar hoofd. 'Er is niets gebeurd. Ik bedoel, we hebben elkaar amper gesproken. Hij heeft alleen iets. Ik geloof dat ik hem echt graag mag. Het klinkt misschien wel idioot, maar ik heb gewoon het gevoel, weet je, dat er een band is tussen ons. Iets...' Haar stem stierf weg. Ze keek naar Freddie en Tamsin, die met de hoofden bij elkaar en wiegende lichamen 'Our Tune' van Simon Bates begon te neuriën. 'Donder op.'

'Nee, echt, het klinkt helemaal niet raar.' Freddie sloeg een arm om de schouder van haar vriendin. 'Het klinkt eigenlijk... heel mooi.' Zij en Tamsin giechelden. 'Maar wat ik echt graag wil weten is, als hij er vanavond is en jij gaat met hem mee, mag ik dan jouw bed?'

Ze lachten nog steeds toen Sarah de kamer in kwam met een gele handdoek om haar schouders en haar lange donkere haren daaroverheen uitgekamd. 'Wat is er zo grappig?'

'Niets.' Reagan wilde niet dat er nog meer om haar gelachen werd. 'Schiet eens op, Sarah. Het is om acht uur begonnen en nu is het al kwart voor negen. Die idioten hier zijn te bezopen om nog te dansen als we niet snel maken dat we daar komen.'

Die feesten waren allemaal hetzelfde – goedkoop bier, slechte wijn, donkere kamers vol zwetende mensen die boven de muziek uit schreeuwen. In de ene hoek uitgebreid geknuffel, in de andere een boeiende woordenwisseling en ten minste één persoon die buiten de eerste de beste struik stond onder te kotsen. Fantastisch.

Aanvankelijk merkten ze niet eens dat Sarah weg was. Tamsin probeerde de avances van een nogal voortvarend type af te weren die steeds 'per ongeluk' met zijn bekken tegen haar heup stond te duwen, en Freddie was behoorlijk aangeschoten. Reagan was degene die haar vond. Ze was al diverse keren schijnbaar nonchalant heen en weer gelopen van de bar naar de feestvierders in de hoop hem te zien. En uiteindelijk zag ze hem rond halfelf. Hij was samen met Sarah. Ze stonden dicht bij elkaar in een hoek, hij met zijn rechterarm boven hun beider hoofden, waardoor ze hun eigen kleine wereldje leken te hebben. Sarah moest op haar tenen staan om in zijn oor te praten, en wanneer ze dat deed glimlachte hij en boog hij zijn hoofd iets naar achteren om in haar ogen te kunnen kijken, en boog vervolgens naar voren om te antwoorden, zijn lippen in haar haren. Reagan bleef kijken tot ze zijn hand naar haar wang zag gaan en zijn mond naar de hare, en zijn andere arm achter haar rug om haar naar zich toe te trekken. Toen ging ze terug naar de feestende menigte.

Later die avond zat Sarah in haar pyjama dromerig te vertellen over de fantastische jongen die ze had gekust. Reagan keek Tamsin en Freddie zo dringend-waarschuwend aan toen Sarah zijn naam noemde dat ze geen van beiden durfden te reageren. Het enige wat ze er verder nog tegen hen over zei, het enige wat ze er de afgelopen veertien jaar over had gezegd, de volgende morgen toen Sarah weg was gegaan om met hem te ontbijten, was dat Sarah in de douche was geweest en niets had gehoord en dat zij oprecht moesten beloven dat dat altijd zo zou blijven. En dat hadden ze gedaan.

Het antwoordapparaat knipperde aanhoudend. Twee nieuwe berichten. Freddie drukte het knopje in en ging water opzetten.

'Freddie?' Hij had althans het fatsoen om enigszins bezorgd te klinken. 'Ik ben het, Adrian.' Alsof het telefoontje van vanochtend betekende dat hij niet langer het intieme 'met mij' kon gebruiken. 'Ik dacht dat je inmiddels wel thuis zou zijn.' Even stilte, alsof hij dacht dat ze thuis was maar niet opnam en dat bij het horen van zijn stem misschien alsnog zou doen. 'Maar dat is niet zo.' Je hakkelt, Adrian. Er leek een kwartje te vallen. 'Ik neem aan dat je bij Tamsin bent.' Weer stilte. 'Ik hoop het. Ik hoop dat ze je helpt.' Donder op. 'Ik kom vanavond naar huis.' Wiens huis? 'En Freddie, het spijt me van vanochtend.' Wat betekende dat?

Het water had gekookt en Freddie goot water bij een theezakje in een mok.

'Freddie.' Reagans stem. 'Ik dacht dat je wel thuis zou zijn. Tamsin belde me tien minuten geleden. Bel me. Ik ben tot halfelf op kantoor. Daarna werk ik thuis. Dus bel me, wanneer je maar wilt.'

Haar assistente was ook nog aan het werk. Freddie meende dat de stem van de vrouw zachter werd toen ze haar naam noemde, en vroeg zich af of Reagan iets had gezegd. 'Freddie Valentine. O ja, ik verbind u meteen door.'

'Fred? Ik vind het vreselijk voor je. Van je vader en Adrian.' Freddie was blij dat er geen grote stilte viel waarin ze haar gevoelens zou moeten spuien. 'Wat absoluut klote. Twee op een dag.' Reagan was altijd staccato. Vroeger was dat uit verlegenheid, maar de laatste jaren was het efficiëntie en doelgerichtheid. Freddie had nooit moeite zich voor te stellen dat de advocaat van de tegenpartij doodsbang voor haar was.

'Eén ding tegelijk, Fred,' ging Reagan verder. 'Lord Fauntleroy pakken we later wel aan.' Ze noemde Adrian al zo sinds de eerste keer dat ze zijn flat achter Harvey Nichols had gezien, waar hij met haar en Freddie heen was gereden in zijn Austin Healy, een cadeautje van zijn ouders toen hij Sandhurst had verlaten. Freddie glimlachte. Later leek haar een goed idee.

'Je gaat naar Amerika, neem ik aan.' Ze wist eigenlijk niet zeker of ze dat echt wel wilde, maar Reagan wachtte niet op een reactie. 'Nou, ik ga met je mee. Ik heb nog wat vakantie te goed, dat weet je.'

Freddie glimlachte weer. Reagan had al tien jaar geen fatsoenlijke vakantie gehad. Ze had waarschijnlijk wel een halfjaar te goed. 'Reagan...'

'Je hoeft me niet te bedanken,' onderbrak Reagan haar. Ze wist heel goed dat Freddie dat niet van plan was geweest, maar nu ze eenmaal dit idee had, dit plan had gesmeed, was ze ook van plan het te doen. Ze had het bedacht zodra Tamsin haar had ingelicht. 'Ik heb gehoord dat het in deze tijd van het jaar fantastisch is op de Cape. Mooie bladeren en zo. Bovendien ben jij waardeloos in dat soort zaken en heb je me nodig. Ontken het maar niet.' Freddie zou het niet eens durven proberen. 'Zal ik voor ons allebei boeken?'

'Mag ik er een nachtje over slapen?'

Reagans glimlach was bijna hoorbaar. 'Eén nachtje. Bel me morgenochtend vroeg. We vliegen business class... ik heb miljarden airmiles en het wordt hoog tijd dat ik die eens opmaak.'

Freddie vond haar bijna opgewonden klinken.

'Dus ik spreek je morgenochtend?' vroeg Reagan.

'Meteen 's ochtends vroeg?'

'Meteen 's ochtends vroeg. Ga nu maar slapen.' Dat was Reagans standaardreactie op traumatisch nieuws, precies zoals ze zou hebben gezegd: 'Kook water en scheur lakens in stukken,' als Freddie haar had verteld dat ze weeën had.

Freddie pakte haar thee en liep naar de woonkamer. Ze voelde zich daar nog altijd een beetje een vreemde, met de zware gordijnen en de vloerbekleding van zeegras. De kamer stond vol met de antieke stukken van haar schoonouders – waarvoor ze geacht werd buitengewoon dankbaar te zijn, ook al had ze er niet om gevraagd – en was behangen met saaie Victoriaanse waterverfschilderijen. Ze voelde zich er als in de wachtkamer van een arts in Harley Street.

De keuken in het souterrain was echt háár plekje. Ze had een architect gevonden die bereid was de hele achterwand eruit te halen en te vervangen door een glazen atrium, waardoor de ruimte zelfs op donkere dagen baadde in het licht. De wand had reusachtige glazen schuifdeuren zodat de keuken op warme dagen in de tuin lag. De wanden waren wit, de gordijntjes geblokt en de werkbladen van beukenhout. Er hingen een tiental zwartwitfoto's van Harry, lachend en met sprankelende ogen, veel vingerverfschilderijen in primaire kleuren en gedichtjes en verhalen die hij had geschreven. Adrian maakte zich altijd druk over vingerafdrukken op het glas of over de katten van de buren, en zijn moeder was sprakeloos over de schending van het huis ('Als je dan toch in een Victoriaanse woning moet wonen, dan kun je op z'n minst het gebouw en zijn erfenis respecteren') maar Freddie en Harry vonden het prachtig.

Boven voelde ze zich altijd een bezoeker, een vreemdeling in een vreemd land. Ze trok aan het koord van de gordijnen. Terwijl ze dichtgingen zag ze Adrian zijn auto sluiten. Ze liep snel de kamer uit; ze wilde beneden zijn wanneer hij binnenkwam.

Ze zat aan het hoofd van de oude grenen tafel toen hij de wenteltrap af kwam. Hij bleef verlegen op de onderste tree staan, alsof hij op haar toestemming wachtte om verder te komen. Hij leek niet erg meer op de jongeman in de bar in Méribel. Hij was veranderd, niet alleen ouder geworden. Minder. Is dat deels mijn schuld, vroeg Freddie zich af. 'Je bent thuis,' zei ze.

Het was een opmerking die geen antwoord behoefde en plotseling stond hij met vertrokken gezicht te huilen. 'Het spijt me, Freddie. Het spijt me zo.' Ze ging bijna naar hem toe – hij deed haar aan Harry denken. In plaats daarvan vroeg ze: 'Maar je meende het wel?'

Adrian snoot zijn neus en wreef bijna boos met de zakdoek over zijn ogen. 'Ik geloof het wel, ja.'

Er waren wel honderd dingen die ze had kunnen zeggen. Was ze zo'n slechte echtgenote geweest, zo'n ongeschikte levenspartner? Had ze dingen anders kunnen doen? Of hij? Maar niets van dat alles klonk goed.

'Ik bedoel dat ik het niet weet,' zei Adrian nu. Tot haar verbazing was zijn besluiteloosheid vleiend noch irritant. Hij zei alleen maar wat zij dacht. Kon het einde van een huwelijk dan echt zoiets armzaligs zijn? Had hij niet absoluut zeker van Antonia Melhuish moeten zijn om haar die ochtend te bellen en te zeggen wat hij had gezegd, daarna naar huis te komen met de bedoeling een einde te maken aan iets wat jaren had geduurd en waaruit een kind was voortgekomen? Ze dacht aan Antonia, stelde zich voor dat die hiernaar luisterde. Ze zou waarschijnlijk niet verrukt zijn.

'Ik wil naar bed.' Ze stond op.

Adrian keek geschokt. Was dat het dan? Hij deed een stap opzij. 'Natuurlijk. Je ziet er moe uit. Kan ik iets voor je halen?' O, zo voorzichtig.

'Je kunt met me meegaan.' Terwijl ze langs hem heen liep, pakte ze zijn hand vast en liep de trap op. In hun slaapkamer ging ze voor hem staan, liet ze haar jurk van haar schouders vallen en trok daarna haar ondergoed uit. Ze wilde worden vastgehouden en ze wist dat ze hem naar haar kon doen verlangen. Het ging niet om macht. Het ging om vastgehouden worden.

Ze bleef passief terwijl hij haar kuste, bijna dankbaar. Ze zei niets toen hij haar op haar rug op het bed legde en teder de liefde met haar bedreef, alsof ze een pop was. Het was niet het orgasme waar ze op wachtte, hoewel ze dat zoals altijd bij hem wel kreeg. Het was het moment daarna, wanneer hij op haar lag en haar zo stevig vasthield dat het bijna pijn deed en alle gedachten wegvaagde.

Naderhand lag hij naast haar, een vragende blik in zijn ogen.

'Ik weet dat dit niets verandert,' beantwoordde ze de onuitgesproken vraag.

En toen wilde ze niet meer naast hem in hun bed liggen. Ze stond op en liep naakt naar de deur. 'Ik slaap wel in de logeerkamer.'

Adrian zei niets.

Toen ze de volgende ochtend wakker werd van de telefoon was hij al weg. Ze had vast geslapen en omdat de telefoon in hun slaapkamer stond was hij al diverse keren overgegaan voor het geluid tot haar doordrong. Ze was even in de war – het licht kwam van achter haar in plaats van voor haar. Toen herinnerde ze het zich weer. Ze vroeg zich af of hij kleren mee had genomen. Het deed er eigenlijk niet toe.

De wekker stond op halfnegen. Ze sliep nooit zo lang.

Tamsin klonk bezorgd. 'Is alles in orde? Je klinkt een beetje suf.'

'Ik ben net wakker.'

'Is dit een slecht moment? Is Adrian daar?'

'Volgens mij niet. Hij moet al vertrokken zijn.'

'Hebben jullie gepraat?'

'We hebben seks gehad.'

'Na het praten?'

'In plaats van.'

'O-ké.' Tamsin maakte er een langgerekt woord van.

'Ik was te moe om te praten, denk ik. Ik wilde getroost worden. Ik weet dat het belachelijk klinkt.'

'Niet belachelijk. Een beetje triest misschien.'

'Ik weet het. Meer dan een beetje, zelfs.'

'Wat zei hij over je vader?'

'Dat heb ik hem niet verteld.'

'Nou maak je me bang, Freddie.' Ze klonk inderdaad bang. 'Waarom niet?'

'Omdat dat niet zijn schuld was, wat timing betreft. En verder eigenlijk ook niet. Hij zou zich vreselijk gevoeld hebben en wat had dat voor zin gehad?'

'Jemig, Freddie! Je man gaat vreemd! Hij hoort zich vreselijk te voelen. Ik snap jou echt niet,' gooide ze eruit. Terechte verontwaardiging was een van Tamsins specialiteiten.

Niet dat Freddie verwachtte dat ze het zou begrijpen. Niet echt. Tamsin was zo'n drie maanden voor haar negentiende verjaardag verliefd geworden op Neil en hij op haar, en dat waren ze gebleven, op een niet erg opwindende maar wel boeiende manier: minnaars, vrienden, partners, medestrijders tegen de rest van de wereld. Neil was een van die mannen met wie je niet eens kon flirten – en God wist dat Reagan het had geprobeerd. Je kon niet verwachten dat Tamsin er iets van begreep dat een huwelijk goed begon maar vervolgens veranderde. Ze zou nooit kunnen bevatten dat Freddie behalve de onmiskenbare pijn en woede waarin ze volgens Tamsin moest verdrinken ook opluchting en zelfs bewondering voelde.

'Luister, Tams, ik weet wat je bedoelt, echt waar.' Ze wilde wat tijd winnen. 'Misschien komt het gewoon doordat het samenvalt met dat van mijn vader. Misschien kan ik niet alles tegelijk aanpakken. Dat zei Reagan tenminste.'

'Dus je hebt haar gesproken?'

'Ze belde gisteravond. Ze zegt dat ik eerst alles rond paps dood moet regelen, en daarna dat met Adrian.'

Tamsin maakte een peinzend geluid.

Freddie vervolgde: 'Ik bedoel, ik weet immers niet of ons huwelijk echt voorbij is? Misschien is hij verliefd op die andere vrouw en misschien niet. Ik hoef dat niet meteen allemaal uit te zoeken. Ik weet dat jij waarschijnlijk wilt dat ik al zijn kleren uit het raam gooien en afbijtmiddel over zijn auto giet.'

Tamsin giechelde. 'Dat is een goed begin.'

'Maar dat doe ik niet. Je kent me beter.'

'Dat is zo. Het is om gek van te worden. Ik zou Neil vermoord hebben in plaats van een nummertje met hem te maken.'

'Ik weiger te luisteren naar wat jij met Neil zou doen. Het hele idee van Neil die jou zou bedriegen is nog verder gezocht dan die aflevering van *Dallas* waarin Pam ontvoerd wordt door buitenaardse wezens en in de douche weer bijkomt.'

'Daar kwets je me mee, hoor. Zo alledaags zijn we toch zeker niet?'

'Niet alledaags, nee, Maar wel absurd, onuitsprekelijk, saai monogaam.'

'Daar zit wat in.'

'Laat het voorlopig dus even rusten, wil je? Laat me het maar op mijn eigen manier aanpakken.'

'Goed dan,' zei Tamsin met duidelijke tegenzin, maar Freddie wist dat het in orde was. 'En, wat voor parels van wijsheid had Reagan nog meer voor je?' Tamsin was maar een beetje sarcastisch.

'Ze gaat met me mee naar Amerika.' Freddie had tot dat moment nog niet besloten dat ze zou gaan.

'Ik ook.'

'Doe niet zo gek. Je bent zwanger, in godsnaam! En hoe moet het dan met de kinderen en Neil?'

'Het was Neils idee. Ik ben pas zevenentwintig weken. Dan mag je nog een hele tijd vliegen. Tot vierendertig weken, geloof ik, als alles goed gaat.' Freddie herinnerde zich dat Tamsin er met zo'n vijf maanden altijd al uitzag of ze bijna uitgerekend was. Dan zeiden mensen in winkels tegen haar: 'Het kan zeker elk moment komen,' en Tamsin mompelde dan kwaad: 'Elk moment over drie maanden, nieuwsgierig kreng!'

'Ik heb Meghan om voor de kinderen te zorgen en Neil kan wel voor zichzelf zorgen,' vervolgde Tamsin. 'En bovendien, zoals jij al zei, hoef ik me geen zorgen te maken over Neils trouw tijdens mijn afwezigheid. Hij doet het alleen graag met vette vruchtbare grietjes.'

'Veel te veel informatie, Tams.'

'Dus ik ga mee. Ik kan je niet te lang alleen laten met de kampcommandant, toch?'

'Je gaat toch niet mee omdat je jaloers bent, hè?'

'Doe niet zo belachelijk. Ik ga mee omdat er een Os Kosh Outletstore is op Cape Cod en ik helemaal geen babykleertjes meer heb.'

'Tams?'

'Ja?'

'Dank je.' Freddie wist bijna niet wat ze moest zeggen. Ze was ontroerd door de trouw van haar beide vriendinnen.

Gelukkig liet Tamsin geen ruimte voor sentimentaliteit. 'Laat dat maar zitten. Bel Reagan nou maar en vraag haar of ze genoeg airmiles heeft voor drie stoelen in de business class. Ik ga echt niet op het tussendek zitten met die verdraaide hoop handbagage die aan mijn buik hangt.'

'Dus alledrie mijn meisjes laten me in de steek?'

Matthew en zij reden in de auto op de M25. Het was voor de verandering eens niet druk op de weg. Matthew had Everything But The Girl in de cd-speler zitten, *Baby, the stars shine bright*, zijn favoriete album van hen. Muziek uit de zomer van 1986, gevoelvol, melancholiek en heel ontroerend.

Hij had er ook naar zitten luisteren, te hard, de eerste keer dat ze naar hem toe ging nadat Sarah was overleden. De deur stond open en hij zat op de keukentafel.

'*...cause I don't like sleeping and watching TV on my own. So please come on home.*'

Zijn wangen waren nat en zijn ogen waren rood. Ze was naar hem toe gelopen en hij had zich half dansend en half wiegend aan haar vastgeklampt, en zijn schouders hadden heel lang geschokt. Ze had hem daarna niet meer zien huilen, zelfs niet tijdens de begrafenis, toen iedereen huilde. Ze probeerden het zachtjes en respectvol te doen, maar als zelfs de echtgenoot zich goed kon houden, dan hadden ze waarschijnlijk het gevoel dat zij dat ook moesten kunnen.

Freddie gaf hem een stomp tegen zijn arm. 'Zeg dat niet... je klinkt als een pooier.'

'Onzin. Als ik zou zeggen "al mijn teven", dan klonk ik als een pooier. Nu klink ik alleen maar als een eenzame oude man.'

'Met oud ga ik niet akkoord, want je bent vijf maanden jonger dan ik. Eenzaam? Als je dat bent, is het je eigen schuld. Je hebt nog steeds dat Tom Cruise-uiterlijk waar we allemaal op vielen. Je hebt een goeie baan, je hebt niet te veel slechte gewoonten... je bent alleen maar bang!'

'Nou en of ik bang ben! Al die vrouwen zijn immers roofdieren? Alleen en wanhopig op hun vijfendertigste.'

'Je hebt te veel oude nummers van *FHM* gelezen. Het is tegenwoordig volstrekt respectabel om als vrouw op je vijfendertigste alleen te zijn.' Dat hoopte ze maar. 'In feite zouden ze waarschijnlijk niet eens met je willen trouwen – ze zouden je alleen willen voor de seks.'

'Daar kan ik wel mee leven!'

Ze zwegen een poosje. Dit was leuk. Ze kende Matthew waarschijnlijk beter dan ze welke andere man ook had gekend. Een deel van hem, althans. Het was gemakkelijk om nu met hem samen te zijn.

'Vind je het erg als ik een sigaret pak?' Hij haalde er al een uit het pakje en drukte de aansteker op het dashboard in.'

'Op de lange termijn, absoluut. Wat de korte termijn betreft, ga je gang.'

Ze boog iets naar hem over om de rook op te snuiven. God, ze miste sigaretten. De ene die Tamsin gisteren uit haar hand had getrokken was de eerste geweest sinds haar huwelijksreis, maar had heerlijk gesmaakt. Die eerste haal nicotine had haar heerlijk duizelig gemaakt en daarna lekker kalm. Ze had zich een ondeugende tiener gevoeld toen ze het pakje kocht bij het benzinestation. En god, wat waren ze duur geweest!

'Wat ga je daar doen?' vroeg Matthew.

'Nou, er zal wel een testament zijn, vermoed ik, hoewel hij en ik het daar nooit over hebben gehad. Ik neem aan dat hij begraven zal worden. En dan is er nog het huis. De vraag wat daarmee moet gebeuren. Iedereen schijnt te vinden dat ik moet gaan, dus ik ga maar.' Ze glimlachte.

'Ik vind niet dat je hoeft te gaan als je dat zelf niet wilt.' Hij glimlachte niet. 'Hemeltje, we leven in 2004. Die dingen kunnen wel transatlantisch geregeld worden, hoor. Ik wil niet dat je erheen gaat als je het je van streek maakt. Dat is nergens voor nodig.' Hij klonk bezitterig.

Freddie dacht aan haar vader. 'Ik besef nu eigenlijk pas hoe slecht ik hem kende. Er zijn drie kerken in Chatham en ik heb geen flauw idee in welke hij de begrafenisdienst zou willen laten houden, als hij daarvoor al naar de kerk wil. Ik weet niet of hij er ooit heen ging.' Toen Tamsins vader stierf wist ze dat hij wilde dat ze 'Nearer My God To Thee' zouden spelen, en dat hij zijn kleinkinderen er niet bij wilde hebben, en dat hij wilde dat Caroline een gele jurk droeg. En ik weet niet eens of mijn ouwe heer eigenlijk wel een begrafenis wilde.'

'Begrafenissen worden overschat. Wie kan het wat schelen welke kerk, welke tranentrekker en welke kist je kiest?'

Die van Sarah was van licht hout geweest, net als haar keukenvloer van bamboe. En er waren rozen geweest, heel licht crèmekleurig, dezelfde als in haar bruidsboeket, allemaal nog in de knop en strak bij elkaar gebonden zodat je het groen niet zag. Ze had een hekel gehad aan lelies, hun geur, hun lange stelen en stoffige meeldraden. Zij hadden alles gekozen, Freddie, Reagan en Tamsin. Matthew wilde niet met hen mee naar de begrafenisondernemer.

'Je hoeft er niet heen,' zei hij weer.

'Ik denk dat ik er wel heen moet. Hij was mijn vader.'

Haar vader had nooit enige belangstelling getoond voor de vraag wanneer en hoe ze thuiskwam. Ze had een creditcard en hij vulde elke maand het saldo daarop aan. Hij zei nooit dat ze te veel geld uitgaf en leek nooit te merken waar ze het aan besteedde. Die kerst nadat Sarah en Matthew elkaar tijdens het feestje van de rechtenopleiding in Chester hadden ontmoet, was ze met Pan Am gevlogen, op 23 december rechtstreeks naar Boston. Het was een duur ticket geweest: piekperiode, middagvlucht. Het was de enige keer dat hij op het vliegveld op haar had staan wachten. Misschien had hij zich afgevraagd of ze de vlucht van de vorige dag via New York had genomen en was opgeblazen boven Lockerbie. Ze had hem bij het poortje op Logan zien staan, in zijn lange zwarte overjas, zijn handen op het hek. Hij had haar zelfs toen niet omhelsd, zelfs niet toen ze zich realiseerde waarom hij gekomen was. Hij had een hand uitgestoken en één afschuwelijk surrealistisch moment lang had ze gedacht dat hij de hare zou schudden, maar hij reikte naar haar koffer. Ze had die hem gegeven en toen zijn wang gekust, haar lippen vochtig op zijn droge, koude huid. De chauffeur had haar vader bij zijn kantoor afgezet en haar vervolgens naar huis gebracht.

'Waarom gaat Adrian niet mee?'

'Hij heeft het druk.'

'Binnenkort een golftoernooi zeker?'

'Doe niet zo vervelend. Hij werkt voor de kost, Matt. En denk je trouwens niet dat twee chaperonnes wel genoeg is?'

Ze keek hem smekend aan. Ze wist dat Matthew Adrian niet mocht. Ze moest hem vertellen wat er was gebeurd, maar ze waren al in Guildford en ze had net het bord gezien dat betekende dat ze nog maar zes kilometer bij Harry vandaan was. Ze wilde het hem niet vertellen nu ze zo dichtbij waren. 'Ga je met me mee naar binnen?'

'Wil je dat graag?'

'Ik weet dat Harry het leuk zou vinden je te zien. Maar ik weet ook dat zo'n arbeidersjongen als jij waarschijnlijk uitslag zal krijgen van zo'n plek.'

'Kun je het me kwalijk nemen? Ik blijf wel gewoon buiten rondhangen en probeer me te gedragen alsof de auto van mij is, alsof ik hem niet heb gestolen, vind je dat goed?'

Freddies schoenen knerpten op het grind toen ze naar het gebouw liep.

Het was abnormaal hoe nerveus ze zich hier nog steeds voelde. Ook al betaalde ze voor haar zoons opleiding hier, Freddie had altijd vaag het gevoel dat ze hier terechtstond. Het was net een grotere, minder persoonlijke versie van Clarissa's verdraaide feestjes. Deze plek ademde geschiedenis en traditie uit. Terwijl ze om zich heen keek in de gelambriseerde kamer – waar de muren een galerie van wereldberoemde oud-studenten vormden – waar ze heen was gebracht om te wachten, bedacht ze dat haar vader het prachtig zou hebben gevonden. Hij was dol op dit soort typisch Engelse flauwekul. Er hing geen portret van Adrian, zag ze. Het was grappig om te zien dat, hoe succesvoller een overgrootvader was geweest, hoe groter de kans was dat zijn achterkleinzoon een luie dwaas was die het geld van de familie verkwistte. Niet dat Adrian het verkwistte, natuurlijk. Zijn ouders lieten hem niet eens bij hun geld in de buurt komen. Hij had wat de Engelsen 'verwachtingen' noemden, wat erop neerkwam dat je een vreselijk hoge hypotheek kon afsluiten, en hoopte dat je ouders, van wie je nooit echt hield omdat ze je op zevenjarige leeftijd al wegstuurden, een pijnloze maar voortijdige dood zouden sterven voordat ze te veel konden uitgeven van wat jou rechtmatig toekwam. Misschien had ze te veel naar Neils en Matthews socialistische preken geluisterd.

Harry's mentor duwde hem de kamer binnen. Toen de deur eenmaal dicht was en hij zeker wist dat ze alleen waren, rende hij naar haar toe. 'Mam!' Ze hielden elkaar stevig vast; haar lieve jongen. Het leek veel langer dan vierentwintig uur geleden sinds ze hem had gezien.

'Wat doe je hier?' Harry maakte zich van haar los en trok zijn uniform recht. 'Er is iets aan de hand, nietwaar? Met pap?'

Charley Fairbrothers vader had tijdens het herfsttrimester een hartaanval gehad en was dood neergevallen. Tijdens zijn werk, kennelijk. Charley had een idiote jongen geslagen in de rij voor de lunch, nadat die had gezegd dat zijn vader waarschijnlijk bezig was geweest 'het' te doen. Wat een belachelijke opmerking. Het was waarschijnlijk niet zijn bedoeling geweest dat Charley het zou horen, maar die hoorde het wel. Harry herinnerde zich dat Charley bijna huilde toen hij de jongen sloeg en dat hij een bloedneus aan het gevecht had overgehouden. Maar geen straf. Harry hoopte maar dat het niet zijn vader was.

'Nee, lieverd, er is niets met pap. Hij mankeert niets. Kom even bij me zitten.'

Harry liet zich naar de bank leiden. Het was zo'n rare, waarbij het leek of de zijkanten met touw aan de rug waren vastgebonden. Hij was nooit eerder in deze kamer geweest. Zijn moeder had haar blik afgewend. Wat het ook was, het kon niet al te erg zijn.

'Ik ben bang dat het om je grootvader gaat, Harry.'

'Opa Sinclair?' Harry keek angstig. Ik maak er een puinhoop van, dacht Freddie, kwaad op zichzelf. Ga nou maar door.

'Nee, lieverd, grootvader Valentine.'

Harry zag er even heel opgelucht uit, realiseerde zich toen dat dat niet zo hoorde en keek weer bezorgd.

'Hij is dood, lieverd.'

Ze wist dat hij reageerde 'zoals het hoorde'. Een van de voordelen van een buitengewoon dure opleiding.

'Wat erg voor je, mam.' Harry was opgelucht dat het niemand was van wie hij hield.

'Dank je, lieverd, maar hij was erg oud en hij is rustig in zijn slaap overleden, en dat is geen slechte leeftijd of een slechte manier om dood te gaan.'

'Maar toch,' zei hij met zijn hoofd tegen haar schouder, 'hij was je vader.' Uit de mond van een kind.

Zijn moeder liet even haar hoofd op het zijne rusten en probeerde zijn vertrouwde geur op te snuiven. Te laat. Eén dag hier en hij had alweer die licht zweterige geur van kostschool en kool die hij met een miljoen andere jongens deelde.

'Ik moet natuurlijk wel naar Amerika.'

Nu was hij wel geschokt. 'Wanneer?'

'Volgende week waarschijnlijk.'

'Waarom?'

'Om te beginnen voor de begrafenis, en dan is er nog het huis waar hij woonde – er moet een aantal dingen geregeld worden. En een hoop papierwerk. Je weet wel, saaie volwassenenklusjes.'

'Waarom moet jij dat doen?'

'Omdat er niemand anders is, lieve schat.'

'Kan ik niet met je mee?' Hij gebruikte de stem die hij altijd had gebruikt om iets van haar gedaan te krijgen. Mag ik bij jou en pap slapen? Mag ik een halfuurtje langer opblijven? Lees je me nog een verhaaltje voor? Het was toen zo veel gemakkelijker geweest om hem gelukkig te maken.

'Dat kan niet, lieve schat. Je moet hier blijven – dat weet je.' Het maakte haar verdrietig dat hij het niet harder probeerde.

Hij wist dat ze gelijk had. 'Hoe lang blijf je weg?'

'Niet lang, schat, dat beloof ik je. Ik ben voor de herfstvakantie terug.'

'De herfstvakantie!' Dat duurde nog eeuwen.

'Maar jij en ik kunnen elkaar wel bellen, en e-mailen, en ik zal je schrijven, zoals altijd. Ik ben alleen wat verder weg.'

'Ik heb tot die tijd vijf wedstrijden. Ik sta nu in het eerste.'

'Lieverd, dat is fantastisch! Goed gedaan.'

'Maar je kunt me niet zien spelen.'

'Ik beloof je dat ik voor een van de wedstrijden terug zal proberen te zijn. En pap zal vast wel komen, dat weet ik zeker.'

'Denk je echt?'

'Absoluut.' Zolang ze maar niet samenvielen met zijn verdraaide golftoernooien.

Harry's hoopvolle gezicht stak haar. Hoe kwam het toch dat Adrian Harry's onvoorwaardelijke liefde en trouw genoot, terwijl hij zo weinig deed om die te verdienen? Hij had beslist niet meer dan twee of drie van Harry's wedstrijden gezien. Freddie herinnerde zich de keer dat hij onverwacht was komen opdagen. Harry had het er nog weken over gehad. Zij had niet één wedstrijd gemist, dus haar aanwezigheid aan de zijlijn was net zo vanzelfsprekend voor Harry als die van zijn sportleraar. Ze had jaloers kunnen zijn, maar omdat Harry's geluk het enige was wat telde voor haar, had ze die jaloezie verbeten en haar best gedaan om blij voor hem te zijn.

Hij glimlachte nu zijn brede glimlach naar haar. Hij was nog steeds haar jongen.

'Oké. Ben je verdrietig, mam, om je vader?'

Dat zou alleen een kind vragen. Volwassenen gingen met dat soort dingen uit van veronderstellingen.

'Ik weet het eigenlijk niet. Een deel van de tijd mocht ik hem niet echt graag, maar ik geloof dat ik me pas sinds gisteren, toen ik hoorde dat hij dood was, realiseer dat ik ook allerlei andere gevoelens voor hem had. En ik denk dat ik vooral verdrietig ben omdat het nu te laat is om nog dingen met hem uit te praten. Begrijp je wat ik bedoel?'

Hij begreep het natuurlijk niet. Hij zag er verward uit. Hoe kon hij het ook begrijpen. Zijn relatie met haar was sterk en gezond, en voorlopig zou hij zijn relatie met Adrian alleen zien in het kader van diens aanwezigheid aan de zijlijn. Ze wist dat ze Harry soms in een volwassene probeerde te veranderen met wie ze kon praten – zodat hij de leegte kon vullen die Adrian had achtergelaten toen hij de ziel uit hun huwelijk had weggenomen. Dat was niet eerlijk tegenover de jongen.

Ze kon hem onmogelijk niet over dat andere vertellen – ze zou niet weten waar ze moest beginnen. Bovendien hoefde hij dat nog niet te weten. Misschien kwam het weer goed. Misschien zou ze hem nooit hoeven te vertellen dat Adrian en zij uit elkaar waren geweest.

De volgende avond zat Freddie op Adrian te wachten toen hij terug kwam van zijn werk. Ze nam tenminste aan dat hij naar zijn werk was geweest. Ze had bedacht dat ze eigenlijk heel vaak niet had geweten waar hij was. Tot nu toe.

'We moeten praten,' zei ze.

Hij keek haar aan. Ze kon niet wennen aan dat gezicht – het verzoenende, verontschuldigende, ik-zit-fout-gezicht. Het stond hem niet.

'Ja, je hebt gelijk.' Hij ging zitten met zijn handen voor zich gevouwen op de tafel, als een recalcitrante schooljongen.

'Niet over ons.' Ze veegde haar haren ongeduldig van haar voorhoofd weg. 'Ik moet weg.'

'O, Freddie, is het nou echt zo...'

'Mijn vader is overleden.'

'Wat?'

'Mijn vader is dood. Grace heeft me gebeld.'

'Wanneer?'

'Net nadat – een paar dagen geleden. Toen ik Harry naar school had gebracht.'

'Goeie genade, Freddie. Het spijt me.'

'Ik zou niet weten waarom. Je hebt gezegd wat je hebt gezegd. En je hebt gedaan wat je hebt gedaan.'

'Ja, maar je vader!'

'Ik weet het.'

'Wat was het?'

'Een hartaanval. Hij is in zijn slaap gestorven. Het is geen grote tragedie.'

'O, Freddie, wat klink je hard.'

Ze voelde een snik opwellen in haar keel, maar drong hem terug. Als ze ging huilen zou hij haar aanraken en dat wilde ze niet. 'Dat is niet mijn bedoeling.'

'Wat ga je doen?'

'Nou, ik moet erheen.'

'Al snel?'

'Ja. Tamsin en Reagan gaan met me mee.'

Hij keek gekrenkt. 'Dus dat is allemaal al geregeld.'

'Kom nou, Adrian, dit is niet het moment voor ons om samen te gaan. Wat steun betreft heb ik aan jou even geen behoefte.'

De schuldige blik keerde terug. 'Nee. En hoe zit het met Harry?'

'Ik heb het hem gisteren verteld.'

'O, dus ik ben de laatste die het hoort?'

Nu werd zij boos. Hoe durfde hij?

'Eerlijk gezegd, Adrian, verdíen je het om het als laatste te horen.' Ze liep de kamer uit.

Hij volgde haar naar boven. 'Hoe lang blijf je weg?'

'Ik weet het niet. Zo lang als nodig is.'

'Zo lang als waarvoor nodig is? Wat moet je daar dan gaan doen?'

'Dat weet ik niet. Er zal wel een testament zijn, en het huis. Grace moet geholpen worden. Ze heeft verder niemand.'

'En een begrafenis?'

'Meestal wel, hè?' Ze kon het sarcasme niet uit haar stem weren. Hij leek wel een mokkend kind.

'Wil je dat ik daarvoor overkom? Dat is wel het minste wat ik kan doen.'

'Nee, dat wil ik niet. Ik zie het nut er niet van in.'

'Wil je me er dan niet bij hebben?'

'Ik wil je op het moment helemaal niet in mijn buurt hebben.'

'Wat zullen de mensen denken?'

'Dat kan me niet schelen. Er is daar niemand die me ook maar iets interesseert, behalve Grace. Maar wat vreselijk typerend voor jou. Als je je daar zoveel zorgen om maakt, waarom stuur je dan niet een enorm groot bloemstuk? Waarom laat je het niet opmaken in de vorm van de woorden "SCHOONVADER"? Dan kunnen we het bovenop de lijkwagen leggen.'

Ze was gemeen; ze wist het.

Ze veronderstelde dat Adrian en haar vader op elkaar gesteld waren geweest, op een vreemde manier. Ze hadden immers veel met elkaar gemeen gehad – emotioneel verkrampt. Ze herinnerde zich de eerste keer dat ze elkaar hadden ontmoet – haar vader was in

Londen geweest voor een zakenreis. Ze was niet van plan geweest hen aan elkaar voor te stellen, maar toen Adrian hoorde dat haar vader er was had hij per se mee gewild. Ze ontmoetten elkaar als altijd in de Savoy Grill – Freddie geloofde niet dat haar vader ooit ergens anders in Londen had gegeten.

Ze had Adrian tot het laatste moment weerstaan. Ze was zich aan het omkleden. Ze wist niet waarom, maar ze kleedde zich nog steeds om haar vader te plezieren. Klassiek zwart jurkje, niet te kort, en de parels die hij haar voor haar eenentwintigste verjaardag had gegeven. Ze zat aan de toilettafel in de slaapkamer van haar flat en herkende de vrouw in de spiegel niet – zo formeel, zo bekakt, haar haren zo netjes. 'Doe mijn rits even dicht, wil je?' had ze gevraagd.

Maar in plaats van haar rits omhoog te trekken, had hij zijn handen in haar jurk laten glijden, haar borsten beetgepakt en haar in haar hals gekust. 'Toe nou, laat me nou meegaan. Misschien heb ik wel een belangrijke vraag...' had hij geplaagd.

'Een vraag over golfen, of een juridische vraag? Geloof me, dat zijn de enige vragen waar hij belangstelling voor zou hebben.'

'Misschien wil ik hem wel om de hand van zijn dochter vragen.'

'Haal het niet in je hoofd!'

'Wil je niet met me trouwen, dan?' Hij had gedaan of hij zich gekwetst voelde, maar was al die tijd de zijkanten van haar borsten blijven strelen en kwam steeds dichter bij haar tepels.

'Daar gaat het niet om. Het gaat erom dat jij overweegt mijn vader om toestemming te vragen! We leven in de jaren negentig!'

Zijn strelingen hadden haar echter afgeleid. Tien minuten later had ze toegegeven. 'Je mag mee, zolang er niet over trouwen wordt gepraat.'

'Ik dacht dat ik net...'

Hij had wat dat onderwerp betreft haar instructies opgevolgd.

Grappig genoeg was het een van de beste avonden geweest die ze met haar vader in de Savoy Grill had beleefd. Er was belachelijk veel gesproken over golf – handicaps, banen, clubs – maar tijdens die gesprekjes had zij naar de mensen kunnen kijken. Haar vader was erg ontspannen geweest. Ze had hem niet meer zo gezien sinds... Ze wist niet of ze hem eigenlijk ooit wel zo had gezien. Ook Adrian herkende ze nauwelijks – stijfjes formeel, absoluut correct. Als ze niet beter had geweten zou ze hebben gedacht dat de twee mannen een show voor haar opvoerden.

Naderhand was Adrian hun jassen gaan halen. Haar vader had geknikt en geglimlacht. 'Hij is de juiste man voor je.'

Ze moest die avond mild gestemd zijn geweest. Het was niet bij haar opgekomen hem eraan te herinneren dat hij geen flauw benul had wat de juiste man voor haar was. Ze herinnerde zich dat ze blij en trots was geweest.

Ze hadden afscheid genomen in de lobby en haar vader was naar de kamer gegaan waar hij altijd sliep.

Adrian grijnsde toen ze naar buiten liepen. 'Heb ik het goed gedaan?'

'Daar lijkt het wel op. Maar je doet er goed aan te bedenken dat ik degene ben op wie je indruk moet maken, niet mijn vader.'

Hij had zijn arm om haar schouders geslagen. 'Dat vind ik veel moeilijker wanneer ik niet naakt ben.'

Nu ze erop terugkeek had ze het gevoel te hebben kaartgelezen en alle aanwijzingen te hebben genegeerd. Had ze echt haar leven vergooid aan een man die goed was in bed en die golf speelde, alleen omdat haar vader hem een goede vangst vond en ze wanhopig naar zijn goedkeuring verlangde?

Nu keek Adrian haar aan alsof hij haar niet kende. Als ze gemeen en onvriendelijk was, dan was dat zijn schuld, dacht ze.

'Ik zal Grace wel schrijven,' was het enige wat hij zei. Hij draaide zich om met iets wat leek op waardigheid en liep naar de deur. Toen hij die bereikt had zei hij zacht: 'Het spijt me van je vader,' en verdween.

September 2004, Boston, vs

Freddie was achttien geweest toen ze deze vlucht naar vliegveld Logan voor het eerst maakte, de vlucht die laat in de middag aankwam. Het was vier maanden nadat ze naar Engeland was vertrokken. Het vliegtuig remde op de landingsbaan en het water in de baai glom in de zon. De huizen met gepotdekselde muren anderhalve kilometer verderop aan de overkant van het water vertelden haar dat ze thuis was. Het was toen koud geweest en naast de huizen lagen sneeuwhopen. Nu was het warm en waren de blaadjes nog groen. De diepblauwe lucht was echter hetzelfde.

Nu zag het vliegveld er moe uit, net als de kruiers in hun grijze pakken en petten, die klanten probeerden te werven onder de wazig kijkende nieuw aangekomenen. Ze waren de hele vlucht vanaf Heathrow vrolijk geweest. Tamsin had nog niet veel gevlogen, en zeker geen business class. Zelfs Reagan, die al tien jaar lang zonder blikken of blozen in een vliegtuig stapte, had zich ontspannen en genoten van Tamsins ervaring. Tamsin had aandachtig geluisterd toen de nonchalante stewardess de nooduitgangen aanwees en had zelfs 'van de gelegenheid gebruikgemaakt om de kaart met veiligheidsvoorschriften in de stoelzak voor haar te bestuderen' – tot ze zag dat Reagan en Freddie om haar zaten te grinniken. Ze had argwanend naar Reagan gekeken die, zodra het lampje van de veiligheidsgordels uitging, zich terug had getrokken op het toilet en terug was gekomen zonder make-up en met een dikke laag vochtinbrengende crème op haar gezicht. 'Je gaat nu zeker de champagne afslaan, om gewoon water vragen en je hierachter verschuilen?' Ze zwaaide met het oogmaskertje dat iedereen gekregen had.

Reagan – die dat inderdaad van plan was geweest – lachte. Het was een leuk geluid dat Freddie en Tamsin de laatste jaren niet veel hadden gehoord. 'Natuurlijk niet.' Ze nam drie glazen aan van een passerende steward, die naar haar knipoogde en gaf Tamsin en Freddie elk een glas. 'Proost! Op ons. Het is lang geleden dat we samen zoiets hebben gedaan.'

En toen, omdat ze hierdoor aan haar moesten denken en omdat ze de gewoonte hadden om op haar te toasten als ze samen waren, zei Freddie: 'Op Sarah.'

'Op Sarah,' antwoordden de anderen.

Tamsin tikte haar glas luid tegen dat van Reagan en vervolgens tegen dat van Freddie. 'Op Filenes Souterrain.' Op het tafeltje voor haar lag de *Rough Guide to Boston,* de rug geknakt bij het gedeelte over winkels.

'Hé!' Freddie vond het niet eens zo heel erg. 'We zijn hier niet om te winkelen.'

'Sorry, Fred,' zei Tamsin schaapachtig. 'Misschien is het de opluchting om Neil, Homer, Willa, Flannery en Meghan even achter me te laten.'

'Vergeet Spot de hond niet!' zei Reagan.

'De hond heet Steinbeck, Reagan, dat weet je heel goed.'

'Aah, het zijn schatjes. Stuk voor stuk.' Freddie besloot dat Tamsin maar geen champagne meer moest drinken.

Ze hadden de eeuwige kipschotel en het chocoladetoetje gegeten en Tamsin had zich tegoedgedaan aan de doos kersenlikeurbonbons die ze in de taxfree had gekocht. Ze hadden naar de film gekeken, waren voor het einde in slaap gevallen en later weer wakker geworden en hadden toen in hun afzakkende blauwe Virginsokken wat door het vliegtuig gedrenteld, wachtend op de landing.

Nu waren ze geland en was Freddie stil. Ze was al jaren niet meer hier geweest, ook al hield ze van de stad, omdat het inhield dat ze haar vader moest opzoeken, en ze had er juist zo veel energie in gestoken om bij hem weg te komen, haar grote, angstaanjagende, emotioneel uitgedroogde vader. Nu had hij haar echter teruggewonnen. Ze was hier.

Ze landden ver van de terminal vandaan, dus Freddie leunde met haar ogen dicht achterover terwijl het vliegtuig daarheen taxiede. Ze vroeg zich af wat Adrian aan het doen was. Als je hoorde dat het huwelijk van een vriendin voorbij was, was dat altijd enigszins schokkend. Dat was omdat je er niet bij was geweest, dichtbij, tijdens het langdurige proces waarin het eens gelukkige huwelijk stukliep. Ze wachtten misschien met het je vertellen tot ze konden zeggen dat ze er vrede mee hadden, of dat het zo beter was, of misschien gewoon tot ze de woorden over hun lippen konden krijgen zonder te huilen. Maar je wist altijd wel dat het niet plotseling was gebeurd en je vroeg je af wanneer de klad erin was gekomen, maar daar kwam je nooit achter. Zelfs als het om je eigen huwelijk ging was dat nog niet even duidelijk. Het was niet het moment waarop je ontdekte dat je man met Antonia Melhuish naar bed ging. Het was niet iets wat je plotseling besefte bij het wakker worden. En zelfs wanneer je kon toegeven dat het waar was, dat de scheuren zo breed waren geworden dat ze niet meer dichtgesmeerd konden worden, wist je nog niet wanneer het begonnen was.

Ze herinnerde zich de jongen met het koperkleurige haar van die eerste avond op de berg. Ze herinnerde zich de man die bij haar in de badkamer zat terwijl zij op het staafje plaste dat hen vertelde dat Harry op komst was. Ze herinnerde zich een man die tijdens een picknick rondrende met een lachende peuter op zijn schouders, een man die een kleine jongen hielp haar ontbijt op bed te brengen, met narcissen in een vaasje en zacht geworden cornflakes met te veel suiker. En toen herinnerde ze zich de man die had geweigerd Harry thuis te laten blijven. Die in de weekends hele dagen weg was. Die altijd was blijven geloven dat zijn idiote moeder alles het beste wist. Die nooit had begrepen dat troost soms gewoon noodzakelijk was. Jarenlang waren die twee kerels dezelfde man geweest. En toen was de weegschaal langzaam naar één kant doorgeslagen.

Je kon niet op dezelfde manier van een man blijven houden. En als je eenmaal ophield op dezelfde manier van hem te houden sijpelde de liefde die er nog was langzaam weg.

Zo voelde het aan.

Het vliegtuig stond stil en Reagan nam het heft in handen. Ze duwde de kruiers opzij en de drie vrouwen reden zelf hun bagage de straat op. Het was goed om buiten te zijn na al die uren van gerecyclede lucht. De taxichauffeur die ze aanhield kwam zijn witte taxi niet uit, maar deed van binnenuit zijn kofferbak open, zodat ze hun bagage erin konden leggen. 'Zijn fooi kan hij wel vergeten,' fluisterde Tamsin.

'Marriott, Copley Plaza,' zei Reagan tegen de man. 'Ik heb twee kamers geboekt. Ik ging ervan uit dat jullie een kamer zouden delen.' Reagan had altijd een kamer gedeeld met Sarah, als ze met hun vieren ergens waren. Tamsin met Freddie, Reagan met Sarah. Ze mist haar vast nog meer dan ik, dacht Freddie.

Het was grappig zoals viertallen altijd dezelfde twee paren vormden. Freddie had altijd gedacht dat Sarah en Reagan naar elkaar toe waren getrokken omdat Sarah de vriendelijkste van hen allemaal was, en Reagan de moeilijkste. In het begin was Reagan verlegen en slecht op haar gemak geweest, maar binnen de veiligheid van hun vriendschap was het veeleer stekeligheid en soms zelfs bitterheid geworden. Sarah had haar gedrag altijd sneller goedgepraat en haar goede kanten gezien dan Tamsin en Freddie. Freddie betwijfelde of ze nog met Reagan contact zou hebben gehad als Sarah er niet zo veel energie in had gestoken toen ze jonger waren. Zij was degene die er altijd op had aangedrongen dat Reagan meeging.

Sarah was altijd Reagans voorvechter geweest. Freddie herinnerde zich een zomeravond, duizend jaar geleden. Ze hadden gesoftbald op Clapham Common – Sarahs bedrijf deed mee in een competitie en zij had Freddie en Reagan erbij gehaald als invallers. Het was zo'n hete zomeravond geweest waarop kantoormedewerkers naar buiten stroomden uit warme kantoren en elk stukje groen in de stad opzochten. Muziek en alcohol leken uit het niets op te duiken en de lucht was zwaar. Zo'n avond waarop je blij was dat je leefde.

Neil en Matthew waren aan het werk, hoewel ze hadden beloofd later nog te komen, en Adrian was gaan golfen met een paar kerels van kantoor, dus het was alleen de Tenko Club. Ze konden zich geen van allen herinneren wanneer ze de laatste keer zo samen waren geweest. Tijdens een met bier en nostalgie overgoten gesprek vertelden ze elkaar hoeveel ze van elkaar hielden en hoezeer ze elkaar misten in hun nieuwe, drukke leventjes. Tamsin vertelde hun dat zij en Neil wilden proberen een baby te krijgen en Sarah was dolenthousiast.

'O. Wat geweldig. We krijgen een baby.'

'Ik krijg een baby!'

'Je weet best wat ik bedoel,' zei Sarah, en dat was ook zo.

'Misschien moeten we allemaal een baby krijgen.' Freddie glimlachte. 'Adrians moeder zit er in elk geval steeds over te zeuren, ze wil een erfgenaam en een reserve. En Matthew wil ook dolgraag kinderen.'

'Wat moet ik dan doen?' zei Reagan, maar half voor de grap. 'Bij de lokale spermabank aankloppen?'

Freddie trok een grimas. Reagan had stilletjes op haar rug in het gras gelegen en eerlijk gezegd was Freddie bijna vergeten dat ze erbij was. Tamsin rimpelde haar neus en wendde zich toen tot Reagan.

'Ik geloof niet dat je al aan de vervangende methode moet gaan denken, Reags. Mannen beginnen te kwijlen als ze je zien. Kijk dat stel daar nou.'

Dat was niet helemaal waar. Sarah was degene die de mannen deed kwijlen, ondanks haar verlovingsring. Wat Reagan er overigens niet van weerhield binnen een uur weg te gaan met een van de mannen van het softbalteam, die zijn arm bezitterig om haar schouders had geslagen. Ze zei hun niet eens gedag.

'Moet ze dat nou doen?' vroeg Sarah. 'Nog afgezien van de rest is hij de baas van mijn baas. Dat belooft wat voor mij als het mis loopt.'

'Doe niet zo raar. *Caveat emptor*, of zoiets. Hij lijkt me een grote jongen.'

'Denk je dat Reagan hem daarom gekozen heeft?' Freddie gebaarde naar haar eigen kruis en ze giechelden alledrie.

'Ik bedoel maar,' voegde Tamsin eraan toe, 'hij ziet eruit alsof hij wel voor zichzelf kan zorgen.'

Nog meer lachsalvo's. 'Als dat zo is,' sputterde Freddie, 'waar heeft hij Reagan dan voor nodig?'

Nu maande Sarah hen tot stilte. 'Doe niet zo gemeen, jullie tweeën.' Ze zag Reagan en de baas van haar baas op de hoek van het veld een taxi aanhouden. Hij kuste haar al. 'Zo is Reagan nu eenmaal.'

'Wat bedoel je?' vroeg Tamsin. 'Je praat altijd goed wat ze doet.

We hebben het fantastisch naar onze zin en opeens loopt zij midden in een gesprek weg en verdwijnt met iemand met wie jij samenwerkt zonder zelfs maar gedag te zeggen.'

'Een gesprek over baby's.'

'Ja, én.' Tamsin schopte in het gras. 'Het is niet onze schuld dat Reagan geen man kan houden. Het is ook geen wonder. Zo stekelig als ze is. Ik snap niet waarom je altijd zoveel rekening met haar houdt, Sarah.'

'Omdat je dat nu eenmaal doet met vriendinnen.'

'Bij ons hoef je dat niet te doen!'

'O nee?' Sarahs stem had een andere toon gekregen. 'Hoe zit het met het feit dat het tegenwoordig bijna onmogelijk is om jou zonder Neil te zien te krijgen? Hoe zit het met het feit dat Adrian ons niet beter lijkt te willen leren kennen? Hoe zit het met het feit dat jij en Freddie altijd op Reagan afgeven?'

Die preek – *in vino veritas* – was zo ongebruikelijk voor Sarah dat Freddie en Tamsin haar met open mond aankeken.

'Zien jullie dan niet dat Reagan jaloers op ons is? En waarom zou ze dat niet zijn? Wij hebben allemaal wat we wilden. Zij wacht daar nog steeds op. Als ze stekelig is, is dat omdat het een vorm van verdediging is. Ik wed dat ze het gemakkelijker vindt om agressief te zijn dan zielig en het helpt ook niet echt dat wij zitten te praten over onze fantastische mannen en over die schattige baby's die we allemaal zullen krijgen.' Ze keek van de een naar de ander. Freddie en Tamsin keken allebei beschaamd naar het gras.

'Het spijt me dat ik zo tegen jullie tekeer moet gaan, meiden, maar ik ben een beetje aangeschoten en dat maakt me dapper. Ik vind het niet fijn om er altijd tussen te zitten. Ik hou van jullie allemaal. En ik wil dat jullie van elkaar houden. Reagan is onze vriendin. Ze heeft verdorie de Tenko Club bedacht.'

Tamsin glimlachte. 'Nou, niet precies bedacht...'

Sarah plukte een handvol gras en gooide die naar haar toe. 'Hou je mond!' Maar ze glimlachte. Het was voorbij.

Freddie en Tamsin kropen allebei op hun knieën naar haar toe en kropen van weerskanten tegen haar aan.

'Sorry, Sarah.'

'Sorry, Sarah.'

In haar beste imitatie van Joyce Grenfell zei Sarah: 'Laat het niet weer gebeuren!' net voordat ze haar languit op het gras duwden en handenvol gras in haar T-shirt stopten. Ze hadden nog steeds de slappe lach en zaten onder de grasvlekken toen de jongens hen vonden.

Ze waren alledrie bruidsmeisje geweest toen Sarah trouwde. Ze hadden zich opgetut, gegiecheld en elkaar in hun satijnen jurken geholpen, euforisch door de emotie van de dag en het glas champagne dat Sarahs vader voor hen naar hun hotelsuite had laten brengen. Net voordat ze voor haar uit naar beneden liepen, had ze ieder van hen een klein Tiffany-doosje gegeven, met een zilveren hartje van Elsa Peretti aan een kettinkje. Freddie herinnerde zich dat ze zei dat ze zich zo de allermooiste dag van haar leven altijd had voorgesteld, omringd door haar allerbeste vriendinnen.

Na Sarahs dood hadden Freddie en Tamsin Reagan steeds minder vaak gezien, maar dat was haar keus geweest, niet die van hun. Ze hadden meer dan eens tegen elkaar gezegd dat ze voelden dat ze zich van hen terugtrok. Als ze haar al wel zagen, gewoonlijk na aanhoudende telefoontjes – Tamsin had de gewoonte aangenomen een tijdstip en de naam van een restaurant op Reagans antwoordapparaat achter te laten, gevolgd door de woorden: 'en waag het niet om niet te komen', – verliep het contact de eerste vijf minuten wat stroef, tot ze zich alledrie realiseerden dat het hen niets kon schelen en ze zich ontspanden. Vervolgens kon het maanden duren voor een van hen weer iets van Reagan hoorde. Tamsin was daar soms boos over. 'Ik heb geen zin om al het werk te doen,' klaagde ze dan. 'Net of ík zoveel vrijetijd heb. We hebben het allemaal druk. Als zij er niets voor wil doen, waarom zouden wij dan de moeite nemen?' Maar Freddie merkte dat ze was gaan denken als Sarah – ze praatte dingen goed, maakte zich zorgen om het zwijgen van Reagan en wilde haar helpen. Was het te gemakkelijk en zelfgenoegzaam om aan te nemen dat het feit dat Reagan ongelukkig was – als dat de reden was dat ze haar zo weinig zagen – te maken had met een verlangen naar een leven buiten de vijftiende verdieping van het kantoorpand in de City? Nu ze naar Reagan keek, die hen alledrie inschreef aan de receptie van het hotel, was Freddie blij dat ze haar niet had laten vallen. Ze was blij dat Reagan bij haar was.

Het was donker tegen de tijd dat ze hun kamers op de negenentwintigste verdieping vonden, en Boston lag onder hen te twinkelen. Tamsin liet zich op het dichtstbijzijnde grote bed vallen. 'Stel je voor dat ik dit helemaal voor mezelf heb. Geen kinderen, geen hond, geen koekkruimels.'

'Je bent echt gigantisch, Tams, weet je dat?'

'En ik ben pas in de zesde maand!' klaagde Tamsin. Ze duwde zichzelf op haar ellebogen overeind. 'Maar dit is wel leuk, hè?'

Freddie knikte.

'Hoe lang blijven we hier?'

'Ik weet het niet. Een paar dagen? Ik weet niet of ik Grace al onder ogen kan komen.'

'Vind je niet dat je haar moet laten weten dat je hier bent?'

'Dat weet ze.' Freddie had Grace gebeld om te zeggen dat ze zou komen.

Grace had dankbaar geklonken. Huilerig en dankbaar. 'Ik kan je niet zeggen hoe fijn het is je weer eens te zien, Freddie,' had ze gezegd, en Freddie had zich plotseling schuldig gevoeld. Grace was fantastisch voor haar geweest – feitelijk bijna een moeder – en ze had haar al jaren nauwelijks gesproken.

Freddie was bijna vier geweest toen haar moeder wegging. Ze was vertrokken in de week dat de Apollo 13 in de oceaan stortte. Het beetje dat ze zich van haar herinnerde was van een foto en wat ze als tiener aan Grace had weten te ontfutselen.

Voorzover Freddie wist, was er alleen die ene foto – van een jonge vrouw, een meisje eigenlijk nog, met Freddies V-vormige haarlok en grote ronde krullen, het haar lang en met een scheiding in het midden zoals Yoko Ono, en voor haar schouders hangend. Ze droeg een paisley zwangerschapsjurk die tot boven haar knieën reikte. Het was een zwart-witfoto, maar de jurk moest psychedelisch geweest zijn. De schoenen hadden blokhakken en ze zag er erg jong uit. Freddie had haar vader niet naar andere foto's durven vragen. Toen ze *Jane Eyre* had gelezen, had ze gehuiverd van herkenning – haar vader was meneer Rochester, dreigend, snel kwaad en vol geheimen. Haar moeder zat echter niet gevangen op zolder, maar was al lang weg.

Mensen hadden geprobeerd haar een trauma aan te praten over

de verdwijning van haar moeder. Vriendjes hadden er een excuus in gezocht voor het feit dat ze hen afwees; leraren hadden het als de sleutel tot haar onverschilligheid gezien. Het was immers precies volgens het boekje. Het kleine meisje wier moeder was weggelopen moest daar wel last van hebben. De verdwijning van haar moeder had de jonge Freddie echter vreemdgenoeg weinig gedaan. Ze had het gewoon geaccepteerd – de tandenfee haalt je tand onder je kussen uit, het meisje dat op school naast je zit bij Engelse les heeft een bruine huid, je moeder is er niet. Ze had immers Grace, lieve Grace, die de zomer nadat haar moeder was vertrokken het huishouden van haar vader was komen bestieren en die alles met haar had gedaan wat haar moeder gedaan zou kunnen hebben. Ze hadden koekjes gebakken, samen verhaaltjes gelezen en verstoppertje gespeeld in het grote huis op Beacon Hill, waarbij ze samenzweerderig fluisterden en hun wijsvinger tegen hun lippen legden als ze in de buurt van haar vaders werkkamer kwamen.

Wat haar moeder haar, en zichzelf, had aangedaan, drong pas tot haar door toen ze Harry in haar armen hield op de dag dat hij geboren was, en toen raakte het haar als een moker, als een goederentrein.

Harry was een redelijk gemiddelde eerste bevalling geweest. Ze was zo lang mogelijk thuis gebleven, wat Adrian had geïrriteerd: hij was ondanks zijn opleiding in het leger in paniek geraakt en was bang dat ze de nieuwe vloerkleden vies zou maken. Zij had heel tevreden wat rondgescharreld en hij had achter haar aan gelopen met een arm vol handdoeken en, heel vreemd, een vuilniszak. Ze was al bijna klaar om te gaan persen toen ze bij het ziekenhuis aankwamen – de gynaecologe had gezegd dat ze wilde dat alle moeders zo rustig waren als Freddie, die daar buitengewoon trots op was geweest. Het was allemaal gegaan zoals het hoorde en Freddie had zich afgevraagd waarom Tamsin het zo erg vond. Ja, natuurlijk deed het zeer, maar het was ook constructief – de pijn was lang niet zo erg als je je op de golven liet meevoeren. Toen Harry eruitkwam legden ze hem meteen op haar borst en keek hij haar aan. Op dat moment was het gebeurd. Het was als een dam die doorbrak, een donderslag, een lawine. Absolute liefde. Het gelukkigste en meest angstaanjagende gevoel dat een vrouw kan ervaren. Dertig seconden later dreef het beeld van haar verdwenen moeder de kamer in.

Adrian wist zich geen raad met de tranen – hij liep de gang op en belde Tamsin, die meteen kwam. Ze stuurde hem naar het parkeerterrein om daar heen en weer te wandelen met Homer tegen zijn borst gebonden en snelde haar vriendin te hulp. Freddie had heel lang gehuild, met Harry tegen zich aan geklemd, en herinnerde zich dat Tamsin had gezegd: 'Nou, dat zat er al lang aan te komen.' Het was natuurlijk voorbijgegaan. Ze was te moe en Harry eiste haar te veel op dan dat ze erover kon blijven piekeren. Ze had nooit geprobeerd het aan Adrian uit te leggen. Clarissa was de volgende dag gearriveerd, met een kraamverzorgster die ze had aangenomen zonder met hen te overleggen. 'Ze zou verdorie een voedster hebben meegebracht als ze er een had kunnen vinden,' had Tamsin gegrapt. Uiteindelijk was het gevoel verdwenen.

Ze had nooit het idee gehad dat ze een moeder miste; Grace was er. Het was een vader die ze niet had.

Als haar moeder dood was, zouden er foto's van haar bij Freddie thuis hebben gestaan; in een trouwjurk, in een formele pose, in een ziekenhuisbed, trots de pasgeborene voor de camera omhoog houdend. Er zou over haar zijn gepraat, om haar zijn gehuild en het zou moeilijker zijn geweest voor de vierjarige Freddie. Maar ze was gewoon weg. Zoals de tand onder haar kussen gewoon verdween. En Freddie had met kinderlijk inzicht begrepen dat ze haar vader er niet naar kon vragen, dus had ze het aan Grace gevraagd. Die had echter nog niet bij hen gewoond toen Rebecca er nog was. Ze wist niet wat zich tussen Freddies vader en moeder had afgespeeld. Ze wist alleen dat Rebecca was verdwenen toen Freddie vier was.

Haar moeder was erg jong geweest, zei Grace. Misschien was ze nog niet klaar geweest voor het moederschap, of zelfs om een echtgenote te zijn. Nee, Grace wist niet waar ze was. Ze was gewoon verdwenen, net als alle foto's op één na, en de grootouders, herinneringen en verhalen die ze had kunnen vertellen.

Tamsin had altijd gezegd dat zíj er niet tegen gekund zou hebben; ze zou het tot op de bodem hebben willen uitzoeken. Opnieuw terechte verontwaardiging. Gekoppeld aan een verbeeldingskracht die werd gevoed door Daphne du Maurier en de gezusters Brontë. Zo zat Freddie niet in elkaar.

Freddie belde naar huis voordat ze Grace belde. Adrian nam meteen op. Hij klonk moe. Ze vroeg zich af of Antonia bij hem was. 'Met Freddie. Ik weet dat het laat is, maar je had me gevraagd te bellen.'

Hij had haar naar het vliegveld gebracht. Onderweg daarheen hadden ze wel gepraat, maar slechts oppervlakkig. Ze had de koelkast gevuld met kant-en-klare maaltijden van Marks & Spencer, en haar vaders nummer op een briefje geschreven dat ze op het memobord in de keuken had gehangen, naast het lijstje met Harry's voetbalwedstrijden. Hij had haar beloofd er niet één te zullen missen. Ze had het bed niet verschoond, zodat het naar haar zou ruiken. Ze had hem verteld waar hij schone lakens kon vinden als dat nodig mocht zijn – voor Antonia Melhuish, bedoelde ze, al zei ze dat niet.

Hij was ineengekrompen. 'We hebben nooit... zijn nooit samen geweest in ons bed, Freddie. Dat zou ik nooit doen.'

De erecode van een overspelige echtgenoot. Ze had gezucht. 'Ik geloof niet dat het uitmaakt waar je het doet, Adrian. Waar ik problemen mee heb is dát je het doet.' En toch hoopte ze nu, aan de andere kant van de wereld, dat Antonia Melhuish niet naakt tussen haar lakens lag, schoon of niet.

'Ik ben blij dat je belt. Ik zat niets te doen,' zei hij nu. 'Goede vlucht gehad?'

'Ja, we zijn nu alleen een beetje moe.'

'Natuurlijk. Bel je me als je iets nodig hebt?'

'Dan bel ik.' Ik heb al iets nodig: steun, toewijding, zekerheid, vertrouwen. Dat alles heb ik nodig. Ik heb het nodig dat je nog van me houdt zoals je in die bar van me hield, zoals je in het veld van me hield, zoals je al die jaren van me hield.

'Welterusten dan maar.'

'Welterusten.'

Daarna zag ze er te veel tegenop om Grace te bellen. Ze staken de straat over naar de supermarkt, waar ze een paar kleine flesjes wijn met schroefdop, hummus, brood en tomaten kochten en hielden in het hotel wat Tamsin een middernachtelijke tapijtpicknick noemde.

'Erg Malory Towers,' merkte Reagan op.

'Jij bent misschien meer van de kreeft en ijskoude margarita's, maar Socrates hier en ik,' ze klopte zacht op haar buik, 'hebben gewoon een hapje en een drankje nodig.'

'Socrates? Nee toch zeker?'

'Misschien.'

Freddie werd suf wakker toen Tamsin de kamer binnenkwam, gewapend met Starbucks-koffie en chocolademuffins. Reagan kwam achter haar aan met een paar draagtassen vol lingerie van Victoria's Secret en een fles water. 'We dachten dat je het wel nodig zou hebben. We kwamen elkaar op de gang tegen en wilden allebei gaan winkelen, dus hebben we jou maar laten slapen.'

'Hoe laat is het?'

'Halfelf ongeveer.'

Freddie kreunde, ging toen met haar rug tegen een paar kussens zitten en pakte de koffie aan die Tamsin haar aanreikte. 'Ik moet Grace bellen.'

'Heb ik al gedaan,' zei Reagan. 'Ik heb haar verteld dat we morgen komen. Dat geeft jou de kans eerst even tot jezelf te komen – en Ivana Trump hier om naar Filene's Basement te gaan.' Ze maakte met haar hoofd een beweging naar Tamsin, die iets in turquoise met rode netstof uit een gestreepte tas haalde en voor haar grote buik en borsten hield.

'Over vier of vijf maanden heb ik dit aan...' zei ze, bijna tegen zichzelf.

'Arme Neil,' zei Reagan. Freddie glimlachte achter haar kartonnen Starbucks-bekertje toen Tamsin smalend haar tong uitstak.

Later, buiten in de septemberzon legde Reagan haar hand op Freddies arm. Op zachtere toon dan gewoonlijk zei ze: 'Ik heb het antwoord op in elk geval één vraag. De begrafenis is dinsdag. Grace zegt dat hij exacte instructies heeft achtergelaten. Gezangen en alles. En hij wilde dat jij erbij was. Daar was Grace heel duidelijk in.'

Engeland

Adrian pakte zijn driver, legde de bal op de *tee* en mikte hem de achtste *fairway* over. De bal vloog de lucht in en landde zo'n vijf meter van de *green,* op een goede ligging. Hij was op dreef vanochtend – hij had maar een *dropshot* gehad en deze nieuwe dikke Bertha lag lekker in de hand. Hij wilde dat hij vandaag tijd had om alle achttien *holes* te doen, maar hij had beloofd dat hij geen enkele wedstrijd van Harry zou missen, en die belofte moest hij nakomen. Hij had nog net tijd voor twee holes en even een glas bier in het clubhuis. Dit was altijd zijn beste hole. Hij wist precies hoe hij de bal moest slaan om hem voorbij die bomen te krijgen en hij miste zelden.

Het was ook de hole waar hij Antonia Melhuish voor het eerst had genomen. Ze had hem al opgezweept vanaf de eerste afslag. Bij de tweede hole had hij haar al gewild en bij de derde hadden ze gemerkt dat er niemand voor of achter hen was. Ze had zich bij de vijfde hole over de green gebogen en daarbij had hij gezien dat ze geen slipje onder haar katoenen rokje droeg. Tegen de tijd dat ze bij de achtste hole waren kon hij zich niet meer inhouden, en bovendien had hij bij het spelen last van zijn stijve.

Ze was op zijn schoot gaan zitten en beukte op hem neer, zijn handen om haar kleine achterwerk, en naderhand vertelde ze hem dat ze nog nooit van haar leven zo snel en zo stil was klaargekomen. Hij wist dat hij er een slecht gevoel over hoorde te hebben, maar hij was ook maar een mens. Dat hield hij zichzelf voor. Het was al meer dan een jaar geleden en hij voelde zich nog steeds opgewonden en beschaamd als hij eraan dacht. Hij had de rest van die ronde vier *birdies* en een *eagle* gemaakt.

Het had er al maanden aan zitten komen. Antonia had er geen

geheim van gemaakt dat ze op hem viel, zelfs toen ze nog met Jonathan getrouwd was. Ze stond hem nooit toe over Freddie te praten – of over wat ze Freddie aandeden. Ze was een keer heel fel geworden toen hij dat had geprobeerd. 'Ik ben niet met Freddie getrouwd,' had ze gezegd. 'Ik ben niet degene die overspel pleegt. Ik ben vrij om te worden genomen.' Dus had hij haar sindsdien drie of vier keer per week genomen.

Zijn tweede slag landde op ruim een meter van de vlag. Hij stevende op een birdie af. Hij hees zijn tas op zijn schouder en liep naar de green.

Hij had maanden weerstand geboden. Hij wilde dat Freddie dat wist, maar nam aan dat ze geen details zou willen horen. Antonia had de leiding gehad – God wist wat Freddie en haar heksenkring, die zogenaamde Tenko Club, over haar gedrag zouden zeggen. Ze had tijdens etentjes naast hem aan tafel gezeten en met haar blote voet over zijn kuiten gestreken. Hoe kon dat in vredesnaam zo sexy zijn, en waarom was het extra sexy als je vrouw – zich van niets bewust – aan de andere kant naast je zat? Ze had zich tegen hem aangeduwd in de bar van de golfclub en bij andere mensen thuis. Over haar lippen gelikt wanneer ze tegen hem praatte. Hij was waarlijk verleid en nu hij erover nadacht had het voorspel jaren geduurd.

En God, wat was het heerlijk met haar. Ze had een fantastisch, fijn, altijd gebruind lichaam, kleine ronde bruine borstjes en jongensachtige heupen. Ze had zich helemaal laten ontharen, wat hij ongelooflijk erotisch vond, en zat graag bovenop, haar rug achterover gebogen zodat hij alles kon zien. Ze gaf hem het gevoel weer vijfentwintig te zijn.

Hij wist niet hoe het zo ver was gekomen. Het was aanvankelijk gewoon een lolletje geweest. Zoveel mannen hadden een verhouding – de helft van zijn vrienden zo ongeveer. Daar hadden ze het wel eens over. Ze zeiden dat hun vrouwen hen onderaan op de lijst hadden gezet, na de kinderen. Ze zeiden dat ze zich weer 'echte kerels' wilden voelen, niet alleen vader, kostwinner en klusjesman. Briggsy en Thompson zeiden dat ze nauwelijks nog met hun vrouw sliepen. Verjaardagen, trouwdagen, misschien af en toe op zaterdagavond, als je ze een beetje teut kon maken, en dan nog met het licht uit en in het missionarisstandje. Sommigen waren zo onridderlijk om toe te geven dat ze blij waren het in het donker te doen, nu de vriendin van minder dan 60 kilo was veranderd in een echtgenote van meer dan 75 kilo met borsten tot op haar navel en behaarde oksels.

Dat gold niet voor Freddie. Ze hadden hem allemaal benijd om Freddie. Zij had zichzelf goed verzorgd. Zowel met als zonder kleren zag ze er nauwelijks anders uit dan het meisje waarmee hij was getrouwd. En ze hield van seks. Hij was er vrij zeker van dat ze hem in de elf jaar van hun huwelijk niet één keer had afgewezen, en vaak was het haar idee geweest. En het was ook niet saai en altijd hetzelfde, verre van dat.

Waar was hij dan verdorie mee bezig?

Adrian had op de golfbaan altijd het beste na kunnen denken, maar zelfs hier wist hij eigenlijk niet of hij het zelf allemaal wel snapte. Antonia verzekerde hem dat het zijn idee was geweest, maar hij kon zich niet herinneren wanneer hij dan had bedacht om Freddie voor haar te verlaten. Hij voelde zich op een bepaald niveau in de val gelokt.

En hij begreep Freddies reactie niet. Zijn militaire training had hem geleerd dat het de belangrijkste regel was om je vijand te kennen, maar Freddie had hem echt op het verkeerde been gezet door met hem naar bed te gaan. Geen woede-uitbarstingen of beschuldigingen. Geen tranen – niet dat hij die had verwacht: hij had haar maar een paar keer zien huilen, de dag dat Harry was geboren en toen ze hem voor het eerst naar kostschool had gebracht. Hijzelf had haar nooit aan het huilen gemaakt, tenzij je Harry's vertrek naar school meetelde, wat Freddie waarschijnlijk wel deed. Ze had van Antonia geweten voordat hij het haar had verteld – dat had hij aan haar gezicht gezien – en dat had hem beangstigd. Zou hij het geweten hebben als zij iemand anders had?

Jezus, zou er echt iemand anders zijn?

In zijn egoïsme voelde Adrian een golf van angst, die echter net zo snel weer verdween. Ze was thuis toch altijd gelukkig geweest, of niet? Ze had genoeg gehad aan hem en Harry. Waarom had hij dan niet genoeg gehad aan haar?

Zijn ouders zouden woest zijn. Zijn moeder zou het vreselijk vinden haar bridgeclub te moeten vertellen dat er iemand in de familie ging scheiden. Ze zouden Antonia waarschijnlijk nooit accepteren. Hoewel zijn vader ook wel slippertjes had gehad, was hij altijd zo verstandig geweest die ver buiten de deur te houden. Adrian kon hem bijna horen: 'In godsnaam jongen, neuk met een ander als je wilt, maar vergeet niet waar Abraham de mosterd haalt.' Zijn vader was goed in uitdrukkingen die er net naast zaten.

Hij haalde de vlag eruit, koos een putter uit zijn Calloway-set, bereidde de slag voor en sloeg de bal mooi recht. Die raakt het randje van de hole, draaide er een paar keer omheen en rolde toen weg. Verdorie. Adrian nam niet de moeite het opnieuw te proberen en harkte ook de bunker niet aan maar marcheerde meteen door naar de negende hole.

Hij wilde dat hij niets gezegd had. Had hij niet gewoon door kunnen gaan met van hen allebei houden, wat dat ook inhield, met Freddie samenleven en lol hebben met Antonia? Hij had niet verwacht dat hij zich zo rot zou voelen nu hij het haar verteld had. Hij had de woorden er gewoon uitgeflapt en wilde maar dat hij ze kon terugnemen.

En hoe moest het nou met Harry? Adrian merkte tot zijn afschuw dat hij de tranen nabij was. Hij stelde zich Harry's gezicht voor wanneer die het hoorde en kromp ineen. Hij twijfelde er niet aan wiens kant Harry zou kiezen – ze waren altijd een exclusieve club van twee geweest. Hij had zich buitengesloten gevoeld.

En nu dat met haar vader. Ze hoorde hier te zijn, dingen te regelen – ze hoorde voor hem te vechten, niet dan? Ze zou voor hun huwelijk moeten vechten en niet het veld moeten ruimen voor Antonia. Antonia had gisteravond naar hem toe willen komen, maar hij had geweten dat Freddie zou bellen. Bovendien had hij het gemeend toen hij zei dat hij nooit met Antonia naar bed was geweest in hun huis. Het leek misschien vreemd om daar de grens te trekken, maar hij had dat wel gedaan en die grens nooit overschreden.

Bovendien was hij al de hele middag bij Antonia geweest. En nu wist hij niet helemaal zeker of hij wel al zijn tijd daar wilde doorbrengen. Ze had zo tevreden geleken toen hij zei dat hij het Freddie had verteld. Ze stond bijna te jubelen en dat vond hij eigenlijk niet prettig.

Voor het eerst sinds zijn negende maakte Adrian een golfronde niet af. Hij liep over de baan, langs het clubhuis en terug naar zijn auto.

Het probleem met Freddie was dat ze altijd had gedacht dat hij diepe gronden had; zelf was hij er zeker van dat hij net zo oppervlakkig was als hij op het eerste gezicht leek.

Matthew kon zich niet concentreren. Hij zat al sinds de lunch aan zijn bureau voor zich uit te staren. Hij had de receptioniste gevraagd geen gesprekken door te verbinden. Hij had beweerd dat hij zich een paar uur goed moest voorbereiden op een niet-bestaand gesprek met een verzonnen cliënt. Hij had geprobeerd de stukken te lezen die links op zijn bureau opgestapeld lagen, maar kon niets opnemen en had het dus maar opgegeven.

Hij keek naar Sarahs glimlachende gezicht in het zilveren lijstje op zijn bureau. Ze waren in Southwold geweest – hij had haar op een vrijdagavond verrast met een weekend daar na zijn eerste zaak bij het nieuwe advocatenkantoor. Ze waren zo lang arm geweest – niet berooid als in *La Bohème*, maar arm als in *Barefoot in the Park*. Matthew geloofde niet in schulden: hij had altijd alleen maar uitgegeven wat hij had. Ze hadden plannen gehad – een eigen flatje, daarna een huis met ruimte voor kinderen – maar zijn eerste verdiensten wilde hij alleen aan haar en hem besteden, aan het heden, niet aan de toekomst.

Ze hadden gelogeerd in het Swan hotel, in een lichte, ruime kamer met een reusachtig bed. Hij herinnerde zich dat Sarah in de eetzaal zat te giechelen en zei dat ze zich een bedriegster voelde tussen al die met sieraden behangen dames en het luxueuze eten. Hij had tegen haar gezegd dat ze daar hoorde, maar zelfs toen al had hij geweten dat dat niet waar was. Grote diamanten en parelkettingen pasten niet bij Sarah. Ze hoorde niet thuis in een deftige eetzaal. Ze was altijd precies geweest zoals op die foto waarop ze voor een van de strandhuisjes voor de boulevard zat. Ze hadden er een gezien dat 'Sarah's Sanctuary' heette en hij had haar daarvoor laten poseren, ook al voelde ze zich daar niet helemaal prettig bij. Ze droeg een van zijn sweaters, marineblauw met witte vlekken, die haar veel te groot was. De wind woei door haar haren en je zag aan haar gezicht dat ze zich dwaas voelde, maar haar ogen spronkelden van liefde voor hem. Ze was naar hem toe gerend zodra hij de foto had genomen en had zich op hem gestort, zodat hij de camera snel in zijn jaszak moest stoppen om haar op te kunnen vangen. Hij herinnerde zich dat hij met haar in de rondte had gedraaid, bijna struikelend op de kiezels, en haar daarna op de golfbreker had gezet en haar koude neus en warme lippen had gekust.

Hij wist niet meer wanneer hij het punt had bereikt dat zijn her-inneringen aan Sarah niet meer zo pijnlijk waren, wanneer de scherpe pijnexplosie was afgezwakt tot een zeurende pijn, en wan-neer de zeurende pijn was voorafgegaan door blijheid om iets wat ze had gezegd of gedaan. Zijn verdriet was als het afgaande tij: eerst was het in grote golven gekomen die zich op hem stortten, hem de adem benamen en hem desoriënteerden, daarna in rimpelingen die veel kleiner en minder hevig waren, en verder weg. Je zag ze het strand op en naar je toe komen en steeds iets verder weg, bruisend en borrelend maar niet meer zo wild, tot stilstand komen. Elke keer zag je meer zand en elke keer leek het rustiger. Zo voelde het.

Na het ongeluk had hij nog wekenlang gewenst dat ze op een andere manier was gestorven − als ze dan toch per se had moeten sterven. Als ze ziek was geweest, misschien, als hij in staat was ge-weest haar te verzorgen... hij wist dat het een stom romantisch idee was, zich voor te stellen dat hij haar troostte, dat hij die laatste kan-sen nog zou hebben gehad. Hij zou de tijd hebben gehad om te oefenen wat hij haar wilde vertellen, en zij ook.

Ze had die ochtend toen ze het huis verliet echter wel geweten wat hij voor haar voelde, zoals ze wist dat ze ademhaalde, zoals ze wist dat ze te laat was voor de bus. Dat wist ze omdat ze die och-tend in hun bed naar elkaar toe gerold waren en elkaar vast hadden gepakt, zoals ze altijd deden voor ze opstonden. Omdat hij de mok thee had gezet die hij altijd voor haar zette. Omdat hij had toege-keken terwijl ze haar haren ondersteboven, vanaf de wortels bor-stelde, zoals hij daar altijd bij toekeek; hij vond het prachtig om naar haar gekromde blote rug en glanzende gouden haren te kij-ken. Ze had het niet beter kunnen begrijpen, want ze begreep het al perfect.

Het was heel surrealistisch geweest. Hij was laat voor zijn werk, opgehouden in de verkeersopstopping die was veroorzaakt door haar ongeluk. Het telefoontje was grimmig. Ze was aangereden door een auto. De chauffeur had zitten bellen en kaartlezen tegelijk. Ze was de weg overgestoken en hij had haar geraakt. Hij reed niet eens zo hard. Niemand reed hard die ochtend. Ze werd omver gegooid en sloeg met haar hoofd tegen de grond. Als ze anders was gevallen, had alles goed kunnen komen. Maar ze was niet anders gevallen. Ze viel en ze stierf, nog voor de mensen bij de bushalte die het zagen gebeuren bij haar konden komen, haar met troostende handen konden aanraken, troostende woorden tegen haar konden spreken. Ze was alleen gestorven, midden in het spitsuur. Alles daarna was omfloerst. Zoals ze daar lag, al dood, toen hij in het ziekenhuis aankwam. Opgeknapt door een verpleegster die ze nooit had gekend, opgeknapt voor hem, alsof het gemakkelijker zou zijn als er geen bloed, geen wond te zien was. Hij had iets ongewoons willen zien – een grote snee, of een lelijke bloeduitstorting – maar het was zoals ze het op de televisie altijd zeiden; ze zag eruit alsof ze sliep en dat maakte het heel moeilijk. Ze zag eruit zoals ze er duizend ochtenden in hun bed had uitgezien, alsof ze de wekker en het oprukkende zonlicht negeerde en doorsliep. Alsof ze elk moment haar ogen stijf dicht kon knijpen om de dag buiten te sluiten, naar hem toe kon rollen en een zware arm slaperig over hem heen kon leggen. Hij zou dat gevoel nooit vergeten, zoals hij daar naast haar stond en zich realiseerde dat hij haar nooit meer zou kunnen aanraken nadat hij daar was weggegaan. Hij had gedacht dat hij nooit bij het bed vandaan zou kunnen stappen en haar door de verpleegsters weg laten brengen. Omdat het de laatste keer zou zijn. Veel mensen zeiden dat het goed was om het lichaam te zien, om afscheid te nemen. Voor hem was het een kwelling geweest. Zijn ribben drukten naar binnen in zijn borstkas en hij kon nauwelijks ademhalen, verstikt als hij was door de pijn. Als hij wilde kon hij het nog steeds oproepen, dat gevoel, en erin zwelgen, maar hij had geleerd dat niet te doen.

Nu herinnerde haar lieftallige gezicht hem eraan dat ze van hem had gehouden, en hij van haar. Ze was zijn litteken. Hij was verminkt door het verlies, maar was er niet aan gestorven. Het had hem alleen veranderd op een manier die voor hemzelf en degenen die hem kenden altijd duidelijk zou zijn. Maar hij was aan het genezen. En hij wist dat hij weer zou liefhebben.

Zijn eenzaamheid was een onderwerp van gesprek onder zijn naasten. Dat was waarschijnlijk nog erger op het werk, waar mensen niet zozeer vrienden als wel bekenden waren. Zijn collega's gingen om te beginnen al vrij gemakkelijk met zijn verdriet om. Iedereen had geweten wat hij of zij moest zeggen en had hem de nodige ruimte gegeven, hem wat verantwoordelijkheden uit handen genomen en hem beschermd tegen een overdaad van hun eigen vreugde. Dat was allemaal allang weggesleten. Nu zorgden zijn weduwnaarstatus en de manier waarop die tot stand was gekomen voor onbehagen. Ze wilden dat hij iemand vond, zodat ze zich geen zorgen meer om hem hoefden te maken, niet meer zo op eieren hoefden te lopen. Pakweg een jaar geleden had een van de assistentes zich verloofd. Hij was naar de rechtbank geweest en toen hij terugkwam stonden ze champagne te drinken. Iemand was een doos gebakjes gaan halen en de meisjes zaten samen aan een bureau te lachen. Ze waren niet meteen gestopt toen hij binnenkwam, maar iedereen was wel ingetogener. Hij had zichzelf gedwongen te glimlachen, haar gefeliciteerd, en zelfs een glas champagne gedronken, maar iedereen was opgelucht toen hij weer naar zijn kamer verdween.

Een ander meisje had hem proberen te versieren tijdens de kerstborrel. Hij had een paar glazen wijn op en danste met een groepje en dat voelde goed. Het meisje werkte sinds een paar weken op het advocatenkantoor en hij had er geen idee van gehad dat ze in hem geïnteresseerd was. Ze was jong en knap en was plotseling met hem aan het flirten. Hij zag telkens de gladde, karamelkleurige welving van haar borst in haar chiffontopje wanneer ze voorover leunde en hij dacht dat hij zich misschien weer een beetje normaal begon te voelen. Toen hij naar het toilet ging, kwam ze hem achterna en begon hem in de gang opeens te kussen. Aanvankelijk vond hij het prettig en kuste hij haar terug. Maar toen ze kreunde, met haar tong zijn mond verkende en haar heupen tegen hem aan duwde, wist hij dat hij niet verder kon gaan. Hij voelde angst, afkeer en schaamte, en zijn opwinding vervloog. Hij duwde haar weg en verontschuldigde zich.

Die avond zat hij in een taxi met zijn hoofd in zijn handen en voelde hij een stroom van irrationele woede jegens Sarah. Hoe had ze hem zo jong in steek kunnen laten; zo jong en verward?

Vrienden hadden geprobeerd het in orde te maken. Hij had geleerd wat hij kon verwachten als hij een uitnodiging voor een etentje accepteerde, of een plotseling overgebleven kaartje voor een toneelstuk. Er was altijd een alleenstaande vrouw aanwezig van zijn leeftijd of daaromtrent. Een meisje dat haar best had gedaan er mooi uit te zien en dat hem met een open glimlach begroette. En Matthew, die nooit onaardig kon zijn, glimlachte altijd terug, praatte met hen, stelde vragen waarop hij de antwoorden niet registreerde, maar noteerde nooit een telefoonnummer en ontmoette hen niet meer.

Tamsin had dat soort dingen nooit gedaan. Hij woonde bijna bij hen sinds Sarah was gestorven en hij was dol op haar. Neil en hij hadden een rustige mannenvriendschap, het soort dat goed gedijde in kroegen. Ze speelden samen zondagvoetbal bij een niet erg succesvol plaatselijk team en zo nu en dan, als een van beiden zich oud begon te voelen, gingen ze samen squashen in de sportschool. De kinderen waren ook fantastisch. Sarah was Willa's peettante geweest, en Matthew was Flannery's peetoom. Hij herinnerde zich dat hij hen als kleine baby's had vastgehouden in de witte kanten doopjurk die Tamsins moeder ook voor al haar eigen kinderen had gebruikt, en in zondags pak had staan zingen: 'He's got the whole world in his hands'. Nu waren het luidruchtige, extraverte, slordige kinderen en was hij dol op hen. Tamsin leende ze soms aan hem uit. Dan kwamen ze op vrijdagavond, met hun koffers op wieltjes en hun door de motten aangevreten teddyberen. Ze maakten popcorn in de magnetron en Matthew keek naar hen terwijl ze aten en door zijn huiskamer dansten op de muziek van *Top of the Pops*. Daarna stopte hij hen samen in het logeerbed en las hen voor ('eeuwenlang, veel langer dan mamma altijd doet,' had Willa een keer verrukt gezegd).

Later maakte hij dan beneden een goede fles rode wijn open en dronk daarvan tussen de rommel van de popcorn, kleurboeken en kleurpotloodjes. Een van de dingen die hij het ergst vond was dat er in huis niets veranderde tijdens zijn afwezigheid. Niemand zette er een voet binnen nadat hij 's ochtends was vertrokken en 's avonds stak alleen hij zijn sleutel in het slot. Sarah was slordiger geweest dan hij en na haar dood was het huis vlekkeloos en onberispelijk schoon geworden. Hij miste de chaos. Homer en Willa brachten die af en toe terug. Tamsin had moeten lachen toen hij het haar had uitgelegd. 'Matt, als dat is wat je wilt, dan kunnen we zo nu en dan wel van huis ruilen. Dan komen Neil en ik hier genieten van al die reinheid en mag jij je bij ons thuis lekker vies maken!' Maar ze had het wel begrepen.

Hij sliep het beste tijdens de nachten dat Homer en Willa in de andere kamer lagen en het meest genoot hij ervan dat ze hem 's ochtends – veel te vroeg – giechelend en gillend wakker kwamen maken, en van de warmte van hun armen om zijn nek. Dat was veel prettiger dan Radio Vier.

Tamsin en Freddie – en Reagan, maar in mindere mate – hadden zich gedragen als moeders, zussen, beste vriendinnen. Ze hadden ook van Sarah gehouden, en dat hielp. Ze misten haar en ook zij merkten altijd de lege plek op die Sarah aan tafel achterliet.

Er werd op de deur geklopt, Abby, zijn assistente, opende de deur net ver genoeg om haar hoofd naar binnen te kunnen steken. Hij pakte een blad op dat onaangeroerd op zijn bureau lag, bestudeerde het heel even en keek toen naar haar. 'Ja, Abby?'

'Het spijt me, Matt. Ik weet dat je niet gestoord wilde worden...'
Hij glimlachte. 'Wat is er?'
'Telefoon voor je. Het is Neil Bernard. Zal ik hem afwimpelen?'
'Nee, nee. Verbind hem maar door. Bedankt, Abby.'

Ze beantwoordde zijn glimlach opgelucht. Ze werkte pas een paar maanden voor hem en Matthew wist dat ze een beetje bang voor hem was. Hij maakte soms waarschijnlijk een wat strenge indruk.

'Hallo, Neil.'
'Hoe is het met je?'
'Prima. Eigenlijk verveel ik me. En jij?'
'Me vervelen? Was het maar waar. Niets dan vrouwen vanochtend, vrees ik.'
'Bofkont.'
'Dat denk je misschien, maar ze hebben allemaal verdomd veel last van hun hormonen.'

'Een verloskundige die vrouwen haat?'

'Vertel dat maar niet verder. Nee, het is eerder de afwezigheid van een bepaalde zwangere vrouw waar ik over bel.'

'Ach ja. Red je het wel?'

'Ik niet. Meghan wel. Bewonderenswaardig. Ikzelf kwijn gewoon weg.'

'Je bent een zielig geval, weet je dat? Wat zeg je van een avondje stappen?'

'Klinkt goed.'

'Ik dacht aan een paar borrels, misschien een casino, daarna een paar leuke meiden versieren en afsluiten in het Spearmint Rhino. Zoiets?' zei Matthew op plagende toon.

'Ja, ja...'

'Oké, dan. Een kerrieschotel en een paar pilsjes op de hoek?'

'Afgesproken. Vanavond?'

'Ik zie je daar. Acht uur?'

'Maak er maar negen van. Ik moet vroeg in de avond nog naar de privé-kliniek.'

'Verrader.' Matthew kende Neil al toen die nog vond dat privé-klinieken foute boel waren. Al heel lang dus.

'Vertel dat maar tegen de hypotheekverstrekker.'

Matthew grinnikte. 'Hoe gaat het trouwens met de meisjes? Heb je Tamsin nog gesproken?'

'Ze maken het goed. Tamsin zei dat ze jou ook nog zou bellen. Vandaag plunderen ze hun creditcards in Boston, maar morgen gaan ze naar de Cape. Ik wed dat ze straks een extra koffer nodig heeft voor alle babyspullen. Alsof we daar nog niet genoeg van hebben.'

'En Freddie?'

'Dat gaat wel.' Tamsin had hem verteld dat ze dacht dat Freddie ertegenop zag naar het huis te gaan.

'Ze zal het vreselijk vinden om naar het huis te gaan.' Ze had dat al erg gevonden toen de oude man nog leefde. Dit kon alleen maar moeilijker zijn.

Neil zuchtte. 'Nou ja, de anderen zijn er om voor haar te zorgen. Het zal wel zwaar worden, maar haar vader en zij waren ook weer niet echt hecht met elkaar, wel? Ze zal het wel redden.'

'Het verbaast me dat Adrian niet met haar mee is gegaan.' Dat was niet waar, maar hij wilde weten wat Neil daarvan vond.

'Dat lag niet erg voor de hand, gezien de omstandigheden, toch?'

'Welke omstandigheden?'

Een lange stilte. 'O, verdorie,' zei Neil.

'Wat?'

'Ze heeft het je niet verteld.'

'Wat verteld?'

'Hij gaat bij haar weg. Hij heeft kennelijk al een tijd een verhouding. Hij heeft het haar verteld op de dag dat ze van haar vaders dood hoorde.'

'Wát?'

'Ik weet het... Ik heb hem altijd een beetje een sukkel gevonden, maar ik wist niet dat hij ook nog een lafaard was. Hij heeft het haar via de telefoon verteld. De klootzak.'

Nu begreep hij een aantal dingen. Dat Freddie die dag bij Tamsin was. Dat ze niet wilde dat hij nog mee naar binnen ging toen hij haar thuis had gebracht. De auto die bij het benzinestation stond. Hij had het vreemd gevonden, maar had niet door willen vragen. Waarom had ze het hem niet verteld? Ze hadden de hele middag bij Tamsin doorgebracht, die het wel wist. Hij voelde zich heel even verraden. En de volgende dag hadden ze eeuwen samen in de auto gezeten, op weg naar Harry en weer terug. Waarom had ze het hem niet verteld?

'Matt?'

'Ik ben er nog.'

'Ik heb hier een grote flater mee geslagen. Ze zal zich wel te veel geschaamd hebben om er iets over te zeggen.'

Dat was onzin. Daarvoor hadden ze samen te veel meegemaakt.

'Of misschien hoopt ze dat ze er nog uit kunnen komen samen.' Neil hakkelde omdat Matthew niets zei en hij wist dat zijn vriend geschokt was. Hij wist ook dat hij het met Tamsin aan de stok zou krijgen omdat hij zijn mond voorbij had gepraat. En dat zou geen pretje worden.

'Misschien. Arme Freddie.'

'De timing is beroerd, hoewel Freddie zei dat hij haar had gebeld voordat ze hoorde dat haar vader overleden was en dat die beroerde timing dus niet zijn schuld was. Grappig dat ze hem nog steeds verdedigt, niet? Maar goed, ik ben nooit een fan van hem geweest.'

'Nee.'

De waarheid was dat Adrian nooit echt in de groep had gepast. Neil was als eerste man op het toneel verschenen en hijzelf was drie jaar later gevolgd. Ze waren dus zo'n beetje samen opgegroeid. Ze hielden van dezelfde dingen, hadden ongeveer dezelfde achtergrond. Neil was opgegroeid in een rijtjeshuis in Reading, Matthew in een gemeentewoning in Newcastle: ze hongerden allebei naar succes, waren ambitieus in hun carrières en wilden een goede toekomst opbouwen voor hun gezinnen. Matthew had altijd geweten dat Neil besefte wat hij verloren had toen Sarah stierf – niet alleen het leven dat ze al hadden, maar ook het leven dat hij zich met haar had voorgesteld, het thuis, de kinderen, de toekomst die veel leek op die waaraan Neil voor Tamsin en zichzelf werkte. Dat had hen dichter bij elkaar gebracht, hoewel Neil het sentimentele gedoe, zoals hij het noemde, aan Tamsin overliet.

Adrian was bevoorrecht, iets wat hij met zijn hele wezen uitstraalde. Zijn ouders waren landeigenaren, zijn familie had al vele generaties niet meer hoeven werken voor de kost en zijn kostschoolopleiding had hem kennelijk noch de ambitie noch het vermogen daartoe bijgebracht. Zijn zorgeloosheid was altijd vaag irritant geweest. Beide mannen herinnerden zich hun eerste kennismaking met Adrian, zo'n veertien jaar geleden. Ze waren met hun vieren – Neil en Tamsin, Matthew en Sarah – naar Méribel gegaan om Freddie op te zoeken, laat in het seizoen. Ze hadden het geld voor de reis bij elkaar geschraapt omdat Freddie goedkope slaapplaatsen en liftpasjes zou kunnen regelen. Tamsin was niet van plan te gaan skiën, maar vond het leuk om vanaf onderaan de piste naar Neil te kijken, bewapend met mokken *chocolat chaud*, met smeltende marshmallows erbovenop. Sarah had wel geskied toen ze jonger was en was vastberaden het de jongens te leren, die plaagden dat ze haar al op de tweede dag ver achter zich zouden laten.

Freddie had hen van de trein gehaald, ook al was die laat in de nacht aangekomen. Ze had staan springen van opwinding toen ze bibberend uitstapten, uitgeput door de lange rit en wat misselijk van de laatste, draaiende klim de berg op. Ze vertelde hun al over hem voordat ze bij haar flat waren. Hij was dat hele seizoen zo vaak mogelijk naar haar toe gekomen en Freddie wist zeker dat ze verliefd op hem was, wat ze haar nog nooit eerder hadden horen zeggen, al had ze al heel wat jongens gehad.

Dus misschien was de eerste man van wie Freddie hield wel gedoemd een teleurstelling te zijn. Neil en Matthew geloofden ook niet in het ex-soldatenmachismo – de geforceerde lach, de borst die ofwel ingetrokken of breed uitgestoken werd, de voortdurende opmerkingen over de 'actie' die hij had gezien in de Falklands. Dat was gewoon iets wat hen helemaal niet aansprak, en ze hadden dat van Freddie ook niet verwacht. Ze leek bovendien behoeftiger en onderdaniger dan ze haar ooit hadden meegemaakt.

Toen ze wat gedronken hadden en lusteloos begonnen te worden, had Adrian Freddie meegetrokken naar haar slaapkamer en was ze hem, met een blik over haar schouder naar hen, gedwee gevolgd. Ze hadden door de dunne deur heen kunnen horen dat ze elkaar kusten en op het bed vielen. Toen hadden ze een grimas getrokken en waren ze gaan uitzoeken waar ze moesten slapen.

Die eerste nacht had Tamsin terwijl ze in de badkamer hun tanden stonden te poetsen tegen Neil gefluisterd: 'Weet je wat zo raar is? Hij doet me aan haar vader denken.'

Neil had haar verbaasd aangekeken. Hij had Freddies vader nooit ontmoet. 'Niet wat uiterlijk betreft,' vervolgde Tamsin, 'maar hij heeft iets, weet je, wat me het idee geeft dat je ziet wat hij wil dat je ziet, niet wat er werkelijk te zien valt. Weet je wat ik bedoel?'

Neil had geen idee. Hij was duizelig van vermoeidheid en wilde alleen maar in bed gaan liggen en twaalf uur slapen. Hij snoerde haar de mond met een tandpastazoen. 'Je denkt te veel na.'

'Het duurt niet lang. Wedden?'

In de andere kamer, al in hun slaapzakken, had Sarah ongeveer hetzelfde gefluisterd tegen Matthew, op een mildere, meer Sarah-achtige manier: 'Hij past niet echt bij ons, hè? Net als Steve. Ik weet dat het ons niet aangaat wie ze kiest, maar ik zou het vreselijk vinden als een van beiden uiteindelijk een man vindt waar wij niet graag mee samen zijn.'

Steve was de makelaar met wie Reagan die winter iets had. Ze was niet mee gaan skiën, omdat Steve haar mee had genomen naar de Caraïben. Hij had Reagans record van zes maanden niet gebroken en tegen de zomer had ze een relatie met een muziekverslaggever die Bayley heette en die ze tijdens een concert had ontmoet. Hij was wel in orde, als hij niet al te stoned was, maar ze hadden al geleerd niet gehecht te raken aan Reagans mannen. Ze gingen altijd maar één seizoen mee.

Freddie en Adrian waren echter al die jaren samen gebleven. Tot nu toe.

Nadat hij het gesprek had verbroken met Neil, die hem had laten beloven dat hij hem niet zou verraden bij Tamsin, stond Matthew op en liep hij naar het raam. Hij had zich niet gerealiseerd dat het lunchtijd was. Er liepen mensen over het gras met kartonnen koffiebekertjes in hun handen. Hij voelde zich paniekerig door alle emoties: deels woede op Adrian, deels gekwetstheid omdat ze hem niets had verteld en grotendeels wanhopig verlangen. Een wanhopig verlangen om naar Freddie toe te gaan.

Hij liep terug naar zijn bureau en pakte de telefoon op. 'Abby? Kun je wat gegevens over vluchten voor me opzoeken?' Hij keek snel in zijn agenda, die open voor hem lag. 'Zondagnacht of maandagmorgen naar Boston.'

September, Chatham, Cape Cod

Het huis van Freddies vader stond aan de rand van Chatham, het plaatsje in de elleboog van Cape Cod. Zij had er nooit gewoond – ze was opgegroeid in het huis in de wijk Beacon Hill in Boston en ze was al lang weg toen hij begin jaren negentig voorgoed hierheen verhuisde. Ze had er nooit een foto van gehad, dus Reagan en Tamsin wisten niet wat ze moesten verwachten toen Freddie zei dat ze linksaf moesten slaan en Reagan de auto aan het eind van een rustige ongemarkeerde weg stilzette.

Tamsin floot.

'Wauw,' zei Reagan. 'Wat een prachtig huis!'

Het huis telde drie verdiepingen, was traditioneel gebouwd met gepotdekselde planken en onberispelijk zachtgeel geschilderd, en stond ver van de weg vandaan, voorbij een groen gazon. Vijf brede traptreden leidden naar de veranda, met aan de ene kant een kioskachtig terras, comfortabele stoelen en een schommelbank. Aan de andere kant van het huis was een toren, drie verdiepingen hoog, met een conisch grijs pannendak boven drie volmaakt ronde kamers met rondom ramen. De toren werd omgeven door rododendronstruiken en weelderige bomen. Links lag het op niet meer dan honderd meter van de oceaan, met een eigen aanlegsteiger en een klein zandstrand. Het was inderdaad prachtig. Het zag er niet uit als iets dat van haar vader kon zijn geweest. Het zag eruit als een huis vol liefde.

'Als jij dit huis erft, mag ik dan je beste vriendin zijn?' vroeg haar beste vriendin.

Reagan stompte Tamsin tegen haar arm. 'Sst!'

De voordeur was open. Toen ze het pad opliepen, verscheen er een vrouw in de deuropening. Toen Grace Freddie zag, spreidde ze haar armen. 'Freddie!' Grace Kramer rende bijna naar Freddie toe. Ze was een tengere vrouw en Reagan schatte haar een jaar of zestig. Ze zag eruit alsof het kamp haar meteen kapot zou maken, maar zou waarschijnlijk een van die vrouwen blijken te zijn die van niets nog een maaltijd konden maken en kruiden zou gebruiken voor kompressen. Ze droeg haar haren in een sluike zilverkleurige bob en was gekleed in grijs linnen. Ze had een vriendelijk maar gegroefd gezicht, met donkere kringen onder haar ogen. Ze huilde nu en slaakte verrukte, meelevende en verdrietige kreten door elkaar.

'Ik ben zo vreselijk blij om je te zien!' zei ze, terwijl ze een stap achteruit deed, maar Freddie niet losliet. Er was vaag iets te horen van een Iers accent. 'Laat me eens goed naar je kijken!' Ze klonk alsof ze tegen een kind praatte. Haar eigen kind. 'Te mager,' zei ze en trok Freddie toen weer tegen zich aan. Daarna zei ze even niets, maar sloot haar ogen en omhelsde Freddie alleen maar. Freddie omhelsde haar ook.

Uiteindelijk lieten ze elkaar los en wendde Grace zich tot de anderen.

'Dit zijn mijn vriendinnen, Tamsin en Reagan,' zei Freddie.

'O, ja.' Ze wist duidelijk precies wie ze waren.

'Ze zijn meegekomen... om me te helpen.'

'Wat aardig van jullie. Ik ben blij jullie allemaal te zien. Kom binnen, kom binnen.' Ze ging hen voor de trap naar de veranda op.

'Ik zal thee zetten. Waarom gaan jullie hier niet zitten?'

'Ik zal je wel even helpen, Grace,' zei Freddie.

Tamsin en Reagan keken toe terwijl Grace in Freddies hand kneep en de twee vrouwen door de hordeur het huis binnen liepen.

Tamsin liet zich in een van de houten stoelen zakken. 'Ik zou hier best aan kunnen wennen,' zei ze.

Reagan liep naar een plek waar ze de oceaan kon zien en ademde diep in. Ze was altijd al dol geweest op de zee. Ze was opgegroeid in Norfolk en haar mooiste herinneringen waren die waarin ze de hoge kiezelbank in de buurt van hun huis beklom en daar ging zitten om naar de golven te kijken en het zout op haar wangen te voelen. Sommige mensen keken een paar minuten, maar Reagan kon altijd wel uren blijven zitten.

Ze had hun nog niet over haar ontslag verteld, omdat deze reis niet om haar draaide. Ze had een zuivere reden om hier te zijn, zo hield ze zichzelf voor. Ze wilde Freddie helpen, en ze wilde tijd doorbrengen met Freddie en Tamsin. Haar ontslag stond daar los van.

Op kantoor hadden ze haar niet geloofd: niet toen ze het op papier had gezet en niet toen ze het, die ochtend voordat ze naar Boston vertrok, rustig en beslist tegen haar baas had gezegd in zijn kantoor. Ze hadden gezegd dat ze gewoon behoefte had aan een sabbatical, dat ze zo lang thuis kon blijven als ze wilde. Ze vroeg zich af wat ze daarmee bedoeld hadden – of ze echt voor een half-jaar kon verdwijnen en dan terug kon naar dezelfde baan, of dat er grenzen waren aan de tijd die ze vrij mocht nemen. Ze vermoedde het laatste.

Het was allemaal nogal beschamend geweest. De algemeen directeur was bleek geworden, en had via de intercom het altijd vrolijke hoofd personeelszaken opgeroepen. Het deed haar denken aan een gesprek dat ze op de universiteit had gehad met een mentor. Ze had een belangrijke toets niet gedaan en toen ze had geprobeerd uit te leggen waarom niet, was hij helemaal bleek geworden en voor ze het wist werd zij naar een psychiatrisch ziekenhuis in Summertown gestuurd, waar ze de neiging had gevoeld om een afschuwelijk verleden te verzinnen, al was het maar als rechtvaardiging voor het busgeld en alle moeite die ze op de universiteit hadden gedaan om maar niet naar haar te hoeven luisteren. Natuurlijk had ze dat niet gedaan.

God wist wat ze dachten dat er aan de hand was – toen en nu. Waarschijnlijk dat ze zwanger was en wegging om een abortus te ondergaan. Of misschien gewoon dat ze niet goed functioneerde. Wat natuurlijk ook waar was. Ze verdiende een bedrag van zes cijfers met werk waar ze ooit van had gehouden en waar ze altijd briljant in was geweest. Ze had een riant appartement en bezat echte kunst, had geen grammetje vet te veel op haar lijf en een kleerkast vol Armani.

En ze haatte haar leven. Hoe kon ze dat uitleggen aan iemand als het hoofd personeelszaken, die ze nauwelijks kende? Hoe kon ze het uitleggen aan haar beste vriendinnen? Ze wist niet eens zeker of ze het zichzelf wel kon uitleggen. Ze was bang dat het allemaal met hém te maken had. En misschien nog wel banger dat het niets met hem te maken had.

Ze was uiteindelijk nogal fel geworden. Ze wist niet meer precies wat ze had gezegd: na de komst van het hoofd personeelszaken was alles een rode mist. Maar ze was er vrij zeker van dat ze had gezegd dat ze die sabbatical als haar opzegtermijn konden beschouwen, en dat de bonus waar ze aan het eind van het jaar recht op had haar helemaal niets kon schelen, en dat ze zeker wist dat ze haar werk wel konden verdelen onder haar collega's, die als echte kerels gewoon een paar nachten extra door zouden moeten werken, wat het bedrijf als een kwestie van eer en een bewijs van toewijding zag. Daarna was ze weggelopen.

Nu stond ze op de veranda van Freddies vader naar zijn strand te kijken en zich af te vragen of ze zich zou uitkleden, de blauwe zee in lopen en doorlopen tot het water zich boven haar hoofd had gesloten.

De keuken rook naar kaneel: overal hingen met lint bijeengebonden stokjes. Er hing een bosje boven een foto van Freddie toen die een jaar of elf was, genomen op school. Freddie keek naar zichzelf, zag Harry en voelde een steek van verlangen naar en verbondenheid met hem. De hordeur viel achter hen dicht. Grace zette de ketel op en pakte de mokken.

'Hoe gaat het met je?' vroeg Freddie. Ze was een beetje van Grace geschrokken. De vrouw zag er veel ouder uit dan de vorige keer dat ze haar gezien had.

Er klonk een snik door in het antwoord van Grace en toen ze zich omdraaide, welden er dikke tranen op in haar ogen. 'O, Freddie, het was zo moeilijk om alleen te zijn.' Toen voegde ze eraan toe: 'Ik weet dat je zo snel mogelijk gekomen bent, liefje...'

Dat was niet zo en Freddie voelde zich schuldig.

Grace huilde nu openlijk en was een paar minuten lang niet in staat te praten. Toen dat weer wel lukte, zei ze: 'Ik mis hem zo.' Dat was alles.

De manier waarop ze het zei en het grote verdriet in haar blik raakten Freddie diep. Een tel later maakte ze de omschakeling die een kind maakt wanneer het voor het eerst zijn ouders met volwassen ogen bekijkt. Ze had van hem gehouden. Natuurlijk had ze van hem gehouden. Waarom zou ze anders al die jaren bij hem zijn gebleven?

Het was zo duidelijk dat Freddie zich dwaas voelde. Grace had alles voor hem opgegeven, een eigen gezin, een eigen liefde. Ze was uit Boston met hem hierheen gekomen. Ze had geen kans gehad iets voor zichzelf op te bouwen dat de moeite waard was om voor daar te blijven.

Freddie keek naar Grace en zag een vrouw die het beste deel van haar leven had opgeofferd in dienstbaarheid aan haar vader, een man, zo wist Freddie, die niet in staat was geweest iets terug te geven. Háár had hij in elk geval nooit veel teruggegeven.

Toen ze echter naar Grace toe stapte, huiverde die even en herwon toen haar kalmte. 'Zoveel uit te zoeken.'

Freddie liet zich niet van de wijs brengen. 'Je hield van hem.' Het was geen vraag, en ook geen beschuldiging.

Grace keek haar lange tijd aan. 'Natuurlijk.'

'Al die tijd... ik heb het nooit beseft. Ik heb nooit gedacht... Arme Grace.'

Grace herkende het medelijden voor wat het was en nam een besluit. Hij had het Freddie lang geleden al moeten vertellen. De dood maakte sommige dingen ingewikkeld, maar andere heel simpel.

Tamsin kwam binnenstormen met Freddies mobiele telefoon in haar hand – ze had haar handtas op de veranda laten staan en had hem niet horen overgaan. 'Het is Harry!'

Freddie greep de telefoon. 'Hallo, lieverd.'

'Hoi, mam.'

'Hoe is het met je, schat?'

'Prima. Ik ben daar weg.'

Natuurlijk. Het was zondagochtend. 'Pap heeft me een halfuur geleden opgehaald. We gaan golfen.' Uiteraard.

'Met z'n tweetjes?' Ze haatte zichzelf omdat ze die vraag stelde.

Harry klonk verbaasd. 'Wie anders?'

'Niemand – ik dacht alleen dat je misschien een vriendje had meegenomen of zo...' zei Freddie snel. Het was stom van haar te denken dat hij Antonia Melhuish zou hebben meegenomen. Dat zou hij niet durven!

'Nee. Wil je pap nog spreken? Hij staat naast me.'

Freddie voelde de spieren in haar maag en nek ontspannen. Hij had niets tegen Harry gezegd. Natuurlijk niet. Dat was niet Adrians stijl. Hij maakte rotzooi en liet het haar opruimen. Toch was ze blij dat hij hun zoon niets had verteld, ook al was dat veeleer uit lafheid dan uit consideratie.

'Maak je geen zorgen, lieverd. Ik kan met pappa praten wanneer ik maar wil – zeg maar dat ik hem nog wel bel.' Het liegen ging haar gemakkelijk af als dat nodig was om Harry te beschermen. 'Ik wil nu alles over jou horen. Hoe gaat het op school? Hoe gaat het met sporten?'

Ze trok een stoel onder de keukentafel uit en ging zitten met een verontschuldigende blik op Grace en Tamsin. Grace wuifde die glimlachend weg.

Grace en Tamsin keken elkaar aan.

'Kom,' zei Grace, 'dan geef ik jullie een rondleiding.'

'O, prima, dat wil ik heel graag.' Ze liepen door de klapdeur naar de lounge en Tamsin riep Reagan, die nog buiten stond.

'Wat een prachtig huis,' riep Tamsin uit toen Reagan binnenkwam. 'Het lijkt wel een filmset.'

Het huis was inderdaad prachtig. Eenvoudig gemeubileerd met diepe, brede sofa's in tijk en chintz, had geboende kastanjehouten vloeren en moderne zeegezichten aan de muren en was elegant en comfortabel – en bijna vrouwelijk, dacht Tamsin. Helemaal niet wat ze zich bij Freddies vader had voorgesteld.

'Vertel eens over die klokken,' zei Reagan.

'Freddies vader... verzamelde ze. Polshorloges, vestzakhorloges, klokken. Het kost je bijna de hele ochtend om ze op te winden, mocht je dat willen.'

Het waren er veel: een grote houten staande klok naast de voordeur, met een prachtige wijzerplaat; een enorme stationsklok aan een muur; een paar fragiele tafelklokken die vreemd uit de toon vielen op de plank boven een houtkachel. Tamsin keek de kamer rond, wendde zich toen weer naar Grace en merkte de wallen onder haar ogen op. Ze had een leeftijdloos gezicht en kon evengoed veertig als zestig zijn, of iets ertussenin: haar lichaam leek tenger en gespierd, pezig bijna. Ze volgden haar naar boven.

Tamsin dacht aan een lied. '*They'd stopped. Dead. Never to go again. When the old man died.*'

'Ik ben vreselijk nieuwsgierig naar de torenkamers – ze zijn zeker haast volmaakt rond.'

'Ja, dat klopt.' Grace duwde de deur open en deed een stap achteruit om Reagan en Tamsin binnen te laten. De kamer baadde in het licht en bood een spectaculair panoramisch uitzicht op het strand. Reagan liep naar het raam, kennelijk tot zwijgen gebracht door de vredigheid.

Tamsin kon zien dat het de werkkamer van Freddies vader was geweest. Er stond een reusachtig oud dubbel bureau in het midden, met aan beide kanten een stoel. Het bureau was vreselijk netjes opgeruimd, met bijna niets erbovenop, hoewel tegen de muur erachter drie grote grijze dossierkasten stonden. Afgezien van nog een paar klokken en een groot, modern ogend olieverfschilderij van Freddie op zeven- of achtjarige leeftijd was er weinig versiering. Je kon zien dat het schilderij naar een foto was gemaakt. Freddie droeg een spijkerbroek met wijde pijpen, een rood T-shirt en een kettinkje met een miniatuur 7-Up-blikje eraan. Ze stond met één hand op haar heup en duwde met de andere een weerspannige lok blond haar achter haar oor. De schilder had het licht fantastisch weten te vatten – het zette haar voor de helft in een prachtige gloed en ze kneep glimlachend haar ogen tot spleetjes. Eromheen, in kleinere lijstjes, hingen nog meer foto's van Freddie – als baby, bij de diploma-uitreiking van Oxford, in toga en baret, op haar bruiloft, giechelend tussen Tamsin, Sarah en Reagan in. Wat zien we er allemaal jong uit, dacht Tamsin. Er was ook een foto van Freddie met Harry als baby. Maar haar vader kwam nergens op voor. 'Het lijkt in zekere zin wel een altaar,' zei ze.

'Ik denk dat je gelijk hebt,' zei Grace. 'Freddie is hier nooit binnen geweest.'

'Dat had ze wel moeten doen.' Reagan had zich bij het horen van Tamsins uitroepen van het raam afgewend.

Tamsin bedacht hoe verschillend zij en Freddie waren. Ze kon zich niet voorstellen dat er een kamer in het huis van haar ouders zou zijn waar zij nooit was geweest!

'Ja, dat vind ik ook. Hij was zo trots op haar en alles wat ze bereikt heeft. Zo trots,' zei Grace.

'Alleen zei hij dat nooit tegen haar.' Tamsin wist dat Freddie altijd alleen maar afkeuring, minachting en desinteresse van haar vaders kant had gevoeld. Nu vroeg ze zich af waarom er zoveel verschil was geweest tussen wat hij voelde en wat hij liet merken. En nu was hij dood, en dat was erg jammer omdat Freddie er nu wel achter zou komen, maar er niets mee zou kunnen aanvangen, niet naar een oplossing zou kunnen streven.

Ze liepen de kamer uit en Grace deed de deur achter hen dicht. Misschien was het beter als Freddie nog niet direct naar binnen ging, dacht Tamsin.

Grace had de rondleiding hervat. 'Daar zijn twee gastenkamers,' zei ze, wijzend, 'en die delen deze badkamer. Boven is er, behalve de grote suite, nog eentje, ook met een eigen badkamer. Beslissen jullie zelf maar waar je wilt slapen.'

Tamsin keek wat verward. 'Woon jij dan niet hier, Grace?'

'Jawel.' Ze klonk een beetje nerveus. 'Boven is nog een vijfde slaapkamer. Daar slaap ik.' Daarna liep ze weer de trap af. 'Hebben jullie veel bagage? Misschien moeten we die maar binnenhalen. Ik zal jullie even helpen en daarna regel ik de thee.'

Op de overloop keken Tamsin en Reagan elkaar verbaasd aan, waarna ze haar volgden.

In de keuken was Freddie uitgepraat met Harry. Het was heerlijk geweest om zijn stem te horen, en de verhalen over zijn klasgenoten, zijn mentor, en de wedstrijd van gisteren. Hij klonk gelukkig. Freddie hoopte dat hij niet deed alsof – Harry was in staat vrolijk te klinken om haar gerust te stellen.

Nu dwaalde ze rond en keek naar vertrouwde en vreemde dingen. Er hing een kalender van Ansel Adams aan een haakje. Ze was altijd al dol geweest op zijn zwartwitfoto's – zo rustig en ontzagwekkend. Ze sloeg de bladzijde van september omhoog zodat ze naar de illustratie bij oktober kon kijken. Haar blik viel op de enige notitie voor die maand, op de tiende: 'Ziekenhuis'. Eén woord.

Geschreven met rood. Nieuwsgierig maar met enig schuldgevoel keerde ze terug naar september. Deze maand was drukker: twee keer golfen – de tweede keer was een ronde die hij nooit zou spelen – een paar bijeenkomsten, een etentje met vrienden... en weer 'Ziekenhuis'. Het stond er ook in augustus en juli. Ze was bij juni gekomen toen de anderen terugkeerden.

'Ben je ziek, Grace?'

'Nee.'

'Nou...' Ze zagen allemaal Freddies gezicht veranderen. 'Was mijn vader dan ziek?'

'Je vader is gestorven aan een hartinfarct, Freddie.'

Dat was een vreemd niet-antwoord. Freddie bleef Grace aankijken tot die haar ogen neersloeg. 'Grace...' Haar stem had een waarschuwende klank.

'Ja. Hij was ziek.'

'Wat had hij dan?'

'Kanker.' Het woord viel zwaar in de heersende stilte.

Grace trok een stoel naar achteren en ging zitten, haar handen in elkaar geslagen op de tafel. Tamsin liep naar de fluitketel en gaf in het voorbijgaan een kneepje in Freddies schouder. Zij zou wel thee zetten. Reagan liep naar Tamsin toe om haar te helpen.

Freddie ging naast Grace zitten.

'Sinds wanneer?'

Grace ademde diep in. Toen ze sprak, klonk het ingestudeerd en ze kon Freddie niet aankijken. 'Een jaar ongeveer. In het begin was het alsof hij griep had. Hij was de hele tijd zo moe en dat was niets voor hem. Hij had altijd zoveel energie. En hij had steeds vaker ongelooflijke bloedneuzen, zoveel bloed. Hij werd magerder, en je vader was normaal toch zwaar, dus zeurde ik steeds dat hij naar de dokter moest. Het klopte gewoon niet. Ze hebben gevonden wat het was, leukemie. Acute myeloïde leukemie.' Ze zei het langzaam en duidelijk, sprak elke lettergreep met zorg uit. 'Het leek aanvankelijk niet zo ernstig. Ze zeiden dat hij chemotherapie moest hebben, een paar keer, en daarna onderging hij nog een aantal onderzoeken en zeiden ze dat het verdwenen was.'

Freddie legde haar hoofd in haar handen.

'Ik heb hem gesmeekt het je te vertellen. Eerst wilde hij niets zeggen tot hij meer wist, en toen hij het eenmaal wist, zei hij dat het achter de rug was en dat je het dus niet hoefde te weten. En ik denk dat hij echt geloofde dat hij genezen was. Ik geloofde dat ook. Ik denk dat we het wilden geloven.' Ze zag er heel ongelukkig uit.

'Hij was dus niet genezen?'

Tamsin begreep Freddies behoefte om alles te weten, maar het voelde aan als intimidatie. Het was duidelijk erg pijnlijk voor Grace om hierover te praten en Freddie drong te sterk aan; ze sprak op ruwe toon.

'Nee, dat was hij niet. Hij ontdekte drie maanden geleden dat het terug was...' Ze ademde diep in. 'En dat het terminaal was. Dat heeft hem gebroken. De eerste keer was hij er heel zeker van dat hij de ziekte zou kunnen verslaan.'

Freddie begreep nooit dat mensen over kanker praten als over iets waar je tegen kon vechten, alsof je er met je vrije wil iets tegen kon doen. Het leek zo oneerlijk tegenover de mensen die eraan gestorven waren – alsof ze niet genoeg hadden gevochten, alsof ze zich er gewoon aan hadden overgegeven. Alsof ze nog in leven zouden zijn, met degenen die van hen hadden gehouden, als ze wat harder hun best hadden gedaan. Ze zeiden het ook vaak in de rouwadvertenties: 'Na een lange en moedige strijd'. Kanker was geen vijand maar een afschuwelijke, agressieve, gemene ziekte en als je voorbestemd was eraan dood te gaan dan zou dat ook gebeuren, of je er nou tegen vocht of niet.

'Ze zeiden dat hij zelf mocht beslissen of hij nog verder behandeld wilde worden. Het was geen kwestie van hem genezen, ze zouden alleen zijn leven kunnen rekken. Ze vonden het eigenlijk wreed om het hem op zijn leeftijd allemaal nog eens te laten doormaken. En mijn God, de chemotherapie was inderdaad vreselijk. Hij werd er zo ziek van, zo moe. Ik geloof niet dat hij dat nog een keer had aangekund.'

'Maar hij was het wel van plan.'

'O ja. Ik heb hem gesmeekt het te doen. Ik was egoïstisch, denk ik. Ik wilde niet dat hij doodging.' Ze klonk alsof ze zijn echtgenote was geweest, dacht Freddie. Graces ogen vulden zich met tranen. 'Ik ben bijna blij dat hij voor die tijd is gestorven, zodat hij het niet opnieuw door hoefde te maken.' Ze had een tissue uit de mouw van haar vest gehaald en depte haar ogen droog. 'Het komt voor. Chemotherapie is een zware belasting voor het lichaam. Soms houdt het er gewoon mee op.'

Ze stond op en liep naar het dressoir. Ze pakte een fotomapje uit de lade, sloeg het open en haalde er een uit. Die gaf ze aan Freddie. 'Deze is vorige maand genomen. Je ziet misschien wel wat ik bedoel.'

Tamsin en Reagan kwam dichterbij en keken over haar schouders mee.

Freddie staarde naar de foto van een man die ze nauwelijks herkende. Hij was weggeteerd, uitgemergeld en leek gekrompen. Zijn nek was vreselijk mager en zijn favoriete sweater hing los om hem heen, alsof die talloze maten te groot was. Zijn huid was vaalgeel en zijn ogen lagen diep in hun kassen. Ze zag hem voor wat hij duidelijk was geweest: een stervende man.

'Ik was geschokt toen ik de foto's zag, de dag dat ik ze had opgehaald bij de fotograaf. Ik woonde hier met hem samen, zie je. Ik had me niet gerealiseerd hoe slecht hij eraan toe was.'

Freddie kon het niet geloven. Haar hele leven had hij boven haar uit getorend met zijn bijna mythische gestalte. Sterk in diverse opzichten. Maar deze man was frêle en oud. Een grote golf van schuldgevoel en verdriet rolde over haar heen... met een onderstroom van woede.

Grace sprak nog steeds, maar het klonk nu gedempt, alsof haar stem van ver weg kwam. 'Hij is in elk geval niet met veel pijn en zonder waardigheid aan de machines in het ziekenhuis gestorven. Hij is overleden in zijn slaap, in zijn eigen bed. Vredig. Zoals hij het heeft gewild.'

Hoe kan hij zich vredig hebben gevoeld. Ik wist van niets! *Ik wist van niets!* weergalmde het door Freddies hoofd. Er rolden tranen over haar wangen.

'Hij wilde niet dat jij je zorgen maakte,' zei Grace. 'Je leven lag niet meer hier. Jij bent nu aan Engeland gebonden en dat is zo ver weg. Hij wilde je niet van streek maken.'

'Dat is onzin!' Freddies stem klonk schel.

'Freddie...' Reagan stak haar hand naar haar uit, maar Freddie schudde die van zich af. Ze was opgestaan en liep ruggelings bij hen vandaan.

'Ik weet waarom, en geloof me, het was niet om mij te beschermen. Hij gaf gewoon niet genoeg om me en wilde me niet bij zich hebben. Of hij vond dat ik het niet verdiende om het te weten. Hij probeerde me weer te straffen. Ik weet niet waarvoor. Maar dat was het.'

Grace liep naar haar toe. 'Dat is niet waar, Freddie.'

Maar Freddie liep naar de deur. 'Het is wel waar. Wel waar. Probeer maar niet... waag het niet te proberen me iets anders wijs te maken,' beet ze Grace toe, en toen was ze weg.

Grace vond haar op het strand. Ze zat op het zand met haar knieen tegen haar borst getrokken naar de zee te staren. Ze keek stuurs, maar had gehuild: haar gezicht was nog nat en haar oogleden waren gezwollen. Grace vond dat ze eruitzag als de mokkende, verwarde tiener die ze ooit was geweest, en verlangde plotseling terug naar dat leven, die tijd toen Freddies verdriet werd veroorzaakt door een slecht cijfer voor een proefwerk, of door een verliefdheid.

Grace was kwaad op hem. Ze had van hem gehouden, maar nu was ze kwaad op hem omdat hij dit niet had geregeld voor hij hen in de steek liet, en het aan haar had overgelaten om het in orde te maken. Als dat nog kon. En zelfs als het nog kon, zou niemand van hen er profijt van hebben.

'Het spijt me, Grace. Ik had niet zo tegen je moeten schreeuwen.' Freddie klonk berouwvol.

Grace ging naast haar zitten en sloeg een arm om haar schouders. Dat viel niet mee, want Freddie was veel groter dan zij, maar Freddie ontspande zich meteen en legde haar hoofd op Graces schouder. 'Het spijt mij ook, lieverd. Je had het niet op deze manier mogen ontdekken. Geloof me, als het aan mij had gelegen had je het veel eerder geweten.' Ze keek nu net als Freddie naar de zee. 'Misschien had ik het je toch moeten vertellen. Hij had me laten beloven dat niet te doen. Maar wat dan nog?'

'Hij moest altijd alles beslissen. Ik snap niet dat je het zo lang bij hem hebt uitgehouden.'

'Ik hield van hem.'

'Dat weet ik, maar dan nog...'

'En hij hield van mij.'

Het drong niet meteen goed tot Freddie door. 'Hoe kun je dat in hemelsnaam weten?'

'Omdat hij het me elke dag liet merken. En het me ook bijna elke dag vertelde.'

Freddie richtte zich op. 'Wat bedoel je?'

'Kom nou, Freddie. Je moet het toch geweten hebben.'

'Wat?'

'Van je vader en mij.'

'Wat is er met mijn vader en jou?'

'We hielden van elkaar. In hemelsnaam, we hebben jaren als man en vrouw in dit huis gewoond. Ik dacht dat je het wist.'

'Hoe had ik dat moeten weten? Ik kwam hier zo weinig mogelijk, dat weet je.' Om de een of andere reden was Freddie echter niet geschokt. Het leek voor de hand te liggen als je het hardop hoorde. Na de laatste onthulling, binnen, leek het vreemd onschokkend.

'O, Grace.'

Grace haalde haar schouders even op.

'Vertel eens.' Freddie wilde luisteren. Ze wilde het weten.

'Er valt niet veel te vertellen, lieverd. Ik ben niet de eerste kindermeid of huishoudster die verliefd wordt op haar baas. Ik voelde al iets bij onze eerste ontmoeting. Het leek zo tragisch dat hij was verlaten door zijn jonge vrouw. Jij was om op te vreten. En hij was zo knap, zo vol leven, met al die onderdrukte energie en nog iets anders onder de oppervlakte. Ik neem aan dat ik dezelfde dingen zag die je moeder ook had gezien. Het duurde niet lang voor ik in de gaten had dat hij een moeilijk man was. Een echte hufter, soms.' Ze gaf Freddie een duwtje. 'Maar je kunt niet kiezen op wie je verliefd wordt, is het wel. En mijn god, wat hield ik van hem. Heel lang van een afstand. Ik geloof niet dat hij me op die manier zag. Hij had vriendinnen toen jij klein was. Jij hebt dat nooit geweten, want hij hield hen verborgen, maar ik wist het wel. Je was een jaar of tien, denk ik, toen hij voor het eerst op die manier naar me keek. Het was Kerstmis en we waren allebei een beetje eenzaam en een beetje dronken. Hij zat naar oude platen te luisteren en vroeg me ten dans. Hij danste me rechtstreeks zijn bed in. Wat voor ons beiden nogal een onthulling was.' Grace keek schaapachtig naar Freddie, die half glimlachte. 'Sorry, ik weet dat hij je vader was, maar... nou ja, we kwamen tot de ontdekking dat we... op dat gebied bij elkaar pasten. We hielden het min of meer geheim zolang jij thuis was en wanneer we in Boston waren. Maar zodra we hier waren... Nou ja, het was zijn idee. Hij zei dat hij wilde dat we een echt stel waren.'

'Waarom zijn jullie nooit getrouwd?'

'Hij zei dat hij niet meer wilde trouwen.'

'En jij dan? Jij was toch zeker wel graag getrouwd geweest?'

Grace glimlachte. 'Niet echt. Ik heb zes broers en zussen en geen van hen is de eerste keer getrouwd gebleven.' Ze keek Freddie indringend aan. 'En het is voor jou ook geen pretje geweest, is het wel?'

Was het zo duidelijk?

Grace was op haar bruiloft geweest. Het was de enige keer dat ze naar Engeland was gekomen. Freddie herinnerde zich haar in een lilakleurig pakje met een klein hoedje met zo'n sluiertje dat niets verhulde. Ze had zich op de achtergrond gehouden, zoals altijd, maar was zo blij geweest. Het was een grappig idee dat ze toen samen waren geweest, Grace en haar vader. Dat ze na haar bruiloft terug waren gegaan naar het Savoy en er samen in een groot bed over hadden liggen praten. Het had misschien verschil gemaakt als ze het had geweten.

Grace wachtte op antwoord. 'Nee, niet echt. En als ik eerlijk ben tegen mezelf, denk ik dat het waarschijnlijk voorbij is. Adrian heeft een verhouding – daar ben ik net achter gekomen.'

'O, ik begrijp het.'

'Nee, dat denk ik niet. Die verhouding is eigenlijk grotendeels irrelevant. Ik geloof dat het om veel meer gaat dan dat. Ik weet niet zeker of ik eigenlijk ooit wel met hem had moeten trouwen.'

'Je leek toen zo vreselijk verliefd.'

'Is dat zo?' Grappig... Freddie wist dat dat waar moest zijn, maar kon het zich niet voorstellen. 'Pap was in elk geval blij met hem.'

'Hij zei altijd dat hij het gevoel had je naar hem toe te hebben geduwd. Hij was bang dat je met Adrian was getrouwd om hem een plezier te doen.'

Freddie was overdonderd. 'Daar heeft hij nooit iets over gezegd.'

'Niet tegen jou, helaas, maar wel tegen mij.'

'Wanneer?'

'Op je trouwdag. Toen was het natuurlijk al te laat. Je trouwdag was zo fantastisch. Net Charles en Di.'

Ze waren getrouwd in de St Margaret's in Westminster, niet in de St Paul's, en er waren maar een handvol lagere edelen aanwezig, maar Freddie wist wat ze bedoelde.

'Het was zo groots, met al die uniformen, de bruidsmeisjes, die reusachtige bloemstukken, en de taart.'

Adrians moeder had die dag gekaapt, en Freddie had het gevoel gehad of ze over een filmset liep. Ze kende de helft van de bruidsmeisjes niet en Grace had gelijk – de bloemen waren absurd. Ze herinnerde zich duidelijk dat ze door het gangpad liep en in de menigte zocht naar Sarah en Matthew, Neil en Tamsin, Reagan en wie haar ook begeleidde die zomer, en dat ze zo opgelucht was geweest toen ze hen bemoedigend naar haar zag stralen en het gevoel had gehad dat alle anderen praktisch vreemden waren.

'Ik herinner me dat hij zei,' vervolgde Grace, 'dat de dag alles was wat hij ooit voor je gewenst had – die dingen waren altijd belachelijk belangrijk voor hem – maar dat hij niet zeker wist of Adrian wel de juiste man voor je was. Hij fluisterde tegen me: "Zie je hoe hij naar haar kijkt," toen jullie je geloften aflegden, en hij had gelijk.'

'Wat bedoel je?'

'Nou, hij zag er nerveus uit, en gelukkig, maar hij...' Grace zocht naar de juiste woorden. 'Hij keek niet naar je alsof hij dood zou gaan als je niet "Ja, ik wil," zou zeggen. Er zat geen vuur in.'

'Geweldig.'

'Het spijt me, ik ratel maar door. Het punt is dat je vader nooit iets heeft gezegd omdat hij dacht dat je toch niet zou luisteren.'

'Maar hij had gezegd dat Adrian het juiste type man voor me was.'

'En daar heeft hij altijd spijt van gehad. Hij vertelde mij dat Adrian het juiste type was voor hém, maar niet voor jou. Hij zei dat je meer op je moeder dan op hem leek en dat zij beter zou hebben geoordeeld.'

Toen stond Grace op en veegde ze het zand van haar broek. 'Kom... je zult wel honger hebben. Laten we naar binnen gaan en wat eten.'

Freddie stond ook op en ze omhelsden elkaar kort. Ze keek Grace aan en wist dat die de sleutels had die haar vader voor haar konden ontsluiten. Als zij dat wilde.

Ze liepen hand in hand terug naar het huis. 'Hij heeft me wel een keer gevraagd om met hem te trouwen,' bekende Grace.

'Wanneer?'

'Toen hij wist dat de kanker terug was gekomen. Ik denk dat hij wist dat hij dood zou gaan.'

'En wat heb jij gezegd?'

'Ik gaf geen antwoord. "Ik dacht er nog steeds over na" toen hij doodging.' Ze glimlachte triest, maar er blonken ook tranen in haar ogen. 'Ik ben te lang blijven nadenken.'

'Ik heb een hekel aan begrafenissen,' klaagde Reagan. Ze leunde tegen de kiosk in het kleine park en rookte een laatste sigaret voor ze de straat door naar de kerk zouden lopen.

Ze hadden het huis pakweg een uur geleden verlaten, voordat de rouwwagen Grace en Freddie kwam halen. Grace had alles geregeld en was wat Chatham betrof de belangrijkste rouwende. Als Freddie niet was gekomen zou ze alleen in de lange zwarte sedan hebben gezeten, klein, waardig en stil. Freddie vroeg zich af wat de mensen van Grace en haar vader dachten. Ze wisten natuurlijk niet hoe het tussen hen was geweest in Boston, hoe ze elkaar hadden leren kennen. Ze hadden zich misschien wel afgevraagd waarom ze niet getrouwd waren; Grace droeg geen ring en haar achternaam was Kramer. Freddie geloofde niet dat er veel ongetrouwde stellen in dit dorp woonden. Hadden ze een klein schandaal veroorzaakt, een rimpeling van belangstelling? Geen wake, had Grace gezegd. Dat had hij niet gewild. Hij had op goede momenten al niet graag mensen om zich heen en hij zou op deze dag al helemaal geen menigte in huis hebben gewild. Niet dat Freddie wist waar een 'menigte' rouwenden voor haar vader vandaan zou moeten komen. Harry en zij waren zijn enige familie, voorzover zij wist. En Grace natuurlijk. Grace had de advocaten van het bedrijf en de buren op Beacon Hill duidelijk gemaakt dat het een besloten begrafenis moest worden. Ze hadden zich daar gemakkelijk bij neergelegd; sommigen mompelden iets over een herinneringsdienst in een later stadium, anderen gaven toe dat een teruggetrokken man die een teruggetrokken bestaan had geleid, het zo gewild zou hebben.

Het viel Tamsin op hoe mager Reagan eruitzag in haar zwarte pakje. Ze vond weliswaar de meeste mensen mager in dit stadium van haar zwangerschap – en de rest van de tijd eigenlijk ook – maar Reagan was echt uitgemergeld. Haar borstkas leek bijna ingedeukt. De enige zwarte kledingstukken die Tamsin paste waren een katoenen legging en een heel groot T-shirt, die ze nu droeg en die hopelijk wat werden opgehaald door de zwart-wit genopte sjaal van Armani die Reagan haar had geleend. Ze probeerde zich er niets van aan te trekken dat Reagan die de vorige dag als ceintuur voor een onmogelijk kleine maat broek had gebruikt en dat zijzelf hem nu rond haar dikke nek had geknoopt. Zoals Freddie gezegd zou hebben; ze zou niet met Reagan willen ruilen. Hoewel... nu ze naar haar gezwollen voeten keek en daarna naar de slanke en in stijlvolle gehakte muiltjes gestoken exemplaren van Reagan keek, vroeg ze het zich toch af.

'Ik vond die van mijn vader vreselijk. Vooral vanwege mijn moeder, denk ik,' zei Tamsin. 'Ze deed zo haar best niet te huilen. En die van Sarah was nog erger. Ik heb alleen een hekel aan de begrafenissen van mensen van wie ik hou. Net zoals ik alleen echt geniet van de bruiloften van mensen van wie ik hou. Als ik niets geef om de mensen die samengevoegd of afgevoerd worden, doet het me weinig. Tenzij ze die ene hymne zingen, over problemen op zee. Dan moet ik altijd aan Kate Winslet en Leonardo di Caprio denken en ga ik toch nog huilen.'

'Wat ben jíj oppervlakkig.'

'Dat zal wel, ja.'

'Denk je dat Fred zich wel zal redden?'

'Je kent Fred. Ze is vast een toonbeeld van zelfbeheersing. Ik maak me meer zorgen om Grace. Zij is degene die net iemand heeft verloren. Ik denk dat Freddie haar vader lang geleden al heeft verloren, als ze hem ooit heeft gehad.'

Reagan knikte.

'Schiet op met die peuk, wil je?'

'Ben je bang dat je geen goed plekje zult hebben?'

'Bang dat ik achter de kist aan de kerk binnen moet waggelen als jij niet opschiet.'

Reagan nam nog een laatste haal en drukte toen de sigaret uit met haar schoen. Ze trok de reusachtige zwarte zonnebril van haar hoofd omlaag en stak haar hand uit naar Tamsin, die zich door haar overeind liet trekken.

'God, volgens mij moet ik weer plassen.'

Reagan trok een lelijk gezicht. 'Je bent echt een menselijk anticonceptiemiddel, weet je dat?'

'Wat zeg je toch lieve dingen.'

Ze lachten samen. Hun vriendschap had altijd gedijd omdat ze elkaar een beetje benijdden en dat van elkaar wisten.

'Het is goed om je weer te horen lachen,' zei Tamsin.

'Het is ook fijn om te lachen,' antwoordde Reagan. Ze haalde heel even haar smalle schouders op.

Dit was waarschijnlijk niet het juiste moment, dacht Tamsin even, maar ze ging toch door: 'We hebben het je de laatste tijd niet veel horen doen – of je vaak genoeg gezien om de kans te krijgen het te horen, trouwens.'

'Ik weet het. Het spijt me.'

'Je hoeft geen spijt te hebben.'

'Nee, maar dat heb ik wel.'

'Je zou het ons toch vertellen, nietwaar, als er iets aan de hand was?'

Te vroeg. Te veel. Tamsin zag Reagan gewoon verstarren.

'Vandaag niet, Tams. Vandaag draait het om Freddie.'

Waarmee ze in feite toegaf dat er inderdaad iets aan de hand was. Het kon wachten.

Tamsin stak haar arm door die van Reagan. 'Ik ben blij dat je nu wel hier bent, en ik weet dat dat ook voor Freddie geldt.'

Reagan gaf een kneepje in haar hand, dankbaar dat ze met rust werd gelaten, ook al wist ze dat het maar tijdelijk was, en samen liepen ze de straat door naar de kerk.

Daarbij dacht Tamsin opeens aan haar eigen huwelijk. Reagan had zo ongeïnteresseerd geleken. Sarah was degene die met Tamsin op jacht was gegaan naar een trouwjurk en haar tactvol had weggeleid van de wijde jurken met veel tule naar de diagonaal geknipte modellen, en Freddie had het uitgelaten vrijgezellenweekend georganiseerd. Als Reagan al deelnam aan gesprekken over de aanstaande bruiloft, was dat altijd met sarcasme en cynisme. 'Ze is gewoon Reagan,' was Sarahs vaste reactie daarop. 'Ze is gewoon jaloers,' luidde die van Freddie. Maar het had toch een beetje pijn gedaan.

Dat had geduurd tot de dag zelf. Reagan wilde geen corsage dragen. Ze zei dat het niet bij haar jurk paste en een gaatje in de zijde zou maken. Freddie had naast Tamsin gestaan voor een foto en fluisterde woedend in haar oor: 'Als ze bij me in de buurt komt, krijgt ze een stomp van me. Dat zweer ik je!'

Ze was ook vroeg vertrokken. Voordat Tamsin zich had verkleed om weg te gaan. Ze gingen trouwens niet ver weg, gewoon een paar nachten naar een wat duurdere herberg een dorp verderop; Neil was assistent-arts en tijd en geld waren schaars. Reagan was er niet bij geweest om hen te kussen en bejubelen en naar het boeket te graaien dat Tamsin over haar schouder had gegooid.

Maar toen ze bij de herberg arriveerden, vertelde het meisje bij de receptie hun dat ze waren overgeplaatst naar de bruidssuite, met het grote hemelbed waar Hendrik VIII ooit zou hebben geslapen tijdens een jachtpartij in het jaar weet-ik-veel, en met het uitzicht op het park en het tweepersoonsbad. Toen ze bovenkwamen, stond er een fles champagne in een ijsemmer op het nachtkastje, naast een grote doos vol Tamsins favoriete kersenbonbons. Er lag een briefje bij met daarop in Reagans kleine handschrift: 'Blijf zo gelukkig als je nu bent.'

'Rare meid!' had Neil uitgeroepen. 'Ze houdt echt van je, weet je dat?'

Zo was Reagan.

Ze hadden in de voorste rij kunnen gaan zitten, zelfs vijf minuten voor aanvang nog. De kleine verzameling aanwezigen hield zich op de achtergrond en bezette alleen een paar rijen in het midden van de kerk. Omdat het een grote kerk was, gaf dat een trieste aanblik.

Het waren overwegend mannen, en maar een paar vrouwen. Tamsin vermoedde dat ze van de golfclub waren waar Freddies vader had gespeeld sinds hij naar de Cape was gekomen, of zakenlui met wie hij te maken had gehad. Zijn testament werd afgehandeld in Boston, had Grace hun verteld. Freddie zou over een paar dagen naar de stad gaan om met de advocaten te praten.

Het zag er niet naar uit dat er nog iemand anders zou komen. De lijkwagen kon elk moment arriveren en de dienst zou over een paar minuten beginnen. Tamsin probeerde het zich gemakkelijk te maken op de harde kerkbank en Reagan bladerde het misboekje door.

Mensen zagen er vreemd uit in begrafeniskleren, net als tijdens bruiloften. Ze voelden zich in het zwart net zo slecht op hun gemak als met suikerzoete kleuren, hoeden en veren. Dit waren rouwdragers-volgens-het-boekje: geen rode sjaals of gele corsages om aan te geven dat de overledene iemand was die graag kleur en misschien een glimlach op zijn begrafenis had gezien. Tamsins moeder had tijdens haar vaders begrafenis een gele jurk gedragen – de jurk die ze het jaar daarvoor tijdens hun dertigjarige huwelijksfeest had aangehad. Hij had haar mooi gevonden in die jurk, had ze gezegd. En nog mooier zonder. Echt iets voor moeder Larkin. Ze had ervoor gezorgd dat iedereen glimlachte bij de herinnering. Hier was niets waarmee je je een levende man voor de geest zou kunnen roepen. Alleen maar zwart, en nergens een glimlach. Tamsin hoopte dat het niet te lang zou duren. Ze streelde over haar dikke buik.

Buiten kwam de lange zwarte auto naast de kerk tot stilstand. Freddie was dol op Amerikaanse kerken, met hun symmetrie en hun witte frisheid. Je kon je daar echt bij voorstellen dat ze snel waren gebouwd door gezonde pioniers op zonnige dagen met een blauwe hemel. Grauwe oude Engelse kerken waren soms wel mooi, maar altijd koud, en ze deden je denken aan primitieve, ploeterende steenhouwers die tientallen jaren lang als slaven werkten, aangedreven door angst en vroomheid. Dat land was oud, dit land was nieuw en soms voelde je dat het duidelijkst in de kerken. Voor deze kerk stond een monument voor de pioniers van Chatham.

Ene William Nickerson was in 1637 hierheen gekomen uit Norwich, Engeland, samen met zijn zoons en schoonzoons. In 1683 hadden ze deze plek gekocht van de indianen, die het Monomoyick noemden, wat lang niet zo pakkend of zo puur Engels was als Chatham.

Daaronder stonden degenen die gevolgd waren en helemaal onderaan stond in stoere, geoxideerde hoofdletters: HIJ DIE GEEN EERBIED VOELT VOOR ZIJN VOORVADEREN, ZOU DIE OOK NIET MOETEN VERWACHTEN VAN ZIJN NAKOMELINGEN.

Ze had voor niemand eerbied gevoeld, laat staan voor haar directe voorouders. Misschien was dat een van de dingen waarvan ze meende dat haar vader haar die altijd kwalijk had genomen.

Achter haar werd haar vaders kist door de zes dragers uit de lijkwagen gehaald. Hij zag er ongelooflijk zwaar uit en ze zag dat ze zich schrap zetten. Naast haar had Grace moeite zich te beheersen; ze ademde doelbewust diep in. Ze pakte de hand van Grace vast en gaf er een kneepje in.

Freddie voelde zich niet zo onverschillig en emotieloos als ze had verwacht, maar dat was waarschijnlijk te wijten aan de nabijheid van haar vaders lichaam. Had iedereen visioenen van een openvallende kist waarin het lichaam plotseling zichtbaar was? Of alleen zij? Hier waren open kisten trouwens erg in. Ze was blij dat haar vader in een gesloten kist lag. Wat vreselijk om naar een dode te moeten staren, met een uitdrukking op het gezicht die het tijdens zijn leven nooit had gedragen, de handen kunstig in elkaar geslagen op een borst die niet meer op en neer ging. Gruwelijk. Toch keek ze naar de kist en vroeg ze zich af wat voor kleren haar vader vandaag en voor altijd aanhad, en of Grace iets bij hem in de kist had gelegd, zoals ze bij mummies deden. Smeergeld om hem te helpen als hij voor het godsgericht stond. Herinneringen om mee te nemen naar de hemel. Wat belachelijk. Ze schudde zacht haar hoofd, plotseling bang dat ze zou gaan huilen. En dat was ze niet van plan.

Toen stopte er een taxi aan de overkant van de straat. Ze zag het portier opengaan en verwachtte een in het zwart gestoken vreemde, maar het was Matthew.

'Matthew.' Ze had niet beseft wat voor opluchting het zou zijn om hem te zien. Ze voelde haar ribbenkast iets inzakken. Matthew.

Hij zag haar en ze liep naar hem toe. Hij omhelsde haar zwijgend en week toen iets terug. 'Het spijt me dat ik zo laat ben. Ik had het bijna gemist, nietwaar?'

'Laat? Wat doe je überhaupt hier?' Ze moest bijna lachen van blijdschap nu ze hem zag; blijdschap en een vreemde opluchting. 'Hoe ben je hier gekomen?'

'Taxi, vliegtuig, taxi?'

'Ik bedoel, hoe wist je waar wij waren?'

'Ik reed door de straat op zoek naar het mooie meisje met de kist.' Zijn gezicht werd ernstig. 'Ik dacht dat je me hier misschien nodig zou hebben.' *Ik hoopte dat je me hier zou willen hebben.*

Ik heb hem inderdaad nodig. Ze had het zich zojuist gerealiseerd. Ze kon niets anders zeggen dan: 'Bedankt dat je gekomen bent. Bedankt.'

Hij had zo'n grote leren enveloptas met een schouderriem bij zich die waarschijnlijk niet als handbagage zou moeten worden aangemerkt, maar vaak toch werd toegelaten als de eigenaar een gestrest kijkende directeur was. Hij trok de tas uit de kofferbak van de taxi.

'Blijf je?'

'Nee. Ik heb een retourtje!'

Ze stompte zacht tegen zijn arm. 'Hoe lang?'

'Hoe lang heb je me nodig?'

'Voor onbepaalde tijd?' Ze lachten samen.

'Ik kan een poosje blijven als je wilt.'

'Ga je met me mee naar Boston? Met de advocaten praten en zo?'

'Natuurlijk.'

Ze legde haar hand op zijn arm. 'Matt, ik ben zó blij dat je hier bent.'

'Daar ben ik blij om. Ik vroeg me af of ik eerst had moeten bellen.'

'Doe niet zo raar. Tams en Reagan zullen zo blij zijn je te zien.'

Toen ze gearmd de kerk binnen kwamen, bleek echter alleen Tamsin te stralen.

Reagans hart ging hevig tekeer toen ze hem zag. Ze voelde zich even licht in haar hoofd, met die vreemde mengeling van opwinding en afschuw, verrukking en afgrijzen die ze altijd ervoer als ze hem zag. Wat doet hij hier? dacht ze, en toen realiseerde ze zich dat hij Freddie natuurlijk bij kwam staan. Sir Galahad. Waarom had hij nooit naar háár hulpgeroep geluisterd?

Er was verder niet veel om naar te kijken in de kerk en Tamsin zat tijdens begrafenissen meestal toch naar de kist te staren en stelde zich dan het lichaam voor dat erin lag. Neil vond haar macaber. Zijzelf vond begrafenissen macaber. Godzijdank hadden ze niet gekozen voor zo'n open kist, zoals in *Friends* en *Will and Grace*. Dat was walgelijk. Ze had Freddies vader nooit echt gemogen toen hij nog leefde en dacht niet dat hij er tijdens zijn dood op vooruit zou zijn gegaan. Niet dat ze hem zo goed had gekend – ze had hem maar een paar keer ontmoet – maar Tamsin ging altijd af op haar eerste indruk en ze had zich bij hem nooit afgevraagd of ze het mis had gehad.

Het was de dag van hun diploma-uitreiking geweest. Haar vader en moeder waren in de Radcliffe Camera geweest, bijna barstend van trots (haar vader barstte zelfs bijna letterlijk uit zijn beste pak, dat hij had gekocht in zijn beste jaren, zo'n tien kilo geleden). Tamsin had hen kunnen zien zitten vanaf haar plekje beneden. Ze zaten bij Neil, wiens ceremonie op een andere dag plaats zou vinden. Haar moeder zat de hele tijd te stralen en naderhand, in de zon, hadden ze eindeloos kiekjes van haar gemaakt in haar met hermelijn afgezette jurk. Haar ouders moesten die middag na een lunch bij Brown's weer weg – dat was het boerenleven – en Freddie had haar gesmeekt die avond met haar en haar vader te gaan dineren. Tamsin had er geen zin in gehad. Ze had een ander soort feestje gepland met Neil, met een bootje en een fles champagne, nou goed dan, sekt, maar wat maakte dat uit als er maar bubbeltjes in zaten.

Freddie had echter gesmeekt: 'Toe nou, Tams. Herinner je je de bruiloft van je zus nog?'

'Dat is drie jaar geleden!'

'Dat weet ik, maar er is toch geen deadline aan het terugbetalen van een dienst, of wel? Ga morgen maar bootjevaren en knuffelen met Neil. Laat me niet met hem alleen... alsjeblieft!'

Dus was ze mee gegaan naar het Randolph. 'Waar zou mijn vader anders logeren?' Freddie had haar wenkbrauwen opgetrokken.

'Dat is toch het beste hotel, niet dan?'

Het was heel mooi. En heel saai. Behalve wanneer het eng was, en dat was bijna elke keer als Freddies vader zijn mond opendeed. Ze leken het merendeel van de maaltijd zwijgend door te brengen. Wanneer Tamsin iets probeerde te zeggen, keek hij haar aan alsof ze dom was. Hij was duidelijk niet blij met haar aanwezigheid.

Naderhand had ze tegen Freddie gemopperd: 'Nou, bedankt hoor. Hij had er duidelijk niet op gerekend dat we met ons tweeen zouden komen – hij liet goed merken dat ik niet welkom was.'

'Zo is hij altijd. Hij geeft mij al ruim twintig jaar het gevoel dat ik overbodig ben.'

'Is het altijd zo'n prater?'

Toen had Freddie gelachen. 'Behalve als je het over golf of de wet hebt, dat had ik je toch gezegd.'

'Je had beter Neil mee kunnen nemen – hij speelt golf. Hij zegt dat je geen kans maakt om specialist te worden als je niet golft. Hij is al jaren bezig het zichzelf te leren. Of Reagan – zij weet alles van de wet.'

'Ik wilde jou erbij hebben. Je bent mijn beste vriendin.'

'Ik geloof niet dat hij veel in me zag.'

'Het kan me niet schelen wat hij vindt.'

Tamsin had zich afgevraagd of dat waar was. Freddie droeg een jurk die ze nog nooit had gezien. Haar haren waren netjes opgestoken, wat anders nooit het geval was, en ze droeg oorbellen met pareltjes. Ze zag eruit als Freddies chique tweelingzusje. Tamsin had gemeend dat het heel belangrijk voor Freddie was hoe hij over haar dacht.

En ze had hem nogal gemeen gevonden. 'Ik heb nooit begrepen waarom er twee niveaus zijn in een tweedeklassegraad,' had hij gezegd. 'Tweede klasse is tweede klasse.'

'Ik heb in elk geval geen derdeklassegraad gehaald, pap,' had Freddie zichzelf verdedigd.

'Dat is maar goed ook, als je bekijkt wat die drie jaar me gekost hebben.'

'Een twee-een is niet slecht, meneer Valentine,' was Tamsin Freddie bijgesprongen.

'Misschien niet. Maar wel een beetje teleurstellend, na je mooie resultaten aan het eind van je eerste jaar. Het impliceert dat je minder hard bent gaan werken.'

Tamsin wachtte tot Freddie zou ontploffen. Zij zou dat wel gedaan hebben als haar ouders het hadden gewaagd zo tegen haar te praten, juist op die dag. Niet dat ze dat ooit zouden doen, natuurlijk. Ze was de eerste van hun kinderen die waar dan ook in afstudeerde.

Freddie zei echter niets. Ze staarde naar haar bord en Tamsin zag dat ze vocht tegen haar tranen. Toen ze weer opkeek was haar gezicht rood en haar borst vlekkerig.

'Maar eigenlijk gaat het erom wat we nu gaan doen, nietwaar, meneer Valentine? Dit is nog maar het begin.'

Hij had haar voor het eerst echt aangekeken. 'En wat ben jij dan van plan, Tamsin?'

'Ik wil onderwijzeres worden.'

'Echt waar?' Hij had de woorden vreselijk lang uitgerekt, maar daar bleef het bij. Geen verdere belangstelling. Hij had zich weer aan zijn asperges met hollandaisesaus gewijd. Tamsin ving Freddies blik op en draaide even haar ogen naar elkaar toe. Freddie giechelde dankbaar.

Na afloop gingen ze naar de Chatham Squire. Ze kleedden zich natuurlijk eerst om en Matthew nam een douche. Ze dronken koffie op het balkon terwijl ze wachtten tot hij klaar was. Niemand zei veel, zelfs niet de gebruikelijke gemeenplaatsen over dat het een mooie dienst was geweest. Het was duidelijk dat Grace dat niet wilde horen. Ze wilde niet met hen mee: ze zei dat ze alleen over het strand wilde wandelen, wat Freddie niet echt geloofde. Ze liepen gearmd naar de hoofdstraat. Toen ze die bereikten splitsten ze zich op in tweetallen, Freddie naast Tamsin.

'Kom op, oudje. Als je niet opschiet serveren ze geen lunch meer tegen de tijd dat we daar zijn.'

'Je hebt het tegen een ernstig zwangere dame hier. Toon een beetje respect.'

'Onzin! Je bent altijd al zo sloom geweest.' Freddie herinnerde zich de dagelijkse wandelingen naar en van de Radcliffe Camera met Tamsin – die de fiets die ze had meegebracht naar Oxford al lang had opgegeven – als ze op tijd terug wilde zijn voor het roeien of naar de bar wilde en Tamsin, voortdurend pratend, maar bleef dralen. Door haar waren ze te laat gekomen voor ontelbaar veel colleges, lessen, feestjes en afspraakjes. Was dat echt meer dan vijftien jaar geleden? Alles was veranderd, en toch ook weer niets. Ze praatte nog steeds, ook al had ze met de baby onder haar middenrif weinig puf.

Voor hen stak Matthew zijn arm door die van Reagan, maar ze hield haar arm stijf. 'Hoe is het met je?' vroeg hij.

'Prima.' Er klonk geen warmte in haar stem, alleen de gebruikelijke afstandelijkheid.

'Het verbaasde me dat je mee zou gaan hierheen. Je hebt het altijd zo druk.'

Ze ging meteen in de verdediging. 'Niet te druk voor mijn vriendinnen.'

'Dat bedoelde ik niet, Reagan. Ik weet gewoon dat je altijd heel veel werk hebt. Het is fantastisch dat je op zo korte termijn vrij kon nemen.'

'Ik heb ontslag genomen.'

Nu was hij geschokt. Reagan leefde voor haar werk. 'Wat? Hoe bedoel je?' Zijn stem werd luider.

'Sst!' siste ze. 'Ik heb het hun nog niet verteld.'

'Waarom niet? Is er iets gebeurd?'

'Ik wil daar vandaag niet over praten.' Haar toon liet geen ruimte voor tegenspraak.

Matthew was hier te moe voor. Dit was Reagans werkwijze. Hij was er door de jaren heen aan gewend geraakt, maar dat maakte het niet minder vermoeiend. Ze vertelde je iets en klapte dan dicht, zodat je belangstelling gewekt was, of je bezorgdheid, en vervolgens werd je buitengesloten. Later vond ze dan dat je haar had verwaarloosd of je ongeïnteresseerd had getoond. Het was om gek van te worden, het was kinderachtig en het was zorgwekkend en het was de manier waarop Reagan al jaren met hem omging.

Hij had soms gedacht dat hij haar begreep. Het was destijds gemakkelijker geweest. Hij had geweten dat ze een oogje op hem had. Ze had al die jaren geleden in Chester met hem geflirt en zijn vrienden hadden haar sexy gevonden. Een van hen had, nadat ze zich in de bar buitengewoon suggestief tegen hem had gedragen, gezegd dat hij gek was om niet te nemen wat hem op een presenteerblaadje werd aangeboden. Maar hij had het eerlijk gezegd pijnlijk gevonden. Ze was zijn type niet... zo hard en hoekig... en veel te... beschikbaar, op een of andere manier. Ook al was dat misschien vreemd voor een jongen van eenentwintig. Hij hield niet zo van seks puur om de seks. Wat had het voor zin, als je niet om de ander gaf? Als ze sexy was, zag hij het in elk geval niet, of misschien was het te onecht naar zijn zin. Hij was niet preuts en hij was niet het soort man dat maar één type vrouw sexy vond. Hij kon zien dat Tamsin sexy was. Lachen in bed, aards, ongeremd sexy. Dat kon je zien aan de manier waarop ze met Neil omging. Die ondeugende lach. Sarah was sexy geweest op een damesachtige manier. Daar kon hij erg van genieten... het feit dat iedereen zag hoe mooi ze was, maar dat alleen hij haar sexy meemaakte. Haar ogen glazig van verlangen, het diepe keelgeluid dat ze maakte. Ze was heimelijk sexy. Freddie? Ach... iedereen kon zien dat zij sexy was, maar Reagan? Reagan leek gewoon te wanhopig.

Hij had haar nooit aangemoedigd. Niet één keer. Hij was een vriend geweest en door haar had hij Sarah leren kennen, die hij na dat eerste weekend nooit meer uit het oog had verloren – en zijn geweten was zuiver geweest, zelfs na die nacht waarin hij Reagans houding jegens hem had zien veranderen. Hij had er nooit met Sarah over gepraat. Of met Tamsin of Freddie. Hij vermoedde dat zij dat ook niet had gedaan.

Het was het enige waarin hij bij zijn weten oneerlijk was geweest in zijn relatie met Tamsin en Freddie. En Sarah. En waarom? Hij had haar waarschijnlijk willen beschermen. Reagan had er altijd maar een beetje bijgehangen. Als je hem tien jaar geleden had gevraagd of ze tien jaar later nog deel zou uitmaken van hun groep, had hij waarschijnlijk nee geantwoord.

Vooral als ze hadden geweten wat ze had gedaan de avond voordat hij met Sarah trouwde.

Ze hadden het weekend ervoor hun vrijgezellenfeesten al gehad. De mannen waren naar dezelfde kroeg gegaan waar ze meestal op vrijdagavond heen gingen en hadden de gebruikelijke vijf biertjes gedronken. De meisjes hadden zich verkleed en waren naar Cinderella's gegaan, een grote ondergrondse glitterballen-hel waar veel mannen van de plaatselijke politie en brandweer kwamen. Tamsin had Neil verteld waar ze heengingen, en natuurlijk kwamen ze daar terecht toen hun kroeg de deuren had gesloten, nog net nuchter genoeg om te worden binnengelaten als Adrian en Neil Matthew ieder bij een elleboog vasthielden. Hun vriendinnen of verloofden dansten op 'True' met leden van de brandweer. Die van Tamsin probeerde steeds aan haar billen te zitten en zij bracht telkens zijn handen terug naar haar taille, zonder uit het ritme van de dans te vallen. Freddie was diep in gesprek met die van haar, en danste zoals je met een oom zou doen tijdens een bruiloft. Reagan werd zowat opgevreten door een lange man wiens grote handen vrijelijk onder haar topje en haar rok dwaalden. En Sarah had haar brandweerman in de steek gelaten zodra ze Matthew, 'I know this much is true!' schreeuwend, op haar toe zag komen wankelen. Het was een fantastische avond geweest – zo'n avond van dansen-in-de-fontein-in-het-park-op-weg-naar-huis-en-iedereen-vertellen-dat-je-echt-echt-echt-waar-van-hen-hield.

De avond voor hun huwelijk was anders. Matt sliep in een hotel. Hij was naar Sarah geweest en had een kus gekregen van haar, haar moeder en haar oma en was daarna zachtjes de deur uit geduwd waardoor zojuist drie dozen met taart binnen waren gebracht en had te horen gekregen dat hij niet terug mocht komen. De Tenko Club had zitten giechelen met krulspelden in hun haren en van die rare rubberen dingen tussen hun tenen. Sarahs vader maakte een fles roze champagne open.

Hij had een pizza gegeten met zijn bruidsjonkers, had toen gezegd dat hij vroeg naar bed wilde en zijn overhemd nog moest strijken en was teruggegaan naar het hotel. Hij wilde gewoon alleen zijn. Het was niet niks, trouwen, en hij wilde er over nadenken zonder zijn ouders om er drukte over te maken of zijn vrienden die er luchtig over deden. Hij wilde gewoon een moment van rust in de maalstroom.

De klop op de deur kwam onverwacht. Het was al laat en hij vermoedde dat er iemand iets vergeten was, of een grap uithaalde. Hij deed de deur voorzichtig open. Het was Reagan. Ze had gedronken en hij vroeg zich af hoe ze hier gekomen was, of ze wel had kunnen rijden. 'Ik kom je opzoeken op je laatste avond in vrijheid...' zei ze enigszins onvast ter been en onduidelijk pratend.

Hij had hier geen zin in, maar wilde haar ook niet voor het hoofd stoten.

Ze liep langs hem heen de kamer binnen en de deur viel achter haar dicht.

Ze draaide zich naar hem om, te dicht bij hem. 'Het is namelijk je laatste kans, weet je...'

Hij deed een dappere poging het weg te lachen. 'Mijn laatste kans waarop, Reagan?"

Nu liet ze zich op het bed neerzakken, leunde achterover en keek hem wellustig glimlachend aan. 'Om mij te krijgen.'

'Reagan,' zei hij op waarschuwende toon, maar Reagan had zich genoeg moed ingedronken om af te maken waaraan ze was begonnen. Ze kwam weer overeind. Toen hij niet naar haar toe kwam, liep zij naar hem toen en probeerde ze hem te kussen. Haar adem rook naar alcohol en hij zag vol walging dat ze haar natte rode tong een stukje uitstak voordat haar mond de zijne raakte. Hij verstarde en duwde haar tot op armlengte van zich af. 'Reagan, alsjeblieft.'

'Matthew, alsjeblieft.' Haar stem had een zachtere, meer smekende klank gekregen en haar zelfvertrouwen smolt weg. In een laatste buitengewone manoeuvre trok ze haar T-shirt omhoog. Ze had nauwelijks borsten, niet meer dan zwellingen op haar borst met reusachtige, vooruitstekende tepels. Hij kon haar gezicht niet zien achter het T-shirt en even kon hij zijn blik niet afwenden van wat ze hem toonde.

Matthew was geschokt. Dit kon niet waar zijn. Hij had geen idee wat hij moest zeggen. Hoe hij haar kon helpen. Hoe hij haar zijn kamer uit moest krijgen. Voorzichtig trok hij het T-shirt omlaag. Ze huilde al en verviel nu in droge, beschaamde snikken. 'Het spijt me. Het spijt me zo. Het spijt me,' bleef ze maar zeggen, tot Matthew het niet meer kon aanhoren en zijn armen om haar heen sloeg. Hij wist zeker dat het nu voorbij was – dit afschuwelijke, beschamende incident – en dat hij haar veilig kon aanraken op de enige manier waarop hij haar ooit had willen aanraken, met de tederheid van een vriend.

'Jij bent het altijd geweest voor mij, Matthew,' zei ze tegen zijn borst. Wat hij ook had denken te weten over hoe ze zich voelde, dit was het niet. Dit had hij niet geweten, anders zou hij het niet genegeerd hebben. Hij voelde zich plotseling vreselijk schuldig.

Hij probeerde haar iets van zich af te duwen zodat hij tegen haar kon praten, maar ze hield hem stevig vast, dus praatte hij over haar hoofd heen. 'Dat is niet waar, weet je. Ik ben het nooit geweest voor je. Er is nooit een "wij" geweest. Je gedraagt je dwaas. Je bent dronken en misschien een beetje jaloers.' Hij hoopte dat ze hem beschaamd aan zou kijken en dat ze erom zou lachen. Overgeven. Wat dan ook.

'Ik had je het eerst gezien.'

Dat was niet bepaald een volwassen argument. Ze klonk als een pruilend kind.

'En toen zag ik haar, Reagan. Er was niets tussen jou en mij en toen ontmoette ik haar. En zij is altijd de enige ware voor me geweest.' Hij vond het wreed om het zo te zeggen, maar hij kon het haar waarschijnlijk het beste simpelweg vertellen – om er zeker van te zijn dat iets als dit nooit meer zou gebeuren.

Ze had verder niets meer gezegd. Ze had hem aangekeken met betraande ogen alsof hij een vreemde was en was toen de kamer uit gerend. Zijn eerste impuls was om haar tegen te houden, maar hij dwong zichzelf haar te laten gaan. Hij sliep slecht, vroeg zich af of ze wel veilig thuis was gekomen, en of ze iets tegen Sarah had gezegd.

Toen Sarah de volgende morgen naast hem voor het altaar kwam staan trok ze haar neus in rimpeltjes en fluisterde liefdevol: 'Je ziet een beetje grauw. Zijn dat de zenuwen? Was je bang dat ik niet zou komen opdagen?' Achterin keek Reagan naar de plavuizenvloer.

Tijdens de receptie had hij op het punt gestaan met haar te praten, maar het bruiloftscircus nam hem in zijn greep en hield hem druk bezig. Receptie, foto's, eten, speeches... Reagan was allang weg toen Sarah en hij vertrokken, met een van zijn oude schoolvrienden in haar kielzog. Hij geloofde niet dat ze hem die dag ook maar één keer had aangekeken.

114

Tegen de tijd dat Sarah en hij alleen waren, had hij geen zin meer om het haar te vertellen. Ze hadden de lange, heerlijke dag om over te praten. En dan was er ook nog haar jurk, met die ongelooflijk ingewikkelde kleine knoopjes die hij haar uit moest zien te trekken zodat ze voor de eerste en tweede keer de liefde konden bedrijven als gehuwden. En daarna de huwelijksreis en de betere plaatsen in het vliegtuig die waren betaald door een vrijgevige, romantische tante.

Drie weken later haalden Reagan en Tamsin hen van het vliegveld op en merkte hij niets meer aan haar. Matthew vroeg zich af of hij een of andere dickensiaanse nachtmerrie had gehad waarin Reagan was verschenen als de geest van iets wat hij had nagelaten. Ze gedroeg zich weer net als altijd tegen hem.

Er was sindsdien maar één ongelukkig incident geweest en zelfs dat lag al jaren achter hen. Hij vleide zichzelf niet meer met het idee dat Reagans vreemde, ongenaakbare stemmingen iets met hem te maken hadden. Ze was een ongelukkig mens, maar hij dacht niet meer dat hij de reden daarvan was.

Het was bijna een vrolijke lunch. Ze aten krab en kreeft, giechelden om de rode plastic schortjes die ze droegen en dronken een paar glazen wijn.

'Hoe lang blijf je, Matt?' vroeg Tamsin.

'Ik kan een paar dagen blijven. We hebben net een belangrijke zaak gewonnen en ik ben vrij wegens goed gedrag.'

'Goed gedaan!'

'Ik neem mijn geleerde vriend mee naar Boston om met de advocaten te praten,' zei Freddie.

'Dat zou ik doen.' Reagan leek van streek.

Freddie gaf zichzelf in gedachten een schop. 'Nou, jij gaat ook gewoon mee. Sorry, Reags, wat stom van me.'

Tamsin spring ertussen. 'Maar je kunt ook hier blijven en mij gezelschap houden. Ik ga met dit warme weer niet de stad in. Ik blijf lekker hier en waggel af en toe naar het strand.'

'Klinkt goed.' Maar Reagans glimlach zag er wat gemaakt uit.

Toen Reagan naar de bar was om te betalen schonk Freddie Tamsin een dankbare glimlach. 'Bedankt, meid. Ik dacht echt dat ik het verprutst had. Ik wilde niet dat ze zich aan de kant geschoven zou voelen. Het is gewoon...'

Tamsin stak haar hand op. 'Ik weet het. Maak je geen zorgen. Ze zal zich bij mij prima vermaken. Als ik op een ondeugende peuter kan passen, kan ik Reagan ook wel aan. Gaan jullie maar samen.'

Reagan moest nog sigaretten hebben en Tamsin zei dat ze met haar mee zou gaan – ze wilde nog wat kuipjes pindakaas hebben – en dat ze hen wel in zouden halen.

Freddie en Matthew zetten hun zonnebril op en slenterden terug.

'Je moet niet boos worden,' zei Matthew, 'maar Neil heeft me over Adrian verteld.'

'Ik ben niet boos. Het was geen geheim.'

'Waarom heb je het me niet verteld toen we samen naar Harry reden?'

'Ik weet het niet.'

Matthew bestudeerde haar gezicht en liet het erbij. 'Hoe denk je erover?'

'Over het feit dat hij met Antonia Melhuish slaapt of dat hij met haar samen wil gaan wonen?'

'Allebei?'

Ze lachte. 'Ik vind het niks.'

Ze liepen een poosje door.

'In feite ben ik niet zo van streek als ik verwacht had. Klinkt dat vreemd?'

'Bedoel je dat je hem verdacht?'

'Niet precies. Het verbaasde me alleen niet. En dat is nog het meest veelzeggend. Er was thuis niets veranderd: we sliepen nog steeds met elkaar, zagen elkaar nog net zo veel als we gewend waren. Alles was in orde aan de oppervlakte. Dat is het juist, ons hele leven speelde zich alleen aan de oppervlakte af. Begrijp je wat ik bedoel?'

Matthew begreep het niet, maar hij had het eerder gehoord. Hij had na Sarahs dood veel overdag naar de televisie gekeken.

'En het feit dat ik het niet in de gaten had – waar ik nog steeds de vinger niet op kan leggen... dat zit me nog het meest dwars.'

'Ik begrijp het niet.'

Ze sprak langzaam. 'Omdat het me het gevoel geeft dat we al die tijd een gelukkig huwelijk hebben gespeeld, dat het niet echt was. En terwijl wij niets in de gaten hadden, verdween de ziel ervan, sijpelde die gewoon weg.'

'Wat word je diepzinnig op je oude dag.'

Ze sloeg hem op zijn arm. 'Hou je mond! Ik meen het. Ik heb erover nagedacht.'

'Sorry! Wat ga je nu doen?'

Ze zuchtte. 'Ik weet het niet. Er is veel om over na te denken, Harry vooral. Ik weet het echt niet. Hier een poosje wegkruipen. Hopen dat het antwoord vanzelf zal komen, snap je?'

Ze keek naar hem op met haar gezicht schuin en haar neus aan een kant gerimpeld.

Ik ben gekomen, dacht hij. Ik ben naar je toe gekomen.

Boston

Freddie was erg blij dat Matthew bij haar was. Ze bedacht dat ze nooit deel had uitgemaakt van een dergelijke wereld. Dat ze ondanks de belofte die ze al vroeg in zich droeg, van academische resultaten, hoogdravende ambities en idealen, uiteindelijk een vreemde in deze omgeving was geworden. Dat deze wereld haar angst aanjoeg, ook al zag ze zichzelf als sterk, vindingrijk en veerkrachtig.

Hoe was het verdorie zo ver gekomen?

Toen Harry naar de peuterspeelzaal ging had ze een vrouw ontmoet die een dochtertje in Harry's groep had. Ze had er aantrekkelijk uitgezien. Ze viel op tussen de moeders in Louis Vuitton met hun blonde highlights, hun auto's met vierwielaandrijving en jammerende stemmen. Allegra had ruig zwart haar en droeg geometrische kleren, opvallende sieraden – een reusachtige brok amber en een stuk ongepolijst turkoois – en altijd een dikke streep eyeliner die bij de hoeken in een boogje omhoogliep. Ze was astrologe. Ze had Freddie overgehaald haar kaart te laten tekenen. Freddie herinnerde zich dat ze haar vader had gebeld om te vragen hoe laat ze was geboren en verbaasd was geweest toen hij dat heel exact bleek te weten. Kwart over negen 's ochtends. Ze had de kaart nog steeds ergens. Er stond op dat ze iemand was van de tweede levenshelft. Allegra zei dat het betekende dat ze haar potentieel pas na haar vijfendertigste zou benutten. Dat was jaren geleden en ze was destijds gelukkig geweest, of druk genoeg bezig om er niet over na te denken; ze had het weggelachen. Ze had haar potentieel al benut, dacht ze toen. Nu vroeg ze zich af of het waar was.

Ze had architecte willen worden. Ze herinnerde zich dat ze toen ze klein was al uitgebreide plattegronden had getekend van de huizen waar ze in wilde wonen, kinderlijke creaties met zwembaden met waterglijbanen en reusachtige speelkamers. Ze nam de bus om naar de wolkenkrabbers van Boston te staren en vroeg zich af waardoor ze overeind bleven. Ze had het gekund als ze het geprobeerd had, dat wist Freddie zeker. Ze kon Adrian daar niet helemaal de schuld van geven en ze wilde het Harry niet verwijten. Het lag ook niet aan haar vader. Ze had alle kansen gehad, maar had ze laten schieten.

Het was een grote vergaderzaal, met een lange, sterk glimmende antieke tafel. Freddie telde twintig dezelfde stoelen, allemaal bekleed met wijnrood leer. Er lagen geen boeken in de kamer; er hingen alleen twee spectaculaire oude schilderijen van Boston aan de muren. Vanwaar ze zat kon ze door de grote ramen het Common zien liggen. Ze herinnerde zich dat ze daar gespeeld had met Grace.

Ze had een gelukkige jeugd gehad. Echt waar. Zelfs als je bedacht dat de zomers uit je jeugd altijd kleurrijker, warmer en langer leken, en de winters gezelliger. Het Common was haar tuin geweest waar ze de seizoenen voorbij zag gaan. Ze was er dol op. Net als Central Park in New York werd het aan alle kanten omzoomd door hoge gebouwen, een bruisende, luidruchtige stad. Het was overigens niet zo groot als Central park en je kon nooit helemaal aan het lawaai ontsnappen. Het park veranderde van karakter terwijl je erdoorheen liep. Bij de ingang, die werd geflankeerd door Beacon Hill en het ongelooflijk glimmende en symmetrische State Building, wemelde het altijd van de kantoormedewerkers, vrouwen in pak en sportschoenen, toeristen die de Freedom Trail volgden, ijs- en ballonnenverkopers en mensen met plattegronden die op zoek waren naar Filene's Basement, de wereldberoemde ramsjwinkel waar ze trouwjurken hadden voor tien dollar. Elke twintig minuten reden militaire amfibievoertuigen langs tijdens hun rondrit door de stad, klaar om in de Charles River te plonsen en er weer uit te komen. Haar dierbare zwanenboten lagen op de vijver midden in het park. En de blauwe brug lag aan de andere kant van het Common.

Ze had in dat park leren lopen, fietsen, skateboarden en zoenen. Met Sanford Goldman, uit de achtste klas, achter het standbeeld van het paard op een lome middag in augustus terwijl hun vrienden zo'n honderd meter verderop in het gras naar Culture Club en Duran Duran op een blikkerig cassetterecordertje lagen te luisteren. Ze zag zichzelf op elke leeftijd daar op het gras, de waggelende peuter, het energieke kind, de verlegen tiener. Nu, in deze kamer voelde ze zich plotseling verdrietig om de vrouw die ze hier was.

Ze wilde hier niet zijn. Ze wilde dit allemaal niet horen. Het kon haar niet schelen. Geld was waarschijnlijk wel het laatste waar ze zich zorgen om hoefde te maken. Adrians ouders waren rijk. Haar vader moest ook in goeden doen zijn geweest – onroerend goed in Boston en Cape Cod was niet goedkoop. Ze werd omringd door geld. Het had hen geen van allen veel geluk gebracht, voorzover zij het kon bekijken.

Ze snoof, wat haar terugbracht in het heden, en ze zag dat Matthew naar haar keek.

'Wat?' vroeg hij.

'Ik bedacht net wat een arm rijk meisje ik toch eigenlijk ben.'

Hij wilde net antwoorden toen de deur openging en haar vaders advocaten binnenkwamen. Ze waren alledrie van verschillende leeftijd. De eerste was waarschijnlijk ongeveer honderdvijftig en liep zo krom dat hij bijna dubbelgevouwen was – je zag nog net een vestje met een gouden horlogeketting onder zijn marineblauwe krijtstreeppak. Hij gebruikte een kunstig bewerkte wandelstok en het kostte hem ongeveer een minuut om van de deur naar het hoofd van de tafel te lopen. Hij werd gevolgd door een bezorgd kijkende man van middelbare leeftijd met een wijkende haarlijn en een grote dossiermap tegen zijn borst geklemd. De laatste die binnenkwam was een vrouw, die Freddie op ongeveer haar eigen leeftijd schatte.

Ze was ook lang en had een figuur dat trachtte te ontsnappen aan haar praktische maar duidelijk dure taupekleurige pakje. De vamp van het kamp. Ze keek hen stralend aan, vol zelfvertrouwen en met erg witte tanden. 'Katherine Shaw. Prettig om kennis met u te maken.' Ze stak haar hand uit. 'Mag ik u Nicholas Lees en George Barker voorstellen, twee van onze senior-partners. Meneer Barker kende uw vader erg goed, mevrouw Sinclair.'

Daarop bewoog meneer Barker zich met wat bijna een huivering leek. Zijn troebele ogen werden zichtbaar onder de zware wenkbrauwen en Freddie zag dat ze nog steeds konden sprankelen. 'Ik kende hem zo goed als wie dan ook.' Hij grinnikte en stak Freddie een magere, droge hand toe. 'Het spijt me dat hij is overleden, mevrouw Sinclair. Mijn condoléances en zo.' Freddie vroeg zich af of hij wist in hoeverre die in haar geval passend waren. 'Ik heb bijna twintig jaar met hem samengewerkt. Het grootste deel van de tijd dat u opgroeide.'

'Maar we hebben elkaar nooit ontmoet.'

'Uw vader hield werk en gezin altijd gescheiden.' Freddie brieste heimelijk. Hij had nooit veel tijd aan zijn gezin besteed, voorzover zij zich kon herinneren.

'Maar we konden uw vorderingen volgen aan de hand van de foto's die altijd op zijn bureau stonden – hij verving ze regelmatig.' Dat had ze niet geweten.

De bezorgde man had nog niets gezegd en kwam nu naar voren. 'Nicholas Lees. Ik heb uw vaders testament opgesteld.'

Freddie schudde hem de hand.

'En u bent zeker meneer Sinclair?' vroeg Katherine Shaw.

Matthew schudde glimlachend zijn hoofd.

'Hij is een vriend van de familie,' zei Freddie. 'Matthew is advocaat en heeft aangeboden me te helpen begrijpen wat jullie me allemaal gaan vertellen.'

Juffrouw Shaw – Freddie wist zeker dat ze een juffrouw was – verontschuldigde zich niet voor haar vergissing en leek zich er ook helemaal niet voor te schamen. Ze leek Matthew alleen maar te taxeren. Freddie mocht haar niet: ze was beslist een type dat met de bewakers zou slapen. Misschien nog eerder voor macht binnen het kamp dan voor voedsel.

Nicholas Lees schonk haar een warme glimlach. 'Zullen we maar gaan zitten? Heeft iemand u al koffie aangeboden?'

Ze sloot zich voor het merendeel gewoon af. Het dikke document voor haar was geschreven in onbegrijpelijk juridisch jargon en ze deed niet eens haar best het te begrijpen. Ze wist dat Matthew het wel voor haar zou vertalen. Ze probeerde zich te concentreren op de monotone stem van de advocaat, maar haar blik dwaalde geregeld af naar het raam.

Hij moest gemerkt hebben dat hij zijn gehoor niet kon boeien, want na ongeveer tien minuten sloeg hij de dossiermap voor hem dicht en legde zijn handen erop. 'Misschien hebt u liever dat ik de belangrijkste punten even samenvat?'

Freddie glimlachte dankbaar. 'Heel graag.'

'Het is in feite een vrij eenvoudig testament, mevrouw Sinclair. Er zijn maar drie begunstigden. Uzelf, natuurlijk, uw zoon Harry en juffrouw Grace Kramer.'

Een week geleden zou het haar misschien hebben verbaasd Graces naam te horen. En het verraste haar dat haar vader aan Harry had gedacht. Ze hadden elkaar niet erg goed gekend. Bezoekjes die op twee handen te tellen waren.

'Het huis in Boston...'

'Ik wist niet dat hij nog een huis in Boston had.'

'Ja, een prima investering. Hij heeft het in 1965 gekocht. Ik neem aan dat de waarde behoorlijk gestegen is.'

'Het huis waarin ik ben opgegroeid?

'Dat huis, ja. Wij hebben de sleutels en het huis is nooit verhuurd. Hij gebruikte het zelf in de zeldzame gevallen dat hij voor zaken naar Boston kwam en er kwamen regelmatig schoonmakers. Ik vermoed dat u het grotendeels zult aantreffen zoals u het zich herinnert.'

Freddie wendde zich met een brede glimlach tot Matthew. 'Wauw.' Hij kneep zacht in haar hand.

Meneer Lees vervolgde: 'Zoals ik al zei, het huis in Boston valt aan u toe, samen met het merendeel van uw vaders nalatenschap, waarvan veel is geïnvesteerd. De cijfers staan in dit document.' Hij zweeg even. Matthew weerstond de verleiding om te kijken hoeveel het precies waard was.

'Verder heeft uw vader een beheerd fonds voor Harry gecreëerd. Nou ja, om precies te zijn is het fonds voor de "kleinkinderen van meneer Valentine". Aangezien u zijn enig kind bent, betekent dat Harry, tenzij u nog een kind zou krijgen, in welk geval het fonds ook voor hem of haar zou gelden. Een verstandige voorzorgsmaatregel, gezien het feit dat u nog steeds – ahum – van vruchtbare leeftijd bent.'

Freddie voelde dat ze bloosde, maar niet zo erg als meneer Lees.

'De bank, ikzelf en juffrouw Kramer zijn de fondsbeheerders, en meneer Valentine heeft gedetailleerde wensen gedeponeerd bij de bank met zijn bedoelingen wat betreft de besteding van het geld uit het fonds.'

'Geen Lamborghini zolang hij nog studeert!' zei juffrouw Shaw lachend.

Dat bracht Freddie van haar stuk. 'Is het zoveel?'

'Nou, dankzij zorgvuldig beheer en goede prestaties op de markt,' zei meneer Lees terwijl hij zijn map opende en een paar bladzijden omsloeg, 'geloof ik dat de huidige waarde ongeveer... een kwart miljoen dollar bedraagt.'

Dat was meer dan Freddie had verwacht, en haar hoofd tolde. Het bood haar vrijheid van Adrian – hij kon haar nu niet langer dicteren wat er met Harry gebeurde.

Er was nog meer. 'Het huis in Cape Cod, in Chatham, wordt voor de verdere duur van haar leven nagelaten aan uw vaders huishoudster, de voornoemde juffrouw Kramer. Bovendien heeft uw vader voorzieningen voor haar getroffen – een soort pensioen. Na haar overlijden gaat het huis naar u.'

Freddie knikte. Dat was goed. 'Ik had me niet gerealiseerd dat mijn vader zoveel geld had.'

'Nou,' zei juffrouw Shaw, 'hij was veeleer voorzichtig dan buitengewoon rijk. Hij heeft voor een zo bemiddeld man als hij zijn hele leven bescheiden geleefd. Dat is iets van zijn generatie, merken we. Tegenwoordig doen we niets liever dan geld uitgeven, maar oudere mensen zijn meer geneigd te sparen voor de toekomst – is het niet die van henzelf, dan toch die van hun kinderen. Ze hebben graag een grotere buffer dan wij gewend zijn.'

Ze had gelijk, zo realiseerde Freddie zich. Ze was neerbuigend, hooghartig en vreselijk irritant, maar ze had gelijk. De meeste mensen die ze kende hadden een maximale hypotheek, creditcards voor iedere winkel, en gingen twee of drie keer per jaar op vakantie. Na ons de zondvloed. Het zag ernaar uit dat haar vader al die tijd haar toekomst voor ogen had gehad.

Nicholas Lees sprak nu vooral tegen Matthew en de twee gingen over op juridisch taalgebruik. Ze dronk de koffie die voor haar was neergezet en dacht aan het huis op Beacon Hill. Misschien konden ze daar zo even heen gaan.

'Juffrouw Kramer zal per brief worden ingelicht over de regelingen die haar aangaan. Die brief gaat vanmiddag weg. Nog één ding, mevrouw Sinclair. Ik begrijp dat het allemaal nogal veel voor u is geweest.' Hij haalde een envelop uit zijn map. 'We hebben deze brief al enkele jaren in bewaring. Hij is van uw vader. Hij wilde dat u hem na zijn dood zou krijgen.' Ze reikte over de tafel heen en pakte hem aan. Ze herkende haar vaders handschrift – altijd met inkt, nooit met balpen – 'Frederica'.

'Die zult u wel willen meenemen en rustig willen lezen wanneer u daaraan toe bent.'

Ze stopte de envelop in haar tas.

Ze hadden haar de sleutels van het huis gegeven. Zo simpel was het. Het was tien minuten lopen vanaf het advocatenkantoor. Ze herinnerde zich dat ze zich vroeger had afgevraagd waarom hij niet thuis kon komen lunchen, terwijl het toch zo dichtbij was. Zo was Beacon Hill. Soms moest je heel goed kijken om te zien welke van de gebouwen zakenpanden en welke woningen waren. Het waren tegenwoordig veelal appartementen, dat kon je duidelijk zien aan de voordeurbellen – drie of vier per woning.

Nummer drieënvijftig. Drie brede stenen treden leidden naar de glanzende zwarte deur, die werd omgeven door een reusachtige boog van glas en smeedijzer. Het was grandeur op grote schaal. Twee perfect gesnoeide kleine pijnbomen, omringd door rode geraniums, hielden de wacht, en er hing maar één bel: 'Valentine'.

Matthew volgde Freddie naar binnen. Er was nog een deur en toen een grote hal met een zwart-wit geruite vloer en een grote tafel die schreeuwde om een prachtige vaas vol langstelige bloemen. Aan de andere kant was de trap naar boven, met smeedijzeren balustrades. Het licht dat door de entree en de ramen op de overloop scheen was helder.

Freddie keek om zich heen naar het huis van haar kinderjaren. Ze kon niet geloven dat hij het niet had verkocht toen hij het huis op de Cape kocht, of dat zij dat niet had geweten, of dat het nu van haar was. Het was niet meer helemaal hetzelfde... het merendeel van de meubels en schilderijen die ze zich herinnerde waren weg, evenals de klokken – al die spullen waren in Chatham – maar het voelde wel hetzelfde aan.

Ze liepen zonder veel te zeggen van kamer naar kamer. Freddie bleef lang in de deuropening van haar slaapkamer staan. Ze was het behang vergeten: dichte gele rozenknoppen met donkergroen blad. Ze herinnerde zich nu dat ze een bijpassende gordijnkap en sprei had gehad. De witte meubels waren allang weg, maar het behang was er nog steeds. Wat was ze dol geweest op dat behang.

'Als die muren konden praten?'

Ze gaf hem een speelse tik. 'Dan zouden ze niets te vertellen hebben! Ik mocht geen jongens mee naar boven nemen.'

'En hield dat je ook echt tegen?'

'Absoluut.' Ze trok een onschuldig gezicht. 'Daar hadden we het Common voor!'

Op de tweede verdieping bleef ze voor een dichte deur staan. 'Hier mocht ik nooit naar binnen. Dit was zijn kantoor.'

'En ging je nooit stiekem naar binnen als hij er niet was?'

Ze glimlachte. 'Dat heb ik één keer geprobeerd. Mijn vader was knap angstaanjagend en er was veel moed voor nodig om een direct bevel te negeren. Maar ik heb het een keer gedaan. De deur was op slot.'

'Nu ook?'

Ze drukte aarzelend de klink omlaag en de deur zwaaide open. Het bureau was weg, en ook veel van de boeken. Je kon nog zien waar schilderijen aan de muren hadden gehangen. Er hing nog één schilderij, boven de haardmantel.

'Dat moet je moeder zijn.'

'Ik neem aan van wel. Ik heb het nog nooit gezien.'

'Het is niet te geloven. Je vader was me er een, nietwaar? Al die geheimzinnigheid.'

'Tamsin zou verrukt zijn.'

Ze hadden de vorige dag naar het olieverfschilderij van Freddie gekeken, en Tamsin kon niet geloven dat Freddie het nooit had gezien. 'Waarom niet, in hemelsnaam?'

Zelfs Grace wist daar het antwoord niet op. 'Ik denk niet dat hij haar er bewust bij vandaan hield, maar het hing hier en hij had niet graag dat er mensen in zijn werkkamer kwamen. Niemand hoor, het ging niet alleen om Freddie. Hij heeft mij de toegang niet echt geweigerd, maar hij moedigde me ook zeker niet aan hier binnen te komen. Hij was erg op zichzelf en zijn eigen ruimte was heel belangrijk voor hem. Wat kan ik er verder over zeggen?'

Tamsin had verontwaardigd geprotesteerd.

Freddie had het schilderij van zichzelf prachtig gevonden en was nu gefascineerd door dit exemplaar. Ze kon het niet dateren, maar het was een formele pose, in avondjurk, en de vrouw keek naar opzij en enigszins in de verte. Er was geen handtekening, geen datum. Het was prachtig. Geen olieverf deze keer. Dit schilderij was veel zachter, met gedempte kleuren, en het effect was bijna etherisch.

'Denk je dat hij altijd van haar is blijven houden?' vroeg Matthew zacht.

'Hoe moet ik dat nou weten?' Het kwam er bozer uit dan ze bedoeld had. 'Sorry, Matt. Het was niet mijn bedoeling je af te katten. Hij heeft het me gewoon nooit verteld. Ik wou dat ik het wist. Heus waar.'

'Ga je de brief nog lezen?'

'Ik denk het wel.'

'Ik snap jou niet. Je wilde dat je het wist. Hij heeft je een brief geschreven. Misschien staat het daar wel in.'

'En misschien word ik gewoon weer teleurgesteld.'

'Je zult het nooit weten als je hem niet leest, toch? Luister eens, we kwamen net langs een Starbucks. Ik ga even koffie voor ons halen. En twee porties Rocky Road,' zei hij.

Ze glimlachte. Marshmallows en geglaceerde kersen. Precies wat de dokter voorschrijft na het voorlezen van een testament en een rondgang door het huis van je jeugd. 'Lees de brief terwijl ik weg ben, oké?'

'Jawel, baas.'

'Ik ben je advocaat. Ik word geacht je instructies te geven.'

Er stond een stoel met hoge rugleuning naar het schilderij gericht. Freddie ging zitten en haalde de brief uit haar tas. De envelop was nu gekreukeld en ze streek hem glad. Het was geen lange brief, maar dat had ze ook niet verwacht. Dat was niet zijn stijl. Ze kon bijna zijn stem horen – hij schreef zoals hij had gesproken: snel, zuinig.

Lieve Frederica,

Je zult inmiddels mijn advocaten hebben ontmoet of gesproken en op de hoogte zijn van mijn bedoelingen. Jij en ik waren niet hecht met elkaar en dat spijt me; elke afstand die er was was aan mij te wijten en hoewel ik dat later in mijn leven ben gaan inzien, was ik nog altijd niet in staat er iets aan te veranderen. Dat spijt me heel erg. Je hebt altijd weinig om materiële zaken gegeven en ik hoop niet dat je denkt dat de voorzieningen die ik voor jou en je zoon heb getroffen bedoeld zijn als vervanging; daarvoor zou het nooit voldoende zijn.

Ze geven je ruimte, vrijheid en keuzemogelijkheden, dat is alles.

Er is nog een keuze waarvan ik vind dat je die nu moet kunnen maken. Het was fout van me om je die zo lang te onthouden. Je moeder woont op Cape Cod. Grace weet waar. Weet alsjeblieft dat ik altijd van je gehouden heb.

Je vader.

Hij had ondertekend met zijn volledige naam.

'Potverdorie,' riep Matthew uit.

'Ik weet het.'

Bij de eerste alinea huilde ze haar eerste tranen om hem. En om zichzelf. Wat was hij een dwaas geweest. Wat zonde.

De laatste alinea schokte haar diep.

Ze had nooit gedacht dat haar moeder dood was, dat leek niet logisch, maar ze had ook geen idee gehad waar ze was.

Ze was nog geen twee uur hiervandaan, al jaren: de brief was niet gedateerd en hij had het al die tijd geweten. Grace wist het ook.

De koffie werd koud. Matthew drukte Freddie haar bekertje in haar handen. 'Wat voor gevoel geeft dit je?'

'Ik weet het niet.'

'Wil je meteen in de auto springen en erheen rijden?'

'Nee.'

'Maakt het je boos?'

'Niet echt. Ik weet het niet, Matt. Het voelt gewoon... raar.'

Dat was beslist een groot understatement. Matt was net als Tamsin. Hij stamde uit een normaal, liefdevol gezin. Zijn moeder was nu dood. Ze was anderhalf jaar na Sarah overleden aan een hartinfarct. Het was volstrekt onverwachts gekomen, hoewel ze dertig jaar gerookt had. Ze was op een dag in een boze bui gestopt. Hij had haar dat laatste jaar veel gezien, vanwege Sarah. Ze had er steeds op aangedrongen dat hij de weekends naar het noorden kwam. Ze had gezegd dat ze hem in haar buurt wilde hebben om er zeker van te zijn dat het goed met hem ging. Ze had hem te eten gegeven, hem vastgehouden terwijl hij huilde, naar hem geluisterd en hem afgeleid met verhalen over zijn tantes, zijn verdorven neven en de aaneenschakeling van ongeschikte vriendinnen van zijn broer. Ze was ook naar Londen gekomen, had het huis schoongemaakt en hele voorraden eten klaargemaakt die hij niet op had gegeten. Zij was degene die uiteindelijk Sarahs spullen had opgeruimd. Ze had drie stapels op het bed gemaakt. Hij herinnerde zich dat hij op een dag terugkwam van zijn werk en ze daar aantrof. Een stapel voor een liefdadigheidsinstelling, een voor een bedrijf in chique tweedehands kleding, en een waar hij over moest beslissen. Bij die stapel stond ook de grote, gebloemde doos met haar trouwjurk erin.

'Je kunt tegen me roepen en schreeuwen zoveel je wilt, jongen,' had ze gezegd, 'maar dit moet gebeuren. Het is tijd.' Natuurlijk had hij niet geroepen of geschreeuwd. Hij had de spullen opgeruimd, omdat ze niets meer betekenden. Hij had alleen een oud T-shirt en een wijde joggingbroek gehouden die ze op zondagochtend vaak had gedragen. Je kon erin je bed uitkomen en naar het krantenstalletje lopen en dan weer terug in bed kruipen. De *Observer* voor hem en *Mail* voor haar, omdat ze dol was op *You*, ook al zei hij dat dat een stripverhaal was, zonder verstand en zonder moraal.

Hij had aanvankelijk zichzelf de schuld gegeven van de dood van zijn moeder. Het moest zwaar voor haar zijn geweest, heen en weer met de trein vanuit Newcastle, de zorg om hem. Hij had tegen zijn vader gezegd dat het hem speet. Zijn vader had zijn verontschuldigingen met zijn gebruikelijke bruuskheid van tafel geveegd: 'Onzin, jongen. Ze zou je wat je met Sarah is overkomen niet hebben toegewenst, nog in geen miljoen jaar. Maar voor je zorgen nadat het was gebeurd? Daar leefde ze voor.'

Nu vroeg Matthew aan Freddie: 'En, wat ga je nu doen?'

'Ik weet het niet.'

'Oké.' Hij liet het rusten. 'En het huis? Wil je onze reservering in het hotel annuleren en hier blijven?'

Ze keek hem geschokt aan. 'God, nee. Ik geloof niet dat ik dat zou kunnen. Ik weet niet of ik hier ooit weer zal kunnen slapen. Vannacht zeker niet.'

Hij wist niet wat hij verder nog kon voorstellen.

Freddie wel. 'Wat ik nu zou willen is teruggaan naar het hotel, een lange warme douche nemen, ergens wat gaan eten en daarna heel dronken worden. Lijkt dat je wat?'

'Ja, dat lijkt me wel wat.'

'Laten we gaan dan.

Chatham, Cape Cod

'Weer een luie dag in het paradijs!' Tamsin had Lipton's ijsthee ontdekt en dronk er liters van. Ze was net weer de veranda op komen lopen met twee grote glazen. Grace was boodschappen doen (waarschijnlijk nog meer ijsthee halen) en Reagan lag te zonnebaden op het gras. Ze had de patchwork sprei van haar bed gehaald en die voor het huis uitgespreid. Naarmate het warmer was geworden had ze meer kleren uitgetrokken en nu lag ze daar in een kort broekje en zwarte beha die eruitzag als een bikinitopje. Het was te warm voor Tamsin, die zich op de schommelbank in de schaduw had genesteld. Ze zaten te ver uit elkaar om te kunnen praten, en bovendien was Tamsin verdiept in een oude druk van *Tender is the Night*. Amerika gaf haar echt een F. Scott Fitzgerald-gevoel.

'IJsthee! Kom het maar halen nu het nog koud is.'

Reagan had op haar buik liggen soezen, maar duwde zich overeind en stond op.

Toen ze dichterbij kwam, zei Tamsin: 'Zij liever dan ik in Boston op een dag als vandaag. Ik vraag me af hoe het gaat.'

'Ze redt zich heus wel. Ze heeft Matt immers bij zich, niet dan?'

Tamsin keek Reagan scherp aan en probeerde iets aan haar gezicht af te lezen, al was dat moeilijk door de enorme zonnebril. Ze was veranderd sinds Matt hier was. Ze was weer veel pinniger. 'Wat is er met jou aan de hand, Reagan?'

'Wat bedoel je?'

'Kom nou. Je hebt het tegen mij, hoor. Dit alles. Het feit dat je hier bent, om mee te beginnen. Ik heb nooit meegemaakt dat je zo lang vrij neemt, tenzij je ergens op een exotisch eiland zit met een kerel.'

'Begin jij nou ook al. Dat zei Matt ook.'

'Nou? Er zit wel wat in, of niet soms? En wat is er met Matt, nu we het toch over hem hebben? Je loopt al moeilijk te doen sinds hij hier is. Wat is er aan de hand? Hebben jullie ruzie gehad of zo?'

'Nee, natuurlijk niet. Waar zouden we ruzie over moeten maken? Wanneer zouden we daar gelegenheid voor hebben gehad?'

'Wat is er dan?'

'Ik heb ontslag genomen.'

'Wat heb je?'

'Ik heb ontslag genomen.'

'Maar je bent dol op je werk!'

'Dat schijnt iedereen te denken.'

'We denken dat omdat het de indruk is die je bij ons wekt. Je werkt dag en nacht, dus wat wil je.'

'Het een volgt niet noodzakelijkerwijs op het ander.'

'Nee, maar je bent er goed in. Je verdient een klein fortuin. Je bent vreselijk belangrijk. Je hebt nooit gezegd....'

'Nee. Nou, je hebt er ook nooit naar gevraagd.'

'Dat is niet eerlijk, Reagan,' zei Tamsin, maar ze liet haar vriendin nog niet met rust. Ze bleef heel even zitten mokken, tot de nieuwsgierigheid haar te veel werd.

'Nou? Ik vraag het nu toch...'

Reagan stak haar tong naar haar uit. Tamsin stak ook haar tong uit.

'Je hebt gelijk, voor een deel. Ik heb geen hekel aan mijn werk. Ik heb feitelijk nogal impulsief ontslag genomen. Ik vroeg om vrije dagen, ze wilden me die niet geven, dus heb ik min of meer gezegd dat ze hun baan konden houden en ben ik weggegaan.'

'Dus misschien heb je niet echt ontslag genomen?'

'O, ik denk het wel. Ik heb niet bepaald een blad voor de mond genomen. En het was eigenlijk best een lekker gevoel.'

'Maar waarom, als je daar niet ongelukkig was?'

Reagan zuchtte. 'Omdat ik verder zo'n beetje overal ongelukkig ben.'

Tamsin fronste.

'Ik wil dingen veranderen en dat leek een goede plek om te beginnen.'

'Ik begrijp het niet goed. Als dat een gebied is waar het wel goed gaat, waarom zou je daar dan beginnen? En welke andere dingen wil je veranderen?' Tamsin geloofde niet echt dat Reagan op het punt stond te verklaren dat ze een man en kinderen wilde. Dat was nooit haar stijl geweest en ze zou dat ook niet zomaar zeggen. Ze was nooit zo geweest als zij, dat wist ze wel.

Reagan gaf geen antwoord.

'Wat maakt je ongelukkig? Je kunt het me wel vertellen, Reagan.'

'Ik geloof niet dat ik dat kan, want ik weet het zelf eigenlijk niet. Mijn leven. Alles. Niets.' Ze sloeg haar armen om haar romp. 'Ik dacht dat het misschien kwam doordat ik alleen ben, dat ik misschien een verraadster van het feminisme ben – dat ik eigenlijk alleen maar een man, een paar kinderen en een huis met een tuin wil.'

'Daar is niets mis mee. Ik ben het niet eens met de aanname dat je geen feministe meer kunt zijn als je dat allemaal wilt.'

'Dat ben ik met je eens. Maar dat is het niet. Ik geloof eerlijk niet dat ik alleen maar zit te wachten tot de volmaakte man me komt redden uit de glazen toren.'

'Echt niet?'

'Echt niet. Bovendien ben ik verre van klaar voor de prins op het witte paard. Ik voel me... verdord. Niet in de betekenis van babymachine. Ik voel me... uitgedroogd. En broos. En... ik weet het niet...'

Tamsin kon zich niet herinneren dat ze Reagan ooit eerder zo had horen praten.

'O, vergeet het maar. Ik ben waarschijnlijk gewoon een beetje opgebrand. Ik heb sinds mijn afstuderen jaar in jaar uit gewerkt. Het zal wel een soort vervroegde midlifecrisis zijn, denk ik, zo van waar-ga-ik-heen. En ik neem aan dat ik dit gewoon als een kans zag om uit de draaimolen te stappen. Een *time-out* te nemen.' Ze zei het met een vreselijk Amerikaans accent en vormde met haar handen een T. Toen glimlachte ze weer. 'En weet je wat? Ik kan het me wel veroorloven om een poosje niet te werken.'

'Absoluut. Jij kunt dat tenminste doen zonder er zwanger voor te raken. Als ik een halfjaar vrij wil, moet ik zorgen dat er aan het eind daarvan een baby komt.'

'Aha... maar jouw werk is een roeping.'

'O, jazeker. *Goodbye, Mr. Chips. How Green Was my Valley. Dead Poet's Society*! Het klinkt bijna als het priesterschap zoals jij het zegt.'

'Dat klopt... het is echt een roeping. Je weet dat ik gelijk heb.'

'Nou, er is niemand die het voor het geld doet, dat is iets wat zeker is.' Reagan had gelijk: ze gaf met hart en ziel les. Ze kon zich niets voorstellen dat bevredigender was. Te zien dat een kind iets snapte, het plezier van kennis, begrip, succes over hun gezicht te zien trekken, dat maakte de slechte betaling en beroerde werkomstandigheden helemaal goed. Ze wist dat niet iedereen het zo zag, maar ze was ontzettend blij dat zij dat wel nog steeds deed. 'En is de advocatuur geen roeping?' vroeg ze.

'Wat voor immorele, zielloze persoon zou durven beweren dat de advocatuur een roeping is?'

'Hou je mond! Zo slecht ben je niet.'

'Nee?'

'Wacht even. Geef me even de tijd om me een goede advocaat voor de geest te halen.'

'Is dat weer een aanloop naar een van je vreselijke moppen?'

Tamsin kende er tientallen en ze praatte veel liever met haar op deze voet, dit was de Reagan die ze het leukst vond. 'Ja, ja. Hoe noem je een schip vol advocaten op de bodem van de oceaan?'

'Die ken ik al.' Reagan veinsde verveling, maar glimlachte wel. 'Een goed begin.'

'Je bent een goede advocate, Reagan.'

'Hoe weet jij dat nou?'

'Omdat ik alleen maar succesvolle vrienden heb.' Ze lachten allebei.

Reagan nam een flinke slok van haar ijsthee, al had ze eigenlijk liever cola light gehad. Ik ben inderdaad een goede advocate, dacht ze. Ik weet alleen niet zeker of ik wel een goed mens ben.

Later, toen het wat koeler was geworden en ze samen in de keuken zaten, zei Reagan: 'Luister, Tams, we hoeven niet iedereen in te lichten over mijn vreemde vijf minuten van navelstaren en zelfmedelijden. Ook dit zal voorbijgaan.'

'Zoals ze zeggen.'

'Zoals wie zegt? Dat moet Shakespeare zijn geweest. Zoals ge- woonlijk. Of anders Oscar Wilde.'

'Jij bent degene met de Shakespeare-neigingen. Maar ik zeg geen woord. Ik ben de vertrouwelinge van het kamp, weet je nog?'

Toen Reagan langs haar heen liep, trok Tamsin haar even in een wat ongemakkelijke omhelzing. Reagan bleef heel even stijf, maar ontspande zich toen en liet zich voor één keer knuffelen.

Boston

Freddie en Matthew aten in de stad, in een Italiaans restaurant ergens achter Capital Building. Het was het soort zaak waar ze nog steeds Mateus Rosé serveerden en een visnet met plastic vissen aan een muur hadden hangen, tegenover foto's van vage televisiesterren uit de jaren zeventig samen met de eigenaar toen die nog niet kaal was. Als de zaak geen Luigi's heette, dan zou dat eigenlijk wel moeten. Freddie moest denken aan de scène uit *Lady en de vagebond*, waarin de twee honden aan dezelfde sliert spaghetti sabbelden bij de klanken van 'Bella Notte'. Het was er warm, geurig en lawaaiig.

'Je weet wel hoe je een meisje moet verwennen, nietwaar? Een stad vol fantastische cuisine en jij neemt me mee hierheen.'

'Doe niet zo snobistisch. Kijk eens om je heen. Het zit hier vol Italianen. Het eten moet fantastisch zijn.'

Freddie lachte. 'Oké. Laat hem maar een karaf van zijn beste chianti en een groot bord spaghetti *carbonara* brengen en beloof me dat we niet over mijn vader, mijn "moeder" of Adrian hoeven te praten. Ze kunnen me vanavond allemaal gestolen worden. Geen woord over hen.'

Matthew trok een kruis over zijn hart en 'ritste' met twee vingers zijn lippen dicht. De karaf werd al op tafel gezet door een ober die gehaast doorliep. Dat was hier kennelijk standaard. Matthew schonk twee enorme glazen vol en pakte het zijne op. 'Afgesproken... als jij belooft dat we niet over vroeger hoeven te praten.' Hij hield zijn glas omhoog. 'Op ons allebei. En wat nu?'

Ze keek hem vragend aan. 'Het wordt tijd dat ik het verleden achter me laat en de toekomst tegemoet ga, vind je ook niet?'

Ze hadden niet op Sarah getoast. Dat deden ze anders altijd. Heel even voelde Freddie zich ontrouw – maar het was Matthews keuze.

'Dat klinkt als een bekend refrein, mijn vriend. Daar drink ik op!' Freddie hief ook haar glas en nam een slok. 'Maar waar komt dit vandaan? Je klinkt precies als Tamsin, niet als Matt.'

Matthew haalde zijn schouders op. 'Ik weet het niet.' Hij trok zijn wenkbrauwen op, alsof hij ergens door verrast was. Dat doet hij altijd als hij iets probeert uit te leggen, dacht Freddie. 'Misschien heeft het ermee te maken dat jullie voor een poosje weggingen. Ik vrees dat dat me deed beseffen dat ik buiten jou en Tamsin, en zelfs Reagan, eigenlijk geen leven van betekenis heb. En dat is niet genoeg, is het wel? Jullie als vriendinnen hebben is niet genoeg.'

Hij keek haar aan op een manier die belangrijk leek en ze wist niet waarom. Ze wilde hem aan het glimlachen maken, wilde het moment wat luchtiger maken. 'Bedoel je dat je ons aan de kant zet?'

Matthew grijnsde en knipoogde toen. 'De Tenko Club aan de kant zetten? Dat nooit.' Hij leek nu van zijn stuk gebracht, alsof hij nog meer wilde uitleggen. Freddie wilde niet dat hij die noodzaak voelde. Het moest hem al genoeg hebben gekost om dit punt te bereiken. Ze legde haar hand op de zijne en gaf er een bemoedigend klopje op. 'Ik begrijp wat je bedoelt.'

Hij pakte haar hand vast toen ze die terug wilde trekken. 'Is dat zo?'

'Ik denk het wel.'

Pas veel later gingen ze weg. Het was nu koeler en Freddie trok haar vest over haar schouders en probeerde haar handen in de mouwen te steken.

'Wacht! Kijk nou wat je doet!' Matthew hielp haar en streek toen een blonde krul achter haar oor.

'Bedankt voor vanavond.' Ze kust hem op zijn wang, stak toen haar arm door de zijne en trok hem mee in de richting van het hotel.

Ze zwegen tot ze de oostzijde van het Common aan Beacon Hill hadden bereikt. Dit deel van de stad was 's avonds betoverend en vol geschiedenis. De Victoriaanse gaslampen die de hele dag brandden gaven bij avond hoogstens een zwakke gloed af en wierpen flakkerende schaduwen op de ruw, in zwart en rood, bestrate stoep. Ook de huizen hielden 's avonds hun geheimen voor zich. De jaloezieën waren neergelaten en lieten slechts streepjes licht door. Aan de andere kant van de straat zag het Common er donker en gevaarlijk uit, maar door de hekken heen zag Freddie een rij bomen, hun takken versierd met lampjes.

Ze liepen eerst vrij snel, maar vertraagden toen hun pas en stelden zich stilletjes de levens voor die men in de huizen leidde. Matthew stond stil bij een huis op een hoek van de straat, een vier verdiepingen tellende woning van grijze steen, met grijs-groen geschilderde luiken en een reusachtige deurklopper in de vorm van een dolfijn. Een trap leidde naar de grote voordeur en op de tweede verdieping stak een van de kamers naar buiten in een prachtige vijfhoekige erker met een kopergroen dak en een klein balkon. Boven de deur hing de Amerikaanse vlag en de bloembakken voor de ramen op de begane grond zagen er goed verzorgd uit. Op het dak zat een zolderraam. Het leek het geliefde huis van een rijke familie.

'Ik wed dat het heel wat waard is,' zei Freddie toen ze hem er met belangstelling naar zag kijken. Ze merkte dat de ramen Matthews aandacht hadden getrokken. In alle kamers waar de gordijnen dichtgetrokken waren, de crèmekleurige voering zacht beschenen door de gaslampen, hadden sommige van de ruiten een vreemde lilakleurige gloed, sommige donkerder dan andere.

'Wat is dat?' vroeg Matthew.

'Dat zal ik vertellen.' Freddie glimlachte als een kind. 'Ik heb wel opgelet tijdens al die uitstapjes met school. Ik vind ze zelf ook prachtig. Het zijn de oorspronkelijke ruiten, gemaakt toen deze huizen werden gebouwd, ergens in achttien-zoveel, waarmee ze naar Amerikaanse maatstaven verdraaid oud zijn. Ze hadden de chemicaliën verkeerd gemengd toen ze ze maakten, snap je... te veel...' Ze zocht diep in haar geheugen naar het antwoord waarvan ze wist dat het er zat, '...mangaansulfaat, of zoiets – scheikunde is nooit mijn sterkste vak geweest. Maar ze hadden het in elk geval niet goed gedaan. Daardoor werd het glas mettertijd paars en sommige bewoners hebben het zo gelaten. Je vindt er zo heel wat op Beacon Hill.'

'Mooi, vind je niet?'
'Het is prachtig. Echt schitterend.'

Hij keek nu naar haar in de gloed van de gaslamp. Haar ogen straalden van het plezier dat ze had in het vertellen van het verhaal over het lilakleurige glas. Ze leek weer negentien.

'Jij bent ook schitterend.'

Ze giechelde. 'Je bent gek,' zei ze op luchtige toon.

Maar zijn stem klonk ernstig. 'Ik meen het, Freddie.'

Er was iets veranderd, daar voor het huis met de lilakleurige ruiten. Ze spreidde haar armen en hij stapte naar voren en nam haar stevig in de zijne. Toen week hij iets terug en gingen zijn handen naar haar gezicht. Hij pakte het beet en hief het naar hem op; dwong haar hem in de ogen te kijken, die nog steeds open waren toen hij zijn mond op de hare drukte. Aanvankelijk plantte hij aarzelende, droge zoentjes op haar lippen. Toen kreunde hij toen haar mond zich voor hem opende en hij zich overgaf aan haar smaak, geur en aanraking. Zijn kus werd dringend en hartstochtelijk. En zij beantwoordde die. En zo stonden ze elkaar onder de gaslampen op straat minutenlang te kussen als geliefden.

Freddie voelde haar lichaam reageren; haar benen trilden en ze voelde iets ongewoons dat zich vanuit haar onderbuik verspreidde. Ze wilde worden aangeraakt. Ze wilde dat hij haar aanraakte. Ze voelde hem hard tegen haar lies duwen. Ze hadden de goede lengte, dacht ze en duwde terug in een onbewust ritme. Ze verlangde naar hem. Als ze binnen waren geweest, als er een bed of een bank had gestaan... ze kon zich voorstellen dat ze zich er met hem op liet vallen, dat ze hun kleren uitrukten, en dan huid tegen huid...

Hij zei haar naam, één keer maar. Meer was er niet nodig. 'Freddie.' Matthews stem klonk rauw van verlangen naar haar. Matthew. En ze waren niet binnen. Ze stonden op straat. En dit was Matthew. Haar vriend. De man van haar vriendin.

Ze voelde zichzelf van heel ver weg terugkomen. Zo'n gevoel als wanneer je met een roesje wordt weggemaakt en je eerst denkt dat je natuurlijk tot tien kunt tellen maar niet verder komt dan drie, en dat voelt zo zwaar en zo goed. Alleen ging dit in omgekeerde richting. Ze kwam veel te snel terug. Haar hart was uit de bocht gevlogen.

Freddie week achteruit en zag haar eigen geschoktheid terug op zijn gezicht. Ze veegde onbewust met haar handrug over haar mond en deed een stap terug. 'Wat was dat?'

Hij stapte naar haar toe en zij deed weer een stap naar achteren, alsof ze een onbehaaglijke dans uitvoerden, en toen bleef hij staan waar hij stond. 'Het spijt me. Ik...'

'Het is wel goed. Vergeet het maar. We kunnen het toch vergeten, of niet?'

'Wil jij het dan vergeten?'

Ze wilde dat het niet gebeurd was. Ze voelde zich zwak en stom. Wat had haar verdorie bezield? 'Dit kan gewoon niet, dat is alles.'

Hij zei niets.

Op smekende toon zei ze: 'Wij zijn het, Matt. Jij en ik. We zijn vrienden, zo is het toch?

Kleintjes zei hij: 'Altijd.'

'Altijd. Juist. Ik ook, dat is wat ik wil. Dat is alles wat ik wil.'

'Weet je het zeker?'

Ze wist helemaal niets meer zeker. Ze was eenzaam en bang en verdrietig, en het had zo goed aangevoeld, met hem. Maar ze had troost nodig, geen seks. Ze had de oude Matt nodig, niet deze nieuwe Matt die haar zo kuste dat ze naar hem verlangde. Ze kon en wilde het niet riskeren.

Ze begon, gehaast nu, terug te lopen naar Newbury Street. Ze moest bijna over haar schouder tegen hem praten: Matthew stond nog op het trottoir naar haar te kijken. Ze moest verder gaan met uitleggen, het weer in orde maken. 'We moeten dit niet verkeerd zien, Matt. We zijn allebei eenzaam. Eenzaam en aangeschoten. Dat is alles. We kunnen ons eroverheen zetten.'

Matthew stak zijn handen in zijn zakken en volgde haar. Na vijf passen had hij haar ingehaald.

'Zeg iets,' smeekte ze.

'Het spijt me. Wat kan ik verder nog zeggen?'

'Niets. Er is niets aan de hand. De crisis is bezworen.'

Maar later lag ze klaarwakker, met de lakens stijf om zich heen getrokken, in bed.

In de kamer ernaast durfde Matthew nauwelijks adem te halen. Ze lag aan de andere kant van de muur, maar een paar meter bij hem vandaan en toch verder weg dan ooit. Hij dacht aan hun kussen en zijn lichaam verried hem. Hij werd weer hard, alleen in zijn bed.
   Op dat moment haatte hij zichzelf.

Aan het ontbijt was het nog niet in orde. Freddie vond dat hij er moe uitzag en hij had niet de moeite genomen zich te scheren. Ze wilde haar hand uitsteken en zijn haar bovenop zijn hoofd gladstrijken, waar het rechtop stond van het slapen, maar ze wist dat ze dat niet kon. Ze pakten allebei een muffin, hielden mokken koffie in hun handen geklemd en wisten niet wat ze moesten zeggen.
   Aan de tafel naast de hunne zat een groepje vrouwen uit Atlanta, de lange haren gekruld en met haarlak bewerkt, de nagels onberispelijk gelakt, luidruchtig te bespreken welke bezienswaardigheden ze zouden gaan bekijken. Iets verder weg zat een mager grijs stel, dat eruitzag als de boeren op dat beroemde Amerikaanse schilderij, methodisch en zwijgend te eten en dwars door elkaar heen te kijken.
   Freddie voelde zich weer terneergeslagen. De vrije, luchtige stemming van de vorige avond was vervlogen door een kortdurende vergissing en een slapeloze nacht.

Toen ze later naar boven waren gegaan om hun tanden te poetsen, klopte Matthew bij haar aan. Freddie deed de deur open en hij kwam wat verlegen de kamer binnen. Het bed was niet opgemaakt en Freddies witte nachthemd lag erop. Matthew voelde zich meteen weer zwak worden van verlangen en nam zichzelf boos onderhanden. Wat mankeerde hem, verdorie? 'Ik heb net British Airlines gebeld en er is plaats op de middagvlucht.'
   'Vandaag?'
   'Ja. Het lijkt me beter dat ik ga, denk je ook niet? Het spijt me, Freddie, echt waar. Jij bent hier om van alles te regelen en dan kom ik het allemaal nog veel ingewikkelder maken. Ik voel me echt een

stomme zak. Ik was egoïstisch en heb me als een idioot gedragen, dus nu ga ik weg zodat jij kunt doen waarvoor je hierheen gekomen bent.'

'Ik wil niet dat je weggaat.' Freddie wist dat het kinderachtig klonk.

'Maar ik moet gaan. Dat is beter. Je hebt Tamsin en Reagan om je te helpen.'

'Ik wilde jou.' Freddie wist meteen dat ze dat niet had moeten zeggen. Ze was zwak, en het was niet eerlijk.

Matthew schudde verdrietig zijn hoofd. 'Dat is niet waar.' Niet zoals ik jou wil. 'Je redt je wel.'

'En jij?'

'Natuurlijk. Kom maar naar me toe als je terug bent. Over een paar weken, is het niet?'

'Ja. Reken maar.'

Hij zorgde dat zijn lichaam het hare niet raakte toen hij haar omhelsde, alleen zijn armen. Het maakte haar triest dat hij afstand hield. Toen hij weg was, ging ze op het bed zitten. Ze hield een kussen tegen zich aan gedrukt en wenste dat ze ook maar iets begreep van de vorige avond en die ochtend.

Telefoonlijn van Logan Airport, Boston naar Chatham, Cape Cod

'Tamsin? Met Matt.'

'Hoi, Matt! Hoe is het met je? En met Freddie?'

'Met haar is alles goed.'

'Hoe is het gisteren gegaan?'

Hij aarzelde. 'Wel goed.' Hij leek wat afwezig. 'Luister, ze is op weg terug naar jullie en ik weet zeker dat ze je alles zelf wel zal vertellen.'

'Kom je niet met haar mee?'

'Nee, ik ben op weg naar het vliegveld. Ik neem vanmiddag het vliegtuig naar huis.'

'Heeft het met je werk te maken of zo?'

'Nee, dat is het niet.'

'Wat is er dan? Je klinkt zo vreemd.'

'O, Tamsin. Ik heb er een vreselijke puinzooi van gemaakt.'

Tamsin vermoedde dat ze wel wist wat er zou komen. 'Hoe bedoel je, je hebt er een puinzooi van gemaakt?'

'Ik heb haar gekust.'

Ze had gelijk gehad. 'O.'

'Is dat alles wat je te zeggen hebt?'

'Wat is er gebeurd?'

'Nou, het was gisteren best moeilijk voor haar, maar we zijn het doorgekomen. We zijn uit eten gegaan en hebben een heel leuke avond gehad. Ik voelde me gewoon, je weet wel, dicht bij haar en toen we naderhand terug wandelden... heb ik haar gekust.'

'En hoe reageerde ze daarop?'

'Eerst beantwoordde ze mijn kus, daarna week ze terug. Ze was vreselijk geschokt. Ik voel me zo'n idioot.'

'Je bent geen idioot, behalve als je hier nu voor weg wilt lopen.'

'Ja, dat ben ik wel van plan.'

'Weet je zeker dat dat een verstandige beslissing is? Want ik denk van niet. Waarom praat je het niet uit. Ze zal verward zijn als het als een donderslag bij heldere hemel kwam. Ze zal niet weten waarom je het hebt gedaan, of hoe jij je voelt. Waarom wil je dat zo laten?'

'Omdat het niet eerlijk is. Het is niet het juiste moment. Ze heeft al veel te veel op haar bord. Ik had het niet moeten doen en ik ga het niet nog erger maken door haar te dwingen er nu iets mee te doen.'

'Je bent gewoon bang.'

'Dat ben ik zeker. Ik ben verdorie doodsbang. Ik vrees dat ik onze vriendschap verpest heb – en ik ben bang om te worden afgewezen, en elk ander scenario dat je kunt bedenken. Ik ben zo'n beetje overal doodsbang voor.'

'En dat ze je gevoelens beantwoordt? Ben je daar ook bang voor?'

Veel zachter antwoordde hij:'Waarschijnlijk wel.'

'Luister, neem het jezelf niet te zeer kwalijk, Matt. Voorzover ik kan zien wilde je dit al maanden doen, als het geen jaren zijn.'

'Waarom heb ik dan alles verpest door het nu te doen?'

'Omdat we emotioneel gezien geen robots zijn. Je deed het omdat het op dat moment goed voelde.'

'Niet voor haar, denk ik.'

'Ik weet zeker dat ze niet meer van streek zal zijn als ze eenmaal de kans heeft gehad aan het idee te wennen.'

'Nou, ik niet.'

'Bel je me als je thuis bent?'

'Dat zal ik doen. Hoor eens. Vertel haar dit maar niet – misschien heeft ze liever niet dat je het weet.'

'Ik kan heus mijn mond wel houden hoor. Ik heb je geheim tot dusver toch ook bewaard, of niet dan? Ik weet zeker dat het in orde komt. Maak je geen zorgen. Bel me gauw.'

Over slechte timing gesproken. Tamsin legde hoofdschuddend de telefoon neer. Dit zat er al lang aan te komen, maar hij had een beter moment moeten uitkiezen.

Ze herinnerde zich de eerste keer dat hij er met haar over gesproken had. Het was Flannery's eerste zomer geweest en ze lag laat in de middag op een picknickdeken in het park naar Willa en Homer te kijken die zaten te kibbelen in de zandbak. Matthew was recht van zijn werk gekomen – ze kon zich niet herinneren waar Neil was – maar in die wazige dagen na de komst van een nieuwe baby was het alleen maar belangrijk dat er iemand was die kon helpen alle spullen mee naar huis te sjouwen. Hij had zijn bovenste knoopje opengedaan, zijn stropdas losgemaakt, zijn zwarte schoenen en sokken uitgetrokken en met zijn tenen gewiebeld. Flannery lag tussen hen in te slapen en hij had met het kanten boordje van haar broekje zitten spelen.

Hij had in algemene termen gesproken, over Sarah, hoe graag Sarah er bij geweest zou zijn. Het was een van de manieren waarop ze haar levend hielden, door haar mee te nemen tijdens zulke uitstapjes naar het park. Er had nog een buggy moeten staan, met de kinderen van Matthew en Sarah erin, of in de zandbak. Ze spraken nu echter niet meer zozeer met verdriet als wel met genegenheid over haar.

Toen had Matthew een poosje gezwegen en daarna zei hij: 'Ze zou toch willen dat ik iemand anders vond, denk je niet?'

Tamsin antwoordde meteen en vol overtuiging. Het was niet de eerste keer dat hij dat had gevraagd en haar antwoord was altijd hetzelfde. 'Natuurlijk zou ze dat willen.' Ze leunde over Flannery heen en streelde hem over zijn arm om haar woorden kracht bij te zetten.

'Denk je dat het haar iets zou uitmaken wie het was?'

Die vraag was nieuw. Tamsin dacht even na. 'Ik denk wel dat ze de voorkeur zou geven aan een vrouw.'

Ze lachten even samen, maar toen ze weer naar hem keek zag ze dat hij nog steeds op een antwoord wachtte. 'Ik geloof niet dat ze er hoe dan ook bezwaar tegen zou hebben dat je gelukkig werd. Waarom vraag je dat?'

'Omdat ik denk dat er iemand is.'

'Wie?'

'Freddie.'

Naderhand had ze zich afgevraagd waarom ze zo verbaasd was geweest. Freddie en hij hadden elkaar altijd al heel na gestaan. Ze waren beste vrienden. Een relatie waar niemand ooit aan getwijfeld had.

En nog terwijl ze probeerde te bedenken wat ze tegen hem moest zeggen, wenste ze dat het niet Freddie was geweest, omdat het problemen zou geven. Freddie was getrouwd en was een van Sarahs beste vriendinnen geweest. Ze was Tamsins beste vriendin. Het was niet zo dat het onjuist was – dat was nooit in Tamsin opgekomen – het zou alleen veel gemakkelijker en ongecompliceerder zijn geweest als het een leuk jong ding van zijn werk was geweest. Dan had Matthew, die haar heel dierbaar was, gewoon verder kunnen gaan met leven, liefhebben en gelukkig zijn. Maar zo zou het niet gaan. Niet eens in de verte.

Toen begon hij over Freddie te praten, waarom hij van haar hield, wanneer het was veranderd. 'Het was geen donderslag bij heldere hemel. Het kwam niet plotseling. Ik werd niet op een ochtend wakker met de gedachte: dit is het, zij is de vrouw voor mij, ik hou van haar. Zo is het niet gegaan.'

Tamsin zei niets, ze liet hem gewoon maar praten.

'Ik denk dat ik de eerste twee jaar na Sarahs dood helemaal niet aan zoiets dacht. Ik dacht niet aan liefde, romantiek of seks in de tegenwoordige tijd. Ik voelde nog van alles voor Sarah en ik voelde me gefrustreerd, maar ik dacht niet aan die dingen in relatie met de tegenwoordige tijd, of een andere persoon.

En de ingrediënten om van Freddie te houden waren er allemaal al, afgezien van de fysieke factoren. Ik hou al van haar zolang als ik van jou hou, en bijna net zo lang als ik van Sarah heb gehouden. We waren vrienden. Ik wist hoe ze zich voelde, wat ze wilde, wat ze over bepaalde dingen dacht. We hebben een geschiedenis samen, we hebben herinneringen. Dat was er allemaal al. Ik weet niet wanneer ik lichamelijk iets voor haar ben gaan voelen, wanneer ik naar haar begon te verlangen. Ik neem aan dat het aanvankelijk gewoon deel uitmaakte van het genezingsproces, dat ik naar een andere vrouw moest kijken en me voorstellen hoe het met haar zou zijn. En dat, als ik al aan Freddie dacht, het kwam omdat ik onvermijdelijk ergens zou beginnen waar ik me prettig voelde, maar dat er nooit iets uit voort zou komen, dat die gevoelens vanzelf weg zouden gaan. Maar toen realiseerde ik me... dat ik ze nooit voor jou had gehad.'

'Bedankt!' zei Tamsin.

'Of voor Reagan. En de enige keren dat er ooit iets is geweest met iemand van het werk of vrienden van vrienden, zo'n afschuwelijke blind date, werd het gewoon nooit echt wat. Ik heb me er heel lang schuldig over gevoeld.'

'Toch niet om Adrian?'

'Nee, niet om hem. Om Sarah. Maar er was nog iets anders. Het voelde aan alsof ik verraad pleegde jegens mijn vriendschap met Freddie. Ze behandelde me niet als andere mannen. Ik had speciale privileges. Ik genoot veel van de intimiteit van een echtgenoot of minnaar zonder er een te zijn. Ze stond daar niet bij stil. Ik herinner me dat we een keer met de kinderen gingen zwemmen. Het was warm en ze trok haar topje weer aan zonder beha eronder en het was nat en...' Hij schudde zijn hoofd. 'Ze wist dat ik haar kon zien, maar gaf daar niets om, ze stond er niet bij stil, maar ik bekeek haar op een andere manier en ik voelde me slecht, bijna pervers. Alsof ik plotseling een voyeur was, die naar haar stond te gluren. Dus probeerde ik die gevoelens aan de kant te schuiven, maar dat lukte niet. En hoe meer ik erover nadacht en hoe verder ik van Sarah verwijderd raakte, hoe moeilijker het werd om te ontkennen dat mijn gevoelens echt waren. Het had niets met Sarah te maken en het had niets te maken met de relatie die ik de voorgaande tien jaar met Freddie had gehad. Het ging gewoon om haar en mij. Een vrouw en een man. Ik hou van haar, Tamsin.'

Hij ging recht zitten. Ze stak haar armen naar hem uit en sloeg ze om zijn hals. 'En wat ga je daar nu aan doen?'

'Wat kan ik doen? Ze is met Adrian getrouwd. Ze is gelukkig.'

Tamsin trok haar wenkbrauwen op.

'Ze is in elk geval niet ongelukkig genoeg om er iets aan te willen doen. En ze ziet mij niet op die manier. En mijn grootste angst is dat ze dat nooit zal doen. Dat ik altijd een broer voor haar zal blijven.'

Tamsin wist dat hij wilde dat ze iets zei, maar dat kon ze niet: ze wist niet wat ze moest zeggen.

Chatham, Cape Cod

Freddie stopte op de terugweg bij Plymouth Rock. Het had wel iets van de Kleine Zeemeermin in Kopenhagen – teleurstellend – waar zij en Adrian een belachelijk duur weekend hadden doorgebracht toen Harry zes maanden oud was. Ze had geprobeerd het niet als iets symbolisch te zien. Adrians moeder had haar bijna gedwongen om te gaan. Het was vreselijk belangrijk, zei ze, om eens weg te zijn van Baby. Ze noemde Harry altijd 'Baby' – niet de baby, of Harry. Baby moest zich realiseren, zei ze, dat mammie er niet altijd zou zijn. En Freddie hoorde daar dan altijd in door klinken: 'En mammie moet zich realiseren dat ze op de eerste plaats echtgenote is en dat ze moet ophouden met die vieze borstvoeding.' Spenen met twaalf weken, vast voedsel met vier maanden, zindelijkheidstraining met een jaar – dat was de juiste manier, de Sinclair-manier.

Het was een ramp geweest. Ze had Harry verschrikkelijk gemist en haar borsten hadden ontzettend pijn gedaan. Het enige dat ze zich van het weekend herinnerde waren haar verlangen naar haar baby, haar gespannen borsten en de kleine zeemeermin. En een nachtmerrie die ze op zaterdagavond had gehad en waarin ze bij terugkeer naar huis had ontdekt dat haar baby was ingeschreven op kostschool. (Wat niet zozeer een nachtmerrie als een voorgevoel bleek te zijn geweest, want kort na hun thuiskomst gingen de gesprekken inderdaad die richting uit.)

Plymouth Rock zag er niet uit als de geboorteplaats van de vrije wereld. Ze ging op een bankje zitten en keek er een poosje naar, achter tralies, bedekt met graffiti. Toen het begon te regenen stapte ze terug in de auto en reed naar Chatham.

Toen ze daar aankwam, was Grace alleen. De anderen waren naar de Kennedy Compound gaan kijken, zei ze. Freddie vroeg zich af of Matthew hen gewaarschuwd had.

'Ik heb vanochtend de brief van de advocaten gekregen,' zei Grace.

'Ik ben blij dat hij je het huis heeft nagelaten. Het is je thuis. Het was de juiste beslissing.'

Grace glimlachte. 'Ik kan me niet voorstellen dat ik weg zou hebben gemoeten.'

'Dat hoef je ook niet.'

'Anderzijds, weet ik niet zeker of ik me kan voorstellen dat ik zonder hem hier zal wonen. Het is een groot huis om helemaal in je eentje in te wonen.'

Freddie knikte. 'Ik had geen idee dat hij het huis op Beacon Hill had gehouden.'

'Hij wist dat het veel meer waard was dan hij ervoor had betaald, maar hij had het geld niet nodig. Hij dacht dat jij er misschien ooit zou willen wonen.' Er klonk een vraag door in haar stem, maar Freddie gaf daar geen antwoord op. Grace vervolgde: 'Maar zo niet, dan wist hij dat het nog meer waard zou zijn tegen de tijd dat je het zou willen verkopen.' Weer zei Freddie niets. 'Heb je het gezien?'

'We zijn er gisteren heen geweest.'

De twee vrouwen zwegen. Freddie had moeite haar woede te beheersen. Grace zag dat kennelijk, want ze verbrak plotseling de stilte tussen hen. 'Je weet nu dus ook van je moeder. We hebben daar ruzie over gemaakt. Jarenlang hebben we er ruzie over gemaakt.'

'Waarom?'

'Ik vond dat hij het je moest vertellen. Vooral na de geboorte van Harry. Ik wist dat je het in elk geval toen, al was het niet eerder, zou willen weten.'

'En weet jij het?'

Zacht zei ze: 'Nee.'

'Heeft hij het je nooit verteld?' vroeg Freddie ongelovig.

'Waarom ze hem verlaten heeft? Nee. Het enige wat hij erover wilde zeggen was dat het niet aan haar lag. Dat zei hij tijdens onze eerste ontmoeting, bij mijn sollicitatiegesprek. Het leek me zo tragisch, een vader alleen met zijn dochtertje. Ik dacht eerst dat zijn vrouw overleden moest zijn. Toen ik hoorde dat ze was weggelopen, dat ze jullie in de steek had gelaten, was ik bereid van alles over haar te denken. De meeste mensen zouden dat doen. Maar hij zei die eerste dag al dat hij het haar niet kwalijk nam. Hij zei dat ze te jong was, dat hij nooit met haar had moeten trouwen en dat hij het zichzelf veel meer kwalijk nam dan haar.'

'Wanneer kwam je erachter waar ze was?'

'Je was een jaar of achttien. Hij vertelde het me zodra hij het zelf wist. Het was net voor je naar Oxford vertrok. Hij kon het je moeilijk vertellen toen je op het punt stond aan een opwindend nieuw leven aan de andere kant van de Atlantische Oceaan te beginnen, wel dan?'

'Hoe heeft hij het ontdekt?'

'Ze had hem geschreven.'

'Mij niet.'

'Ze wist niet wat hij je over haar had verteld. Ze was voorzichtig, neem ik aan. Ze wilde niets verkeerds doen wat jou betreft.'

Freddie snoof. 'Behalve wat ze al had gedaan door weg te lopen toen ik vier was.'

'Ik neem het je niet kwalijk dat je boos bent, Freddie. Ik weet dat je erg geschokt bent. Maar wees nou eens eerlijk... wat voor verschil maakt het dat je niet wist waar ze was? Ze maakte geen deel uit van je leven.'

'Het was niet aan hem om die beslissing te nemen.'

'Toen je klein was wel. Zij is weggegaan, Freddie, en hij heeft jarenlang geen idee gehad waar ze was. Hij had geen antwoorden voor je. En hij raakte in paniek toen ze terugkwam. Hij wilde niet dat jij van streek zou raken. Hij wilde dat je naar Engeland ging, dat je ging studeren en gelukkig werd. Hij meende dat het destijds niet goed voor je zou zijn om het te weten.'

'Toen misschien niet. Dat snap ik wel, denk ik. Maar later dan? Ik had het recht om het te weten.'

'Dat weet ik. Daarom maakte ik er ruzie over.'

'Maar je verloor het van hem.'

'Ja.'

'Je had het me achter zijn rug om kunnen vertellen.'

Grace knikte. 'Misschien had ik dat inderdaad moeten doen.' Er stonden tranen in haar ogen toen ze Freddie aankeek en Freddies woede werd plotseling doorspekt met medelijden.

'Er zijn misschien een hoop dingen die ik anders had moeten doen. Achteraf zie ik wel in dat ik hem heel vaak de regels heb laten bepalen. Met betrekking tot je moeder, en of we de mensen over ons moesten vertellen, en de kanker. Ik kan je alleen maar zeggen dat het me spijt. Het is nu te laat, dat weet ik, maar het spijt me.'

Toen zei ze: 'Maar jij ging hier weg, Freddie. Niet alleen lijfelijk, en niet alleen van hem. Je ging ook weg van mij. Je stootte ons allebei af, weet je.'

Freddie schaamde zich. Grace had gelijk. 'Je weet dus waar ze is?'

'Ik heb een adres van haar in Provincetown.'

'Heb je haar ontmoet?'

'Nee.' Het klonk aarzelend.

'Grace?'

'Ik heb haar niet ontmoet, maar ik heb haar wel gezien. Ik ben er een keer heen gegaan. Ik heb je vader wat op de mouw gespeld; ik wist dat hij woedend zou zijn. Het was kort nadat we de brief ontvingen. Ik vond haar en heb een hele tijd naar haar staan lijken – dat klinkt alsof ik een stalker ben. Ze kwam naar buiten uit het huis waar ze toen woonde... ze is sindsdien verhuisd, maar ik heb haar adres. Ik ben haar een poosje gevolgd. Vergeet niet dat ik van je vader hield en dat zij de vrouw was met wie hij getrouwd was geweest. Ik was nieuwsgierig en zelfs een beetje jaloers.'

Freddie was stomverbaasd. Ze kon zich niet voorstellen dat Grace zoiets gedaan had.

'Als ik dapperder was geweest, had ik haar misschien aangesproken. Maar ik veronderstel dat ik nooit erg dapper ben geweest.'

'Mag ik het adres?'

Het stond op een stukje papier dat opgevouwen onder de klok op de haardmantel in de woonkamer lag. Het was niet haar vaders handschrift, of dat van Grace, dus ze nam aan dat Rebecca het had geschreven.

'Wat stond er in de brief?'

'Het is lang geleden. Ik denk niet dat je vader hem heeft bewaard... ik kan me althans niet herinneren hem ooit te hebben gezien.'

'Maar weet je nog wel wat er in stond?'

'Ze schreef dat ze hem wilde laten weten dat ze terug was – we wisten niet waar vandaan, of ik in elk geval niet – en dat hij je haar adres moest geven als je ooit wilde weten waar ze was.'

'Was dat alles?'

'Volgens mij wel.'

'En ze heeft verder nooit geprobeerd contact op te nemen?'

'Nee, zij niet.' Grace zweeg even. 'Maar ik wel. Toen je afstudeerde, toen je trouwde, toen Harry geboren werd, heb ik haar foto's gestuurd met een klein briefje erbij, gewoon om haar dat te laten weten. Ik heb haar nooit verteld waar je was en ze heeft er nooit naar gevraagd. Ik wilde alleen dat ze iets van je wist.'

Freddie was niet boos meer. Ze was eigenlijk niet zo heel anders dan Grace? Ze deden allebei wat ze moesten doen om de vrede te bewaren, ook al was dat niet per se wat ze juist achtten.

Ze staarde naar het stukje papier in haar handen en vroeg zich af wat ze in hemelsnaam moest doen.

Tamsin en Reagan waren vroeg in de middag al terug. Er waren teleurstellend weinig – helemaal geen – Kennedy's te zien geweest in Hyannisport, maar ze hadden wel een fantastische visboer gevonden en hadden verse kreeft meegebracht, én de dienstregeling van de veerboten naar Martha's Vineyard en Nantucket. Ze aten de kreeft met gesmolten boter en een glas witte wijn en luisterden met open mond naar Freddies onthullingen.

'Jeetje! Het lijkt wel Peyton Place,' riep Tamsin uit.

'Mijn leven is een soap.'

'Dus mammie woont gezond en wel in Provincetown?' Dat was Reagan.

'Dan is het duidelijk, toch?' zei Tamsin. 'In Provincetown is toch iedereen homoseksueel? Ik heb erover gelezen. Ze is vast lesbisch. Daarom is ze ervandoor gegaan. Daarom is ze daar terechtgekomen.'

'Dat meen je toch zeker niet?' Reagan keek haar verbaasd aan.

'Waarom niet? Laten we wel wezen – het moet wel iets vreselijks geweest zijn om een moeder zover te krijgen dat ze haar kind in de steek laat. Iets dat haar leven op z'n kop zou zetten. Waarom dat niet?'

'Je verspilt je tijd met lesgeven... je zou schrijfster moeten worden.'

'Wat denk jij ervan, Freddie?'

'Ik weet niet wat ik moet denken. Misschien is ze wel lesbisch. Hoe moet ik dat nou weten? Ik weet pas sinds gisteren dat ze nog leeft. En ze heeft niet al die tijd in Provincetown gewoond. Ik heb geen idee waar ze in de tussentijd heeft uitgehangen.'

Tamsins verbeelding sloeg weer op hol, maar ze keek Freddie aan en besloot het voorlopig voor zich te houden.

'Wist Grace helemaal niets over haar?' vroeg Reagan. 'Bijvoorbeeld of ze nog meer kinderen heeft gekregen en of ze hertrouwd is?'

'Volgens mij niet.'

'Zie je wel? Duidelijk lesbisch.' Tamsin klonk als Poirot wanneer die een onderzoek had afgerond. Ze likte de boter van haar duim. 'Wat kan het anders zijn?'

Later vertelde Grace hun dat haar zus in Vermont had gevraagd of ze een poosje kwam logeren en dat ze dat graag wilde. De baby van haar nichtje werd gedoopt en ze had altijd gezegd dat ze dan naar Waitsfield zou komen. En ze moest er even uit, na de begrafenis en zo. Enigszins verlegen zei ze dat ze gerust konden blijven wanneer zij weg was.

Grace vertrok de volgende middag. Freddie droeg een van haar tassen naar de auto en ze omhelsden elkaar. 'Grace? Het spijt me dat ik was zoals ik was.'

Grace hield haar dicht tegen zich aan. 'Het spijt me dat ik jou niet juist heb behandeld.' Haar schouders schokten en Freddie realiseerde zich dat ze huilde. 'Ik had harder voor je moeten vechten, voor wat ik dacht dat juist was.' Door het open raam van de auto vroeg ze: 'Wat ga je nou doen?'

'Ik weet het niet, Grace.'

Tamsin kwam naar buiten en zwaaide toen de auto optrok. Ze sloeg een arm om Freddies schouders.

'En nu? Gaan we naar Provincetown om je lieve mammie op te zoeken?'

Freddie lachte. 'God mag het weten...'

'Matthew heeft me gekust.'

Ze lagen in hun pyjama op Freddies bed. Reagan was een uur eerder al naar bed gegaan, maar Tamsin had last van brandend maagzuur en Freddie hield haar gezelschap. Ze hadden naar Amerikaanse series liggen kijken.

Tamsin wist dat natuurlijk al, maar ze was niet van plan dat te zeggen.

'O ja?'

'Je klinkt niet erg verbaasd.'

'Dat ben ik ook niet.'

'Waarom niet?' Freddie keek haar argwanend aan. 'Wat weet jij?'

'Ik "weet" niets.'

Freddie wist niet zeker of ze haar wel geloofde.

'Was het lekker?'

Ze gaf Tamsin een tik op haar dij. 'Daar gaat het niet om!'

'Betekent dat ja of nee?'

'Het was geen van beide. Het was... raar. Hij is mijn vriend. Hij is Sarahs man.'

'Hij is Sarahs weduwnaar.'

'Maar dan nog is hij mijn vriend. Onze vriend. Jij zou je ook knap vreemd voelen als hij jou kuste.'

'Dat is heel wat anders.'

'Waarom?'

'Hij zou dat Neil niet aandoen, ten eerste.'

'Maar Adrian dus wel.'

'Verdorie, ja. En we zouden allemaal achter hem staan en hem toejuichen.'

Freddie moest glimlachen. Ze hield echt van Tamsin.

'Over Adrian gesproken, wat ga je met hem doen?' Hij had weer gebeld en Tamsin had hem gesproken. Zelfs tegen haar had hij enigszins wanhopig geklonken. Niet dat ze medelijden met hem had, natuurlijk. Freddie had nerveus met haar handen gezwaaid en

Tamsin had zonder aarzelen tegen hem gelogen: 'Ze is er niet... Natuurlijk wil ik iets aan haar doorgeven... Ik weet zeker dat ze je zal bellen als ze terug is.'

'Hem negeren?'

'Dat is prima, voor de korte termijn. Maar het is niet echt een plan, wel?'

'Zal wel niet.'

'Weet je of hij nog steeds met die Antonia Melhuish omgaat?'

'Nee.'

'En zit dat je niet dwars?'

'Ik zou niet willen zeggen dat het me niets doet...'

'Maar je gaat er niet aan onderdoor. Je bent er niet elke minuut mee bezig. Het is niet zo dat je hem... en haar... hen allebei zou willen vermoorden.'

Freddie realiseerde zich dat Tamsin gelijk had.

'Nou, ik zou zeggen dat dat je antwoord was. Als het Neil was, zou ik doodgaan vanbinnen.'

Tamsin had in twintig jaar tijd maar één avond van jaloezie doorgemaakt. Het was kort nadat Homer was geboren. Ze was een door hormonen geregeerde, zogende feeks en Neil was niet thuisgekomen op het tijdstip dat hij had beloofd. Ze had aangenomen dat zich in het ziekenhuis een spoedgeval had aangediend en had gebeld, maar ze zeiden dat hij er niet was. Ze herinnerde zich dat ze op de trap had gezeten en ziek van bezorgdheid naar de voordeur had zitten staren. En hem voor zich gezien met iemand anders — een slanke, gezellige vrouw met gevoel voor humor en borsten die niet de hele dag lekten.

Hij was om elf uur thuisgekomen. Hij was bij Matthew en Sarah geweest en had een paar biertjes gedronken, wat hem net dapper genoeg had gemaakt om te zeggen wat hij de hele avond bij hen had zitten repeteren. Dat was dat hij van haar hield, en altijd van haar zou blijven houden, maar dat hij er genoeg van had dat zij hem als een stuk vuil behandelde omdat ze moe was en al haar aandacht voor Homer nodig had. Op elk ander moment zou ze hem misschien vermoord hebben, maar na drie uur te hebben gemeend dat hij in de armen van een andere vrouw lag, vloog ze hem om zijn nek — en dat was niet eenvoudig als je borsten ruim vijftien kilo per stuk wogen – bood ze hem haar excuses aan en beloofde ze dat het morgen beter zou gaan.

Ze zou dood willen als Neil iemand anders had. Ze zou misschien niet zo'n wraakzuchtig mens zijn dat alle mouwen uit zijn pakken knipte of zuur op zijn motorkap goot, maar ze wist zeker dat ze niet verder zou willen leven.

Als Freddie niet inzag dat haar huwelijk al voorbij was, dan kwam dat doordat haar hoofd nu zo vol zat met andere dingen. Voor de anderen was het overduidelijk.

'Wat doe je met Matthew?'

'Ik weet het niet.'

'Luister, Freddie, ik weet ook niet wat er zal gebeuren. Misschien maak je het weer goed met Adrian. Ik hoop bij god dat je dat niet doet, maar het is jouw leven en niemand kan je vertellen wat je daarmee moet doen, ook al weet diegene dat hij gelijk heeft – ik weet dat trouwens zeker. Maar wil je hoe dan ook over Matt nadenken? Ik denk dat hij je heeft gekust omdat hij oprecht heel veel om je geeft, en ik vind niet dat je dat aan de kant moet schuiven.'

'Wat bedoel je daarmee?'

'Gewoon dat ik weet dat er van alles gaande is, en dat je over je toeren bent, maar alsjeblieft, denk erover na.' Meer kon ze niet zeggen.

Engeland

Adrian leunde tegen de kussens in de slaapkamer van Antonia Melhuish. Hij voelde zich vreemd slecht op zijn plaats. Het was een echte vrouwenkamer: licht, ongelooflijk netjes en overal bloemmotieven. Ze had gordijnen die eruitzagen als kanten onderbroekjes, en er lag een bijpassend kleedje op haar niervormige kaptafel. Hij voelde zich hier groot en onhandig.

Ze zat zich aan te kleden en praatte daar voortdurend bij. Ze was laat en dat maakte dat ze steeds sneller ging praten, tot haar stem als een schel machinegeweer door zijn hoofd ratelde. Ze was laat voor haar afspraak bij de schoonheidsspecialiste. Hij had ontdekt dat het nogal wat tijd vergde om zo gebronsd, zo blond en zo kaal van onderen te blijven – ze ging een paar keer per week. Hij had haar vorige week opgehaald en had zich daar ook niet op zijn plaats gevoeld. Het rook er naar zeewier en zat er vol vrouwen die luidruchtig over mannen praatten.

Ze had ook van die nagels – acryl had ze hem verteld terwijl ze hem haar vingers liet inspecteren. Vierkant-rond – wat dat dan ook mocht voorstellen. Hij vond ze vaag beangstigend en het deed trouwens behoorlijk zeer als ze ermee in zijn rug klauwde, wat ze nogal vaak deed. Vorige week had hij bij de club onder de douche gestaan toen een collega de lange krassen op zijn schouder zag die haar klauwen daar hadden achtergelaten. 'Potverdorie, Ade. Je vrouw is echt een wilde kat, zo te zien.'

Zijn gevoel van trots bij die erkenning van zijn kundigheid werd al snel weggevaagd door schuldgevoel. En vaag iets van teleurstelling. Seks met Antonia was niet wat hij ervan verwacht had. Ze deden het vaak genoeg – in feite was ze behoorlijk veeleisend. Maar ook egoïstisch, zo had hij ontdekt. Laatst was hij een

hele tijd met haar bezig geweest en daarna had hij, in de ver-
wachting dat ze hetzelfde voor hem zou doen, haar hoofd omlaag
geduwd. Ze was gaan zitten, had haar neus opgetrokken en gezegd dat dat iets was wat ze nooit deed. Bij niemand. Dat had
hem geschokt. Het kwam niet overeen met de nimf bij de achtste hole.

Hij vermoedde dat het te maken had met haar obsessie voor hy-
giëne, die naar zijn idee aan het abnormale grensde. Hij mocht
niet in bed komen voor hij zich gedoucht had, en hoewel ze in
het begin geregeld met hem samen douchte, wat erg leuk was,
werd hij nu steeds vaker alleen naar de badkamer gestuurd. Ze gaf
hem vaag hetzelfde gevoel als de hoofdzuster uit *Carry on Matron*,
vroeger had gedaan, wat sommige kerels misschien prettig vonden,
maar Adrian had haar destijds helemaal niet erotisch gevonden, en
nu nog niet.

Ze was nu opgehouden zich aan te kleden om een kussen achter zijn hoofd wat verder omhoog te trekken. 'Je maakt het hoofd-
einde vies, Adrian.' Misschien waren beschermhoezen een goed
idee.

Freddie was helemaal niet zo. Adrian en zij hadden ook naar elkaar verlangd als ze vies waren. Zij had hem graag fris bezweet na
een rondje hardlopen. En ze zou zich op het aanrecht in de keuken door hem hebben laten nemen zonder zich druk te maken
over de bacteriën die ze daarmee op het graniet achter zouden
laten.

Dat was niet het enige, al was dat eerlijk gezegd wel deprimerend. Ze had het nu ook al over advocaten. Ze wilde dat Adrian bij
die van haar langsging, de man die kennelijk zo'n geweldige rege-
ling uit haar eigen echtscheiding had gesleept. Ze zei steeds maar:
'Adrian, je leert een vrouw pas kennen als je bij de rechtbank tegenover haar staat. Jij denkt dat ze niets om geld geeft, nou, wacht
maar af. Niets zo vals als een versmade vrouw. En bovendien, wie
geeft er nou niks om geld? Ze kleedt je helemaal uit als je jezelf
niet beschermt.'

Maar verdiende hij het niet om te worden uitgekleed? Hij was
degene die een verhouding had. Hij keek naar Antonia's gezicht als
ze die dingen zei en zag dat ze haar mond samengeknepen had. Er

liepen rimpeltjes over haar bovenlip, alsof ze in een citroen had gehapt. Ze zag er gemeen uit.

Adrians houding tegenover geld was niet ongebruikelijk voor mensen die er genoeg van hadden. Hij vond het vulgair om erover te praten en vermoeiend om er te veel over na te denken. Hij vreesde dat Antonia er anders over dacht. Hij had, ongeveer in dezelfde periode dat hij de rimpeltjes in haar bovenlip had ontdekt, gemerkt dat als ze hem vertelde over mensen die hij niet kende, ze er een kort samengevat cv bijgaf, zoals: 'Dat is Tony Lewis. Tandarts. Rijdt in een Audi TT. Volgens mij heeft Jonathan die betaald toen hij zijn tanden door hem liet doen. Heeft een huis in Marbella.' Of: 'Sally Smith. Vreselijke cellulitis. Haar man is partner bij Grant Thornton – hebben vorig jaar hun huis verkocht voor 1,25 miljoen dollar.'

Hij vroeg zich af wat ze anderen over hem vertelde. 'Adrian Sinclair. Vrouw harst zich niet. Miljoenen waard als zijn ouders het loodje leggen. Goede keus, afgezien van onredelijke eisen met betrekking tot fellatio.'

'Dus je gaat erheen? Bel hem in elk geval op... vandaag.'

Hij zuchtte. 'Ik bel hem wel.'

'Goed gedaan, schatje.' Ze drukte een kus op zijn voorhoofd. Ze was nu helemaal aangekleed. 'Goed. Dan ben ik weg. Het parkeren is een nachtmerrie op zaterdagochtend, dus ik kom vast vreselijk laat.' Ze keek naar hem. 'Tenzij...'

'Ik heb vanochtend afgesproken met een paar jongens van de golfclub. Dat is helemaal de andere kant op.'

'Dat had je niet gezegd.'

'Was dat nodig dan?'

Ze trok een pruillip, maar zei op luchtige toon: 'Natuurlijk niet, lieveling, maar die tien minuutjes maken toch niets uit, of wel soms?' Ze probeerde met vleierij haar zin te krijgen. Dat deed Freddie nooit. 'En je gaat toch maar negen holes spelen, niet?' En Freddie gaf er trouwens nooit iets om als hij alle achttien holes speelde en de rest van de middag doorbracht in het negentiende. Hij had dat eerder als afwijzing en verwaarlozing gezien, maar nu leek het hem vreemd aantrekkelijk.

Hij gooide het dekbed van zich af en stapte uit bed. Antonia trok zijn heupen naar haar toe en drukte haar smalle bekken tegen hem aan. 'Ik zal straks zorgen dat je er geen spijt van hebt,' zei ze.

Het probleem was dat hij daar helemaal niet zeker van was.

Martha's Vineyard

'En, gaan we naar Martha's Vineyard of niet?' Tamsin zat aan de ontbijttafel de dienstregeling van de veerboot te bestuderen.

'Dat kan niet. We zijn niet hier voor vakantie,' zei Freddie.

Tamsin en Reagan trokken allebei hun wenkbrauwen op. 'Wie zegt dat?'

'Zou Neil dat bijvoorbeeld niet zeggen?'

'Ik vertel het hem gewoon niet.'

Freddie keek haar weifelend aan.

'Oké, dan vertel ik het hem wel, maar hij zou het heus niet erg vinden. Wat hem betreft kan ik maar op twee plaatsen zijn. Bij hem of niet bij hem. Vooruit. Laten we spijbelen. Je bent nog niet klaar om de Siciliaanse weduwe uit te hangen en ik geloof dat wij de charmes van Chatham nu wel kennen. Vertel het haar, Reagan.'

Reagan gaapte. 'Abso-dorie-luut.'

'Is dat alles?'

'Ze is een volwassen vrouw. Ik vind dat wij met ons tweeën naar Martha's Vineyard zouden moeten gaan. Voor een paar dagen maar. Logeren in een van die herbergen waar we foldertjes van hebben meegenomen. Die met kanten hemels boven de bedden. We kunnen gaan fietsen, over het strand wandelen, kreeft eten. Maar we kunnen Freddie niet dwingen mee te gaan.'

'En we gaan niet zonder haar.'

'Praat niet over me alsof ik er niet bij ben.'

'Weiger dan niet langer om mee te gaan.'

'Oké, oké, jullie je zin.'

Ze bleken bij alle romantische oude herbergen alleen voor minimaal drie nachten te kunnen boeken. Ze misten de veerboot bijna omdat Tamsin per se wilde stoppen bij een van de enorme kerstwinkels langs de hoofdweg door de Cape. Freddie en Reagan moesten er vreselijk om lachen. De zaak bulkte van de rommel, een miljoen verschillende thema's voor een stijlloze kerst met een soundtrack van misselijkmakende kerstmuziek.

'Hebben ze dit hier echt het hele jaar?' gilde Reagan.

'Ja hoor. Kerstmis is belangrijk op de Cape.'

'Kerstmis is belachelijk op de Cape.'

'Hou je mond!' beet Tamsin hen toe. De vrouw van de kerstman stond bij de kassa naar hen te kijken, gekleed in een feestelijk schort met een kerstmanspeld die Hannibal Lector leek te imiteren als je hem opdraaide. 'Ik ben toevallig dol op Kerstmis.'

'Natuurlijk – jij bent erelid van de Waltons.'

'Jij bent onbeschoft.'

'Ja, net als deze kerel...' Reagan hield een plastic kerstman omhoog die zijn broek liet zakken op de muziek van *All I want for Christmas is you.*

Toen hadden Reagan en Freddie het helemaal niet meer en nam Tamsin hen walgend mee naar buiten. 'Ik ga wel een keer terug zonder jullie.'

Bij de drogisterij waar ze stopten om een paar flessen mineraalwater en blikjes cola te halen, waren ze al net zo erg. De hoeveelheid producten die ze hadden was bijna belachelijk en Freddie en Reagan giechelden om de vaginale spoelingen, klysma's en laxeermiddelen. 'Godallemachtig! Bij ons is de drogisterij lang niet zo leuk!'

Tegen de tijd dat ze aan boord van de veerboot gingen, lachte Tamsin ook. Ze reden hun koffers naar een cabine onder het hoofddek en gingen toen naar boven en naar buiten om de veerboot de haven uit te zien varen. De bries en de zeelucht voelden goed aan op hun gezicht en in hun longen.

'Dachten jullie ook aan Wight?'

Reagan wel. Ze waren er met hun vieren heen gegaan in de zomer nadat ze afgestudeerd waren, direct na de eindexamens. Ze waren uitgeput van de examens en de feesten die erop waren gevolgd. Ze hadden Tamsin overgehaald om Neil thuis te laten en Sarahs vader had hen naar Portsmouth gebracht.

Ze hadden aan dek gestaan en de Engelse kustlijn zien vervagen, samen met de stress van de voorafgaande weken. De uitslag zou nog even op zich laten wachten, al was er nog wel de dreiging dat ze zouden worden teruggeroepen voor een mondeling examen als het bij een van hen een twijfelgeval zou worden welke graad ze zouden krijgen. Ze beredeneerden dat dat alleen bij Reagan het geval zou kunnen zijn, die tussen een eerste en een hoge tweede graad hing. Reagan had gezegd dat ze het dan wel met de hoge tweede zou doen en dat ze hun mondeling mochten houden, al geloofden de anderen haar geen minuut. (Een maand later kreeg ze de eerste graad die ze allemaal voor haar verwacht hadden, niks geen twijfelgeval.) Ze hadden de acute nostalgie gevoeld die twintigjarigen voelen, maar waren ook bang en opgewonden over wat er voor hen lag.

Het was een fantastische tijd geweest. Sarah had een B&B gereserveerd dat bleek te worden gerund door moeder Larkin. Ze kregen elke morgen een echt Engels ontbijt en rond theetijd scones met dikke slagroom. De eigenares gaf hun de sleutel, wat ze echt niet bij alle gasten deed, zo verzekerde ze hun. 'Geniet er maar van. Jullie lijken me nette meisjes. Ik weet zeker dat jullie stilletjes binnen zullen komen.'

En dat hadden ze inderdaad gedaan. Na de eerste paar dagen was de zon volop gaan schijnen en ze hadden in hun bikini's op het strand gelegen, ingesmeerd met Ambre Solaire, en boeken gelezen waarin veel vrijpartijen voorkwamen, aardbeienijs gegeten, gekletst en naar Freddies gettoblaster geluisterd. De week was mannenvrij verklaard – grotendeels om Tamsin te sussen en te zorgen dat Reagan bij hen bleef, maar flirten mocht wel. Ze waren 's avonds vreselijk lang bezig zich op te tutten en gingen daarna uit – naar de kermis, de disco of de kroeg.

Ze herinnerden het zich allemaal hetzelfde: heel veel lachen, dansen, een keer braken langs de weg en niet één verkeerd woord. Het waren gouden dagen geweest. Het vaste ontvlammingspunt – Reagan en Tamsin (of eerlijk gezegd Reagan en iedereen) – ontbrak gewoon. Het was een mengeling van opluchting, euforie en triestheid: ze wisten dat ze nooit meer op deze manier samen zouden zijn.

En ze hadden gelijk gehad. Dat najaar hadden ze zich verspreid en had het leven een hoger tempo gekregen, zoals hun ouders al hadden voorspeld.

De Tenko Club was niet ontbonden en hun *lingua franca* leefde nog steeds voort – hun eigen steno om een nieuwe bazin of de vriendin van een vriend te beschrijven. Maar het was wel veranderd. Natuurlijk was het met gouden dagen zo dat hun helderheid in je herinnering afhankelijk was van de kleur van je heden, dus Freddie vermoedde dat de drie vrouwen die over de reling van de veerboot naar Martha's Vineyard leunden allemaal een iets andere schakering zagen.

Martha's Vineyard was fijn. Ze hadden niet het aardbeienijs van vroeger op het eiland en ze droegen geen bikini's meer – hoewel Tamsin er 's ochtends een keer getuige van was dat Reagan zich aankleedde en haar de wind van voren gaf omdat ze nog steeds een strakke buik had en tepels die in de juiste richting wezen. En natuurlijk was Sarah er niet bij. Ze misten haar meer dan ze in lange tijd hadden gedaan. Vanwege het eiland Wight. Omdat ze erbij had moeten zijn. Ze praatten ook veel over haar, wat ze de laatste tijd niet meer zo vaak hadden gedaan. Niet over haar dood, maar over het leven dat ze met haar hadden gedeeld. Freddie voelde zich rot wat Matthew betrof, ontrouw.

Eén keer, toen Reagan er niet bij was, fluisterde Tamsin: 'Ik weet wat je denkt en het is niet waar.'

'Wat denk ik dan, o, Grote Wijze Vrouw?'

'Je denkt dat je Sarah ontrouw bent geweest. Of hij. Of waarschijnlijk jullie allebei. En dat is flauwekul.'

'Is dat zo?'

'Ja, onze vriendin is dood en dat is heel erg. En ze is jong gestorven, en dat is afschuwelijk, en verkeerd en zonde. Maar denk je niet dat dat ons eraan moet herinneren dat we uit het leven moeten halen wat erin zit?'

Reagan was binnengekomen en had dat laatste gehoord. 'Hebben jullie dat laatst op de radio gehoord? Het was een van die vrome-gedachten-van-de-dag. Die kerel vertelde een of ander boeddhistisch verhaal, dat ik waarschijnlijk helemaal verkeerd ga overbrengen. Een leraar vertelt zijn leerling dat hij nog maar vierentwintig uur te leven heeft en die jongen gaat naar huis en neemt afscheid van iedereen en zo en gaat dan, behoorlijk ellendig, op de dood liggen wachten. Als hij nog een uur te gaan heeft, gaat de leraar naar hem toe en vraagt: "Heb je de afgelopen drieëntwintig uur slechte gedachten gehad?" En de student antwoordt: "Nee, natuurlijk niet, ik dacht aan doodgaan." En de leraar vraagt: "Heb je de afgelopen drieëntwintig uur slechte dingen gedaan?" En die jongen zegt: "Nee," enzovoort. Ik denk dat het erom gaat dat je een beter leven leidt als je niet met de wetenschap van je eigen dood leeft.'

Freddie en Tamsin waren stomverbaasd. Toen zei Tamsin: 'Oké, ze ging naar het toilet als onze vriendin Reagan en ze kwam terug als de Dalai Lama...'

Freddie proestte. 'Ik geloof niet dat ik er een woord van begrepen heb, Reags.'

'Ze had wel een eerste graad, weet je nog.'

'Ga weg, stelletje leeghoofden. Ik weet niet waarom ik nog tijd met jullie doorbreng.'

'Omdat niemand anders je wil?'

Ze hadden gelijk. Wat bezielde haar om dat boeddhistische *carpe-diem*-verhaal te vertellen? Ze deed zelf bepaald niet wat ze predikte. Toch?

Reagan was gelukkig geweest met haar vriendinnen in Martha's Vineyard en had zich tot op zekere hoogte niet druk gemaakt over de wereld daarbuiten. Maar er zat haar iets dwars dat ze eerder niet had opgemerkt. Ze hadden veel gepraat, over elkaar, over Adrian en Sarah, met daar tussendoor ook algemene praatjes over dagelijkse dingen. Tamsin en Freddie hadden allerlei andere vrienden, die naar voren kwamen in hun gesprekken. Neil en Tamsin hadden vrienden van het ziekenhuis. Tamsin en Freddie hadden vriendinnen van de ouderschapscursus, vrienden van school, buren. Hun levens waren vol andere mensen. Niet noodzakelijkerwijs mensen die hen heel na stonden of die meer voor hen betekenden dan zij drieën voor elkaar, maar medespelers in het toneelstuk van hun volle levens. Zij had dat niet. Ze had collega's en ze had minnaars. Ze zou haar buren niet eens herkennen als ze door het plafond van haar flat zakten, en ze had geen vriendinnen. Hoe was het zover gekomen?

Hoe kwam het dat de andere twee zo'n bevredigend leven hadden opgebouwd, terwijl zij nog steeds alleen hen had? Waar had zij gezeten toen ze leerden hoe je dat moest doen?

'Ze is de hele tijd zo moe. Ik ben verdorie degene die zwanger is, maar ik heb meer uithoudingsvermogen dan zij.'

Reagan was alweer vroeg naar bed gegaan en ze zaten samen voor de open haard. Freddie dronk Drambuie uit de minibar. Tamsin at zoute amandelen.

'Denk je dat ze ons misschien vreselijk saai vindt?'

'Nee! Jij wel dan?'

'Ik weet het niet. Onze levens moeten vergeleken met het hare wel saai en alledaags zijn.'

'Spreek voor jezelf. Ik heb een echtgenoot die op de versiertoer is gegaan en ik heb net een klein fortuin geërfd. Saai? Ikke?'

'Je weet best wat ik bedoel.'

'Ik geloof niet dat het dat is.'

'Ik denk dat ze zo moe is omdat ze depressief is.'

'Denk je echt?'

'Ja. Ik vind het vervelend. De laatste paar weken draait alles om mij. Ik weet dat het een poosje heeft geduurd voor ze jou over haar baan vertelde en ik heb nog steeds geen kans gehad het er echt met haar over te hebben, maar volgens mij heeft ze nog nooit zo diep gezeten.'

'Wat moeten we doen?'

'Ik weet het niet. Het gaat hier wel beter met haar, maar ik weet niet of dat genoeg is. Is er geen punt waar voorbij mensen echt hulp nodig hebben? Professionele hulp?'

'Bedoel je Prozac?'

'Misschien. Of psychotherapie – al geloof ik niet dat dat iets voor Reagan is.'

'En wat denk je dat er aan de oorsprong van dit alles ligt?'

'Nou, het is natuurlijk verleidelijk om de diagnose gebrek aan man en kinderen te stellen. Maar dat is ook te bevoogdend. Ik heb haar nooit gezien als iemand die dat nodig had.'

'Kinderen misschien niet, maar wie heeft er nou niet iemand nodig die van je houdt? Hebben we dat niet allemaal nodig?'

'Ik denk het wel.'

'Ik weet het zeker.'

'Waarom heeft ze dan nog niemand gevonden?'

'Tja, dat is de miljoenenvraag, nietwaar?'

'Maar het kan toch niet alleen maar pech zijn? Ik bedoel, ik ontmoet de laatste tijd nooit meer de kerels met wie ze uitgaat, dus ik kan me er geen mening over vormen waarom ze hen geen van allen houdt. En jij ook niet, is het wel?'

'Zelden. Volgens mij blijven ze geen van allen lang genoeg.'

'Het moet aan haar liggen.'

'Je hebt gelijk – ze stoot ze af. Volgens mij zit ze flink in de knoop.'

'Waarom? Je denkt toch niet dat er iets ernstigs aan de hand is, of wel?'

'Zoals?'

'O, ik weet het niet. Misschien is ze lesbisch.'

'Waarom denk je toch dat iedereen lesbisch is?'

'Oké dan, niet lesbisch. Maar wel iets... ernstigs waar we nooit bij stil hebben gestaan. Misschien is ze ziek, of is ze ooit misbruikt of...'

'Jij wilt overal een drama van maken.'

'Er zijn ook drama's die niet aan mijn fantasie zijn ontsproten, hoor.'

Freddie schudde haar hoofd. 'Deze keer niet. We zouden toch minstens een idee moeten hebben, na al die tijd.'

'Als we goed gekeken hadden misschien. Je moet toch toegeven dat we haar de afgelopen jaren een beetje buitengesloten hebben.'

'Ga je nou niet schuldig voelen. Jij zou haar waarschijnlijk helemaal opgegeven hebben, als ik haar niet had gesteund.'

Tamsin knikte. 'Dat is waar. Ik maak me gewoon zorgen. Ik hou echt van haar.'

'Dat doen we allebei. Ook al weten we niet goed waarom.'

'Maar ik weet niet hoe ik haar kan helpen.'

'Ik ook niet. Maar we zullen moeten wachten tot ze om onze hulp vraagt.'

'Ik heb zo'n idee dat we dan lang kunnen wachten.'

Ealing, Londen

Matthew en Neil zaten aan hun vaste tafel. Ze kwamen zo vaak in dit restaurantje dat de Nepalees die de zaak runde Tamsin bloemen had gestuurd bij de geboorte van Flannery. Ze kwamen hier als er baby's waren geboren en als er patiënten waren gered. Het was de eerste zaak waar Matthew weer was gaan eten nadat Sarah was overleden. Zelfs voordat hij zin had om de deur uit te gaan, hadden Neil en Tamsin hem afhaalgerechten gebracht. De eigenaar had hem begroet als de verloren zoon toen hij voor het eerst na Sarahs dood weer kwam. Hij was buitengewoon vriendelijk en meelevend geweest.

Nu zette Akash een portie grote-garnalentandoori, een portie lams-biryani, een portie champignon-bhajee, twee knoflook-naans en twee grote glazen Tigers bier voor hen neer. Het was rustig in het restaurant; het was dinsdagavond.

'Hoe lang nog, meneer, tot de nieuwe baby komt?' Hij bleef zelfs na al die jaren 'meneer' zeggen, en Neil had de moed opgegeven te proberen hem daarvan af te brengen.

'Nog maar een paar weken.'

'Maar met uw vrouw gaat het goed?'

'Heel goed, dank je, Akash.'

'Heel graag gedaan, meneer. Breng haar alstublieft onze groeten over.' Hij maakte zijn formele buiging en liep achteruit bij de tafel vandaan.

'Je hebt zeker met Tamsin gesproken,' merkte Matthew op.

'Ja.'

'Dus je weet wat voor stommeling ik ben.'

'Ja.' Maar Neil schudde zijn hoofd toen hij dat zei.

'Zei ze dat?'

'Nee, dat zeg je zelf.'

'Maar ze vindt me wel een idioot.'

'Nee, dat vindt ze niet.'

'Nou, het was een stomme streek. Mijn timing was beroerd. Heeft Freddie haar erover verteld?'

'Niet dat ik weet.'

'Is dat een goed of een slecht teken, denk je?'

'Dat vraag je aan de verkeerde, Matt. Hartsaangelegenheden zijn niet mijn specialiteit – dat weet je. Daar moet je Tamsin voor hebben.'

'Ze is er niet – ik moet het met jou doen.'

'Proost.'

Neil keek naar zijn vriend. Tamsin had gezegd dat Freddie behoorlijk van streek was toen ze terugkwam, maar niets over Matthew had gezegd, behalve dat hij terug moest voor zijn werk. Ze werd er gek van, had ze gezegd, maar ze kende Freddie; ze zou moeten wachten tot die zelf begon te praten. Freddie zou alleen maar boos worden als ze merkte dat Tamsin het al wist. Bovendien had ze voorlopig genoeg aan dat gedoe met haar moeder.

Dat wist Matthew ook wel, vermoedde hij.

'Ik weet dat ik tekeer ben gegaan als een olifant in de porseleinkast, maar het gebeurde gewoon.' Matthew zweeg even. 'Nee, dat is niet waar. Het kwam door de rest allemaal. Ze leek gewoon zo kwetsbaar en ik wilde dat ze wist dat er ook nog iets goeds was. En dat ik voor haar klaarstond – als meer dan alleen een vriend...'

'Jongen! Ze had net gehoord dat haar moeder nog gezond en wel een paar kilometer verderop woonde en dat haar vader dat haar hele leven voor haar stil had gehouden.'

'En dat Adrian haar bedroog met een ander.'

'Juist, ja! Je begrijpt toch wel waarom ze niet meteen stond te juichen.'

'Ik weet het. Ik weet het! Hoe denk je dat het met Adrian verder zal gaan?'

'Nou, wat haar betreft hoop ik dat ze hem eruit schopt, of het nou iets wordt tussen jou en haar of niet. Tamsin denkt dat ze al heel lang niet gelukkig met hem was.'

'Ik heb hem nooit gemogen. Zelfs voordat...'

'Laten we wel wezen – we waren geen van allen weg van hem. Herinner je je die skivakantie nog?'

Matthew knikte. Hij en Sarah waren op een ochtend met Freddie en Adrian meegegaan – Neil had beloofd samen met Tamsin te gaan winkelen – en Sarah had gezegd dat hij klaar was voor een zwarte piste. Tegen beter weten was hij met hen in de skilift naar een heel hoge top gegaan. Hij herinnerde zich dat hij dacht dat hij niet eens uit de skilift zou kunnen komen – het leek wel een verticale val. Sarah had hem in de gaten gehouden en gefluisterd: 'Ik weet dat je het kunt, en mocht het toch niet lukken, dan doen we onze ski's af en lopen we naar beneden. Oké?'

Hij had uit de skilift weten te komen, maar na de eerste vijftig meter afdaling leek het nog steeds een smalle, onontkoombare dodenval. Hij was gestopt om moed te verzamelen. Sarah was een paar honderd meter verder gracieus tot stilstand gekomen en keek naar hem om, een stok in de grond geplant. Hij stak een hand op om meer tijd te vragen. Naast hem stond Freddie; ze was ook bang. Hij wist nog dat hij daar een beetje troost uit had geput – ze was een ervaren skister en ze was ook bang. Maar Adrian lachte. Hij probeerde haar de helling af te lokken door op haar schaamtegevoel in te werken. 'Kom op, slapjanus,' riep hij.

Uiteindelijk waren ze allebei beneden gekomen, langzaam en met weinig finesse. Sarah had hem beneden opgevangen. 'Goed gedaan, lieveling! Je bent mijn held,' had ze gezegd.

Adrian had zich honend tot Freddie gewend: 'Zie je nou wel? Ik zei toch dat je het kon! Bange schijterd!' Matthew herinnerde zich die wrede opmerking – hij had hem afgedaan als de hardheid van een kostschoolopleiding. Maar Freddie had met bevende handen op de top gestaan en Adrian moest gezien hebben hoe bang ze was. Gezien maar niet begrepen. Of het had hem niet kunnen schelen.

Achteraf leek het of die dag de toon voor hun huwelijk gezet was. Adrian leek sindsdien helemaal niets van haar te hebben begrepen.

Maar Matthew wel. Dat dacht hij tenminste. Hij wilde in elk geval de kans krijgen haar te begrijpen.

'Maar ze heeft niet gezegd wat ze gaat doen?' vroeg Neil.

'Nee. Ken jij die vrouw bij wie hij is ingetrokken?'

'Tamsin zegt van wel. We hebben kennelijk ooit bij haar en haar inmiddels ex-man gegeten. Ik kan niet zeggen dat ik me haar herinner, maar Tamsin wel. Ze zegt dat ze haar altijd al een gemeen loeder heeft gevonden.'

Matthew grinnikte. 'Je vrouw is echt een dramakoningin!'

Neil lachte. 'Ze zou je vermoorden als je dat tegen haar zei. Ze ziet zichzelf liever als intuïtief.'

'Juist.' Matthew was weer ernstig. 'Wat zegt haar intuïtie dan over mij?'

'Wil je de harde waarheid?'

'O, ja.'

'Ze vindt dat Freddie en jij voor elkaar gemaakt zijn. En ze vindt het stom dat ze het niet heeft gezien voordat jij het haar zelf vertelde.'

'Echt waar?'

'Echt waar. Maar ze vindt ook dat je Freddie wat ruimte moet geven.'

'Sinds wanneer praten we allemaal als in de *Jerry Springer Show*? En wat is "ruimte" in vredesnaam?'

Neil meesmuilde. 'Vraag het me niet. Ik breng alleen maar de boodschap over, kerel. Wil je nog een biertje?'

'Ja hoor.'

Neil stak zijn hand op en de ober kwam meteen.

'Ik heb trouwens niet veel keus, of wel soms. Zij is daar en ik ben hier.'

'Precies. Doe hetzelfde als ik. Probeer wat te werken. Ze komen gauw weer terug.'

Dat hoopten ze allebei.

Chatham, Cape Cod

'Vind je het goed als ik hier blijf wanneer jullie teruggaan?' vroeg Reagan.

Ze hadden de vorige avond afgesproken vanochtend hun vlucht naar huis te boeken. Freddie zag ertegenop om met Adrian te praten, maar het was bijna herfstvakantie en ze verlangde er hevig naar Harry te zien. En Neil had duidelijk de grens van zijn verdraagzaamheid jegens Tamsins afwezigheid bereikt. Freddie had laatst de telefoon opgenomen toen hij belde en had vaag enige irritatie opgemerkt in zijn gebruikelijke grapje dat hij zijn vrouw terug wilde. Hij had gelijk... Tamsin hoorde daar te zijn, niet hier.

Reagans vraag verbaasde haar niet. 'Dat moeten we aan Grace vragen,' zei ze. 'Het is niet mijn huis, weet je nog?'

'Kun je een reden bedenken waarom ze het niet goed zou vinden? Het is veiliger voor het huis als ik hier blijf, denk je niet?'

Maar Freddie maakte zich zorgen. 'Ik weet niet of dat nu wel zo'n goed idee is.'

'Hoe bedoel je?'

'Nou, je zou hier helemaal alleen zijn. Zou je dan niet een beetje eenzaam worden? Is het niet een beetje deprimerend?'

Reagan schudde haar hoofd. 'Ik denk dat het het beste is wat ik nu kan doen. Het is precies wat ik nodig heb, een poosje alleen zijn om na te denken.'

'Ik denk dat je zou moeten praten.'

'Ik heb niets te zeggen dat niet belachelijk of vol zelfmedelijden zou lijken.'

'Ik weet zeker dat dat niet waar is.'

'En ik wil het niet hardop zeggen. Ik wil me eroverheen zetten. En dat kan ik het beste als ik alleen ben.'

Freddie kon de gedachte niet van zich afzetten dat Reagans sterke onafhankelijkheidsgevoel een belangrijk deel uitmaakte van wat
er verkeerd zat, maar ze kende de uitdrukking op het gezicht van
haar vriendin: ze zou zich niet op andere gedachten laten brengen.

Chatham, Cape Cod

Het verbaasde Tamsin hoezeer ze er plotseling naar verlangde om thuis te zijn. Ze had het gevoel dat ze niet klaar zou zijn voor de nieuwe baby zolang ze niet daar was, en ze miste de andere kinderen heel erg. Haar vriendinnen en zij hadden een beetje getreuzeld sinds ze terug waren gekomen van Martha's Vineyard. Dat was heerlijk geweest en ze had echt genoten – zo veel als een reusachtige vrouw met opgezette enkels en een blaas zo groot als een eierdopje maar van een uitstapje kon genieten. Maar nu waren ze terug en wachtten ze tot Freddie een beslissing zou nemen over haar moeder. Het was niet Tamsins stijl om haar daar te lang over te laten piekeren en het had inmiddels al haar reserves aan tact en diplomatie gekost.

Zodra ze Neils vertrouwde stem aan de telefoon hoorde, verlangde ze naar hem.

'Wanneer kom je naar huis?'

'Binnenkort, schat. Het is nogal heftig geweest hier en Freddie heeft me nog steeds nodig.'

'Wij hebben je ook nodig.'

'Dat is niet eerlijk – jij hebt me niet nodig. Je hebt Meghan. Je hebt je werk.'

'Maar dat is niet hetzelfde. Wij zijn je familie, Tamsin.'

'Nou, Freddie is ook familie.'

Neil antwoordde niet en de dure transatlantische stilte duurde diverse seconden voort.

'Ga je nou streng doen?' vroeg ze.

'Ja. Ik wil dat je voor de herfstvakantie thuis bent. Wíj willen dat je voor de herfstvakantie thuis bent. Dan zou je trouwens toch thuis moeten zijn, anders krijg je de baby in Amerika en moet ik een tweede hypotheek nemen om de ziekenhuisrekeningen te kunnen betalen.'

'Herfstvakantie, afgesproken. Ik zou trouwens toch niet langer zijn gebleven. Ik mis jou namelijk ook, weet je.'

Ze hoorde dat zijn humeur weer verbeterd was toen hij spottend zei: 'Wie hou je voor de gek? Jullie hebben daarginds een luizenleventje – hele dagen winkelen en eten, en jullie vergeten degenen hier thuis die zonder jullie niet kunnen functioneren.'

'Nu stel je je aan. Ik geloof niet dat daar iemand is die niet zonder Reagan of Freddie kan functioneren.'

'Nou, er is wel iemand die het niet zonder jou kan. Ik heb je nodig. Ik weet niet wat ik van de dingen moet denken. Ik lijk geen beslissingen te kunnen nemen. En ik zie niet in waarom ik dat zou moeten. Vertel me nu eens de waarheid. Is Freddie echt daar omdat er zoveel te regelen valt of loopt ze gewoon weg voor wat er hier te regelen valt?'

'Allebei een beetje, voorzover ik het kan zien. Maar dat maakt het niet minder gerechtvaardigd, toch?'

'Ik vind gewoon dat ze een beetje egoïstisch is, dat is alles. Je weet dat ik van haar hou, maar Matt klimt hier tegen de muren omhoog omdat hij denkt dat hij alles verpest heeft, en zij heeft jou daar bij zich, dus klim ik samen met hem tegen de muren omhoog. Ik vermoed dat zelfs Adrian wel zou willen weten hoe het ervoor staat. Ze kan daar niet eeuwig blijven.'

'Dat doet ze ook niet. Ze komt met mij terug. Ze wil Harry zien. En ik weet zeker dat ze wel met Adrian zal praten als ze terug is.'

'En Matt?'

Tamsin slaakte een diepe zucht. 'Dat met Matt ligt wat ingewikkelder. En met Reagan is het nog erger. Ik denk niet dat ze met ons terug zal komen. Ik weet niet eens of ze ooit nog terug zal komen.'

Ze besefte dat Neil gelijk had. Ze hadden elkaar nodig om dingen te verwerken. Ze moest bespreken wat er met Reagan en Freddie aan de hand was en dat kon ze alleen maar met hem.

'Zie je wel, je mist mij net zo hard als ik jou,' zei hij.

Ze kon niets voor hem verborgen houden, zelfs niet over een afstand van tienduizend kilometer.

Schiereiland Gower, Wales

Sarahs moeder Lois (stil maar sterk: een overlever) kwam naar buiten toen ze Matthews autoportier dicht hoorde vallen. 'Hallo, mijn lieve jongen. Hoe is het met je?' Ze trok hem in haar armen.

Het was niet ongewoon dat hij hen kwam opzoeken. Sarahs moeder had van hem gehouden omdat hij van Sarah hield, en Sarahs vader Hugh had zichzelf herkend in de jongen die Sarah al die jaren geleden mee naar huis had gebracht; vol van ambitie, plannen en energie.

Ze hadden hun huis in The Mumbles verkocht toen Sarah was gestorven. Haar moeder zei dat ze daar niet meer kon wonen – het was het huis waar Sarah was opgegroeid en het bevatte te veel herinneringen aan haar. Grappig – dat was juist de reden dat Matthew hun huis in Londen níet kon verkopen. Hun nieuwe huis had echter een uitzicht dat de ziel vertroosting bood, zei Lois. Vandaag was de lucht helder en strekte het schiereiland zich voor hen uit. Het was hier altijd erg rustig.

Ze nam hem mee naar binnen en zette de fluitketel op.

'Waar is Hugh?'

'Hij is werken, lieverd.' Hugh werkte bij een veilinghuis. 'Hij is niet voor een uur of zes terug. Een huis dat wordt ontruimd, ergens in de buurt van Cardiff. Je blijft toch wel, zeker? Hij zou het heerlijk vinden je weer te zien.'

'Ik weet het niet zeker.' Hij had pas die ochtend besloten om te komen. Hij had pas gebeld toen hij ergens langs de M4 stopte om te tanken. Ze zei meteen dat ze het fantastisch zou vinden. Hij had ergens een bosje onbestemde bloemen voor haar gekocht, maar ze ging ermee om alsof het een peperduur boeket was.

Sarah was enig kind geweest en toen ze stierf, had dat het hart uit het leven van Lois en Hugh gerukt, en al die jaren later zat dat gat er nog steeds. Ze huilden niet elke dag. Ze praatten zelfs niet elke dag over haar. Maar ze dachten wel elke dag aan haar.

Aanvankelijk hadden er geen foto's van Sarah in het huis op Gower gestaan. Lois had dat niet gewild. Maar geleidelijk aan waren die er toch gekomen en nu stonden er heel veel. Hij werd altijd vreselijk triest als hij hier binnenstapte, maar tegelijkertijd was hij heel dicht bij haar als hij bij hen was.

'Oké. Ze had thee gezet en wat vruchtentaart gepakt. Ze was de enige vrouw die hij kende die altijd zelfgemaakte vruchtentaart in huis had, wat verklaarde waarom Hugh zo'n 120 kilo woog. 'Kom mee in de kamer zitten, lieverd.'

Ze liepen door naar de woonkamer. Alles daar was hem vertrouwd – de driedelige zitcombinatie, de salontafel, de schilderijen – ook al stonden er andere muren omheen. Het was gezellig, warm en veilig.

'Wat brengt je hier? Niet dat het niet fijn is om je te zien, lieverd, maar je klonk aan de telefoon alsof je iets op je lever had.'

Hij kon haar niets wijsmaken. 'Ik wilde je iets vertellen.'

'Ga je gang.'

'Ik denk...' Dit was moeilijker dan hij had verwacht. 'Ik denk dat ik verliefd ben op iemand anders.' Het leek zo trouweloos: hij werd geacht van hun dochter te houden.

Lois had meteen tranen in haar ogen. Hij herinnerde zich niet dat hij haar ooit eerder had zien huilen – behalve tijdens hun bruiloft. Ze zag er ook ouder uit. Ze had lijntjes en groeven in haar gezicht en leek ouder dan haar negenenvijftig jaren. Ze zag dat hij haar tranen had opgemerkt en veegde ze met haar duimen weg. 'Let maar niet op mij. Dwaze oude vrouw. Ik ben blij voor je, lieverd, echt waar. Zo hoort het te gaan. Het is er tijd voor.'

'Meen je dat?'

'Sst. Geen onzin. Natuurlijk meen ik dat. Maar je had niet helemaal hierheen hoeven komen op je vrije zaterdag om me dat te vertellen.'

'Jawel, Lois.'

'Als je gekomen bent voor mijn zegen, die heb je altijd al gehad.

Sarah zou net zomin gewild hebben dat je alleen bleef als jij dat voor haar had gewild als het andersom was geweest.'

Hij kneep in haar hand.

'Waarom ben je vandaag niet bij de gelukkige dame in plaats van hier vruchtentaart te eten met je oude schoonmoeder?'

'Het is wat gecompliceerd.'

'Liefde hoort niet gecompliceerd te zijn, schat.'

Hij lachte. 'Nee, dat is waar, maar toch is het dat.'

'Wil je me vertellen waarom?'

'Omdat Freddie de vrouw is van wie ik hou.'

'Onze Freddie?'

'Ja. Maakt dat nog verschil voor je zegen?'

Ze zweeg even en knikte toen. 'Nee, ik geloof het niet. Maar ze is nog steeds met Adrian getrouwd, is het niet?'

'Ja, maar dat is voorbij. Dat geloof ik tenminste.'

'Vanwege jou?'

'Nee. Hij heeft al een tijd een verhouding. Maar ik geloof dat het zelfs niet daarom is. Volgens mij is het eigenlijk al heel lang voorbij.'

'Sarah heeft altijd gezegd dat hij niet de juiste man voor haar was.'

'Dat vonden we allemaal.'

'Hoe lang is dit al gaande, dan?'

'Er is niets gaande.'

'Maar jij zou dat wel willen?'

'Ja, ik heb heel lang gedacht dat er nooit meer iemand anders zou zijn. Ik geloofde niet dat ik voor iemand hetzelfde zou kunnen voelen als voor Sarah.'

'Maar dat kun je wel.'

'Het is niet hetzelfde. Het zal nooit hetzelfde zijn.'

'Nee. Maar je kunt het wel. En dat is ook goed.'

Hij kon het wel, maar zij niet, dacht hij. En nu zou ze hem kwijtraken en ook al wist hij dat ze meende wat ze zei, het voelde waarschijnlijk aan alsof ze weer een stukje van Sarah kwijtraakten. Hij stond op en sloeg zijn armen om haar schouders. 'Ik wilde je niet van streek maken.'

Ze snufte. 'Dat heb je niet gedaan, Matt. Let maar niet op mij.

Ga ervoor. Freddie is een lieve meid. Maar beloof me dat je niet zult ophouden ons op te zoeken. Beloof me dat. Je moet me helpen haar herinnering levend te houden. Doe je dat?'

Er rolde een traan over zijn wang. 'Ik beloof het.'

Chatham, Cape Cod

Zijn naam was Eric. Hij leek ongeveer dertig en was erg lang. Een echte Amerikaanse jongen. Zijn gebleekte witblonde haar krulde en was iets te lang, en hij had een oorklemmetje boven aan zijn linkeroor. Hij zag eruit als een surfer.

Ze had hem al gezien, de eerste keer dat Freddie, Tamsin en zij naar de bar waren geweest. Zij was de rekening gaan betalen toen ze er na de begrafenis van Freddies vader hadden geluncht en hij had haar geholpen. Hij had een zachte stem en zijn accent vertelde haar dat hij van Cape Cod kwam – ze spraken 'Cod' uit als 'card'. Zijn ogen sprankelden. Ze waren sindsdien nog een paar keer hier geweest en ze merkte dat ze die keren naar hem uitkeek. Vanavond was ze alleen.

Freddie en Tamsin waren moe, hadden ze gezegd, en moesten pakken voor hun vlucht van morgen. Zij was niet moe, en ze hoefde nergens heen. Ze verveelde zich. Tamsin was te zwaar om ver van huis te willen gaan en Freddie had van alles af te handelen. Reagan had half gehoopt dat ze naar Provincetown zou willen gaan – dat leek haar de beste plek om te zijn – maar tot dusver had Freddie er alleen maar over willen praten. Dus was ze alleen hierheen gegaan. Ze had niets tegen de anderen gezegd, maar ze hoopte dat ze hem zou zien. Ze had zich een beetje opgetut, niet echt chic, want dat paste niet bij hem.

Het leek te hebben gewerkt. Het was rustig geweest in de bar en zij had wodka en cranberrysap zitten drinken. Wanneer hij niet serveerde, leunde hij tegen de achterwand, waar hij alles kon overzien, en praatte hij met haar. Ze vond het leuk, zoals hij allebei zijn duimen in de broekzakken van zijn jeans haakte.

Hij werkte af en aan in de bar sinds zijn eenentwintigste: de zaak was van zijn oom. Hij kwam terug vanwaar hij was als hij geld nodig had. Dan deed hij wat schilder- of behangklusjes. Of hij tuinierde voor iemand. Maakte niet uit, zei hij. En dan ging hij weer reizen. Hij had de hele zomer gesurft in Hawaii. Hij was nog steeds bruin. In het nieuwe jaar wilde hij naar Nieuw-Zeeland, als het daar zomer was. Een oude camper kopen en over South Island rondrijden. Maakte niet uit.

En hij had gestudeerd in Harvard. Zijn ouders hadden gewild dat hij een MBA aan het MIT haalde. Te veel initialen naar zijn zin, had hij gezegd. Daar was hij nog niet klaar voor. Hij was jonger dan hij leek. Te veel zon, waarschijnlijk. Door de lijntjes rond zijn ogen leek hij dertig, maar hij was pas vijfentwintig. Toen hij over de bar heen leunde, zag ze sproetjes op zijn neus.

Ze loog bijna overal over. Elke keer als hij een vraag stelde, gaf ze het antwoord dat hij volgens haar wilde horen. Ze was tweeëndertig. Ze was op doorreis. Ze was opgeleid tot advocate, maar deed daar niets mee. Ze was er ook nog niet klaar voor. Ze hield van surfen. Dat leek haar wel veilig. Hoe kon hij dat trouwens weten? De enige waarheid die ze vertelde ging over duiken. Dat had ze inderdaad gedaan, en met heel veel plezier.

Dit deed ze altijd. Ze was wat zij wilden dat ze was. In de vijftien jaar dat ze dit deed had ze nooit iemand ontmoet die de waarheid leek te willen horen, dus had ze die nooit verteld. Meestal werkte het. Vanavond ook.

Toen de bar dichtging, zat zij nog aan het tafeltje in de hoek naar hem te kijken terwijl hij de laatste glazen ophaalde. Daarna sloot hij af en stonden ze in de koele avondlucht.

'Heb je nog steeds dorst?' Zonder de bar tussen hen in was hij plotseling erg dichtbij. Hij rook schoon. 'Ik heb thuis een fles Jack Daniels.'

'Klinkt goed.'

Nu praatten ze niet. Hij liep langzaam, een beetje slenterend. Bij de kiosk aangekomen, bleef ze staan, stak een sigaret op en bood hem er ook een aan. 'Ik doe wel met jou mee,' zei hij en trok haar sigaret tussen haar lippen uit. Hij nam een trekje en kuste haar.

Zijn thuis waren een paar kamers op een benedenverdieping. Ze vermoedde dat het gemeubileerd werd verhuurd en dat hij niet veel spullen had. Er hing een gigantische poster van de Red Hot Chili Peppers boven de bank en er stond een goede cd-speler met een stapel cd's ernaast. Ze zette de enige op waar ze van had gehoord terwijl hij iets voor hen inschonk. Het was niet romantisch, maar luidruchtig en pulserend. Reagan was geen George Benson-type.

Ze was vergeten hoeveel uithoudingsvermogen fitte jonge mannen hadden. Hij begreep het en dwong haar niet te praten. Hij liet haar drinken en toen begonnen ze. Hij was erg goed. Zijn toegift in de douche was een van de beste – als je de juiste lengte daarvoor had, was het bijna niet te overtreffen.

Tamsin had haar – in een dronken bui, meende Reagan – de afgelopen zomer gevraagd met hoeveel mannen ze had geslapen. Ze had er nog een stuk of tien afgetrokken toen ze vijfentwintig zei, en was blij dat ze dat gedaan had.

'Vijfentwintig? Víjféntwíntig? Je maakt zeker een geintje...'

'Oké, mevrouw de eenmansvrouw. We kunnen het niet allemaal de eerste keer meteen goed doen.'

'Geloof me, we deden het pas goed bij de vijfde keer of zo,' had Tamsin gegniffeld. 'Maar probeer me niet af te leiden. We hebben het over jou, sletje. Vijfentwintig? Waar haal je ze verdorie vandaan?'

Dat was simpel genoeg. Bars, restaurants, clubs, congressen, directiekamers, een keer een benzinestation. Ze vinden was geen probleem.

'Maak je je geen zorgen, je weet wel, over...'

'Nee. Ik doe het graag, maar ik ben niet gek. Ik laat ze altijd een condoom gebruiken.' Bijna altijd. 'Ik snap niet waar jullie je zo druk over maken. Seks is niet meer dan wat lichaamsdelen die tegen elkaar wrijven en ik begrijp niet dat mensen er zo'n heisa van maken. Het is geen echte intimiteit.'

Tamsin had vragend haar wenkbrauwen opgetrokken.

'Echte intimiteit is met iemand in slaap vallen en naast hem weer wakker worden.'

'Doe jij dat niet?'

'Niet als het aan mij ligt. Echte intimiteit is wat je tegen elkaar

181

zegt, niet wat je met elkaars genitaliën doet.' Ze schoof naar voren. 'Ik bedoel, zou je liever hebben dat Neil na een feestje even met een verpleegster een kast in duikt, of dat hij koffie met haar gaat drinken achter jouw rug en haar over zijn gevoelens vertelt? Nou?'

Daar had ze wel gelijk in. 'Maar heb je dat dan met geen van allen gehad?' vroeg Tamsin.

'Niet veel.'

Ze had het met drie mannen gehad, de eerste twee toen ze in de twintig was. Sarah, Freddie en Tamsin hadden hen ontmoet. Dat was voor ze zo eigenaardig was geworden. De laatste was een jurist geweest. Ze had hun nooit over hem verteld. Ze hadden elkaar ontmoet tijdens een congres over strafhervorming in Gleneagles. Hij was tien jaar ouder dan zij, was getrouwd en had drie kinderen. Ze had het alleen laten gebeuren omdat ze wist dat hij nooit zijn vrouw zou verlaten. Dat wilde ze ook helemaal niet.

Hij had een flatje in Lincoln's Inn. Ze sliep daar een jaar lang één keer per week met hem. In al die tijd gingen ze nooit samen uit eten of naar het theater en ontmoetten ze nooit elkaars kennissen. Het gebeurde allemaal in de flat. Hij kookte soms voor haar, een omelet of een roerbakgerecht, en opende flessen goede rode wijn. Het bed was bijna zo groot als de slaapkamer, een zwart, smeedijzeren bed. Ze aten erin, dronken erin, bedreven de liefde erin en sliepen erin. Hij heette Simon.

Op een dag dronk hij een hele fles van de goede rode wijn leeg, begon toen te huilen en vertelde haar dat hij van haar hield. Ze zei dat ze niet van hem hield en had hem daarna nooit meer gezien. Hij had de regels overtreden en moest daarvoor boeten.

De reden dat ze hun nooit over hem had verteld – en als ze het hun niet vertelde, wie dan wel? – was dat ze zouden willen weten waarom, en dan zou zij niet weten wat ze moest antwoorden.

Eric was in slaap gevallen. Hij lag op zijn buik, met zijn hoofd op een gebogen arm, de andere arm op het laken. Hij sliep licht en bewoog steeds zijn gezicht tegen het kussen. Ze keek naar hem en probeerde te bedenken wat hij zou willen dat ze deed. Zou hij willen dat ze er nog was als hij wakker werd, en haar misschien nog een keer willen neuken? Zou hij liever hebben dat ze weg was? Zou hij willen dat ze tegen hem aan kroop en naast hem in slaap viel?

Ze speelde spelletjes. Als hij beweegt, wil hij dat ik blijf. Toen ze met een vinger over zijn arm streek, trok hij licht met die arm en deed zijn ogen open. Hij speelde vals. Nu wist ze het nog niet. Hij glimlachte slaperig, rolde zich op zijn zij en trok haar tegen zich aan. 'Alles goed met je?'

Ze knikte.

'Geen slaap?'

Ze schudde haar hoofd tegen zijn borst.

'Wil je naar huis?'

'Wil jij dat ik naar huis ga?'

'Ik ben heel gemakkelijk.'

'Dat had ik al begrepen!' Houd het luchtig. Houd het luchtig. Ze voelde zich prettig in zijn armen.

Haar nog steeds vasthoudend zei hij: 'Waarom vertelde je me al die dingen?'

Ze verstijfde. 'Wat bedoel je?'

'Wat je over jezelf zei. Het is niet waar. Dit is een klein plaatsje. Grace is een vriendin van mijn tante. Ik weet wie je bent en wat je doet.'

Ze zei niets.

'Dus waarom heb je al die dingen verzonnen?'

God, dit was waardeloos. 'Eerlijk gezegd moet ik gaan.' Wat klonk ze opeens belachelijk Engels.

Hij sloot zijn armen steviger om haar heen. 'Je hoeft niet weg.'

'Jawel, jawel, ik moet wel weg.'

Hij liet haar los en ze trok snel haar kleren aan.

'Het spijt me,' zei hij. 'Ik wilde je niet van streek maken. Het is alleen...'

Ze stak haar hand op. 'Het is al goed. Ik moet gaan.'

Een tel later stond ze buiten. Ze wist dat hij uit bed stapte en haar achterna kwam dus begon ze te rennen. En ze stond pas stil toen ze bij de kiosk was. Ze liet zich zwaar op een bankje in de kiosk zakken en probeerde op adem te komen.

Toen begon ze te huilen.

Herfstvakantie: Engeland

Neil stond bij het hek te wachten met Flannery op zijn schouders en Homer en Willa elk aan een kant van hem toen ze door de douane kwamen. Zodra Tamsins dikke buik door de schuifdeuren kwam wriegelden de kinderen zich los van hun vader en stormden haar tegemoet. Ze stond midden in de stroom passagiers stil, zich niet bewust van de bagagekarretjes die er niet langs konden, en hield hen tegen zich aan. Freddie voelde een steek van verlangen naar Harry. Adrian had gezegd dat ze eerst moesten praten en dat ze hem daarna wel op kon gaan halen. Ze had onwillig toegegeven dat hij gelijk had en bovendien was Harry pas na de lunch vrij. Adrian was er niet – ze had niet gewild dat hij kwam. Hij wachtte thuis op haar.

Ze zag hoe Tamsin en Neil elkaar omhelsden en kon zich niet herinneren dat ze ooit zo blij was geweest om Adrian te zien. Bovendien was openlijk vertoon van genegenheid niets voor Adrian. Hun innige omhelzing en kussen zouden hem in verlegenheid hebben gebracht. Zij vond het schattig. Neil deed zijn ogen open en zag haar, en stak ook een arm naar haar uit. Tamsin was daar echter te dik voor, dus nam Freddie genoegen met een knipoog en een aai over haar arm.

'Wat zijn wij blij om jullie te zien.' Hij grinnikte. '*Bed's too big without you, babe.*' Het was een van hun liedjes, Police, jaren tachtig. Eentje van de vele... ze hadden er een heleboel.

'Misschien denk je daar wel anders over na een nacht met mij en dit hier.' Tamsin wreef quasi-zielig over haar dikke buik.

'Ik red me wel.'

De kinderen hadden de hele weg van Heathrow terug naar Londen van alles te vertellen: Homers jongste prestaties op het skateboard, bijzonder gedetailleerd uit de doeken gedaan; het fijne over Willa's slaapfeestje bij Kitty afgelopen vrijdag, toen Kitty's vader 's nachts om halfdrie in zijn pyjama naar beneden was gekomen en had gedreigd hen allemaal naar huis te sturen als ze niet meteen gingen slapen; Flannery's val van de onderste drie traptreden op de houten vloer, waarbij een van de weinige tanden die ze had was afgebroken zodat ze er nu volgens haar liefhebbende vader uitzag als een 'dorpsgek'. Iedereen onderbrak elkaar, lachte en praatte hard. Freddie liet het allemaal over zich heen komen. Ze was moe van de vlucht, die onaangenaam warm was geweest, en door het vooruitzicht van wat haar te wachten stond. Toen ze in Ealing aankwamen, kamde ze haar haren, bracht wat lippenstift en een beetje parfum op, en daardoor voelde ze zich wat beter.

Bij haar huis haalde Neil haar koffer uit de auto en droeg hem naar de voordeur. Adrian kwam niet naar de deur en Neil was er duidelijk niet op gebrand hem te zien. Hij gaf haar snel een kus en haastte zich terug naar de auto. Tamsin draaide het raampje omlaag en stak haar duim op. 'Bel me straks. Kom je vanavond pasta eten?'

Freddie stond naar haar sleutels te zoeken toen Adrian eindelijk de deur opendeed. Het werd tijd. De koffer stond tussen hen in en voorkwam fysiek contact. Ze volgde hem naar de woonkamer. Daar legde hij zijn hand onder haar elleboog en kuste haar op haar wang. Ze liet het toe, omdat het gemakkelijker leek dan hem tegenhouden.

'Hoe is het met je?' Zijn stem was hoger dan normaal en vreemd formeel. 'Kan ik je iets brengen? Een kop thee?

Ze had in Amerika vooral koffie gedronken – een mok sterke Engelse thee klonk goed. 'Graag.'

Het huis was smetteloos schoon – dat had ze van tevoren geweten – alsof er elk moment fotografen van *Homes and Gardens* konden arriveren om zijn kalmerende perfectie vast te leggen. Op de schoorsteen stonden een paar nieuwe, stijve uitnodigingen. Verder zag alles er precies uit zoals ze het had achtergelaten. Alleen Freddie zelf was veranderd.

Ze volgde Adrian naar beneden en keek zwijgend toe terwijl hij thee zette. Ze wist niet waar te beginnen.

Hij was dezelfde man die hij altijd was geweest, misschien iets ouder, maar geen ons zwaarder – Adrian associeerde overgewicht met fysieke en mentale luiheid. Hun telefoongesprekken waren vormelijk geweest, alsof er zoveel te zeggen was dat ze feitelijk geen woord konden uitbrengen. Ze had naar Harry geïnformeerd. Hij had naar Grace gevraagd, die hij nauwelijks kende, en naar het weer. Ze hadden om de puinhopen van hun huwelijk heen gedanst. En met direct contact zou het ook niets worden. Freddie dacht even, maar slechts vaag, aan Antonia Melhuish. De withete golf van pijn en verontwaardiging was helemaal verdwenen. Ze was niet eens meer nieuwsgierig.

Adrian schraapte zijn keel. Hij zag er vreemd boetvaardig uit. 'Luister eens, Fred, ik geloof dat ik een vreselijke fout heb gemaakt. Dat gedoe met Antonia Melhuish. Zo'n verdraaide midlifecrisis neem ik aan. Vreselijk egoïstisch, ik weet het, en pijnlijk voor jou, daar ben ik van overtuigd. Maar terwijl jij weg was had ik de tijd om na te denken over wat ik wil, over wat ik belangrijk vind, en ik weet nu zeker dat jij en Harry dat zijn. En, nou ja... wij.'

Ze antwoordde niet.

Hij had de thee klaar en zette met enige zwier de mok voor haar neer. Toen ging hij zitten, verwachtingsvol naar voren leunend, wachtend op haar reactie.

Toen die niet kwam verscheen er even een verbijsterde blik in zijn ogen en hij begon opnieuw: 'Dus, het spijt me vreselijk dat ik het gedaan heb, dat ik het jou zo moeilijk heb gemaakt en zo, maar ik wil dat alles weer wordt zoals het was. Ik wil dat we het allemaal achter ons laten en... gewoon weer doorgaan.'

Freddie wist niet of ze moest lachen of huilen. Geloofde hij nou echt dat hij zei wat ze had willen horen? Of dat ze weer in zijn armen, en in zijn bed, zou vallen om de komende twintig jaar dankbaar te zijn dat hij haar boven Antonia Melhuish had verkozen? Ze genoot nog even van de macht van haar stilzwijgen. Toen vroeg ze: 'En Antonia dan?'

Hij snoof. Hij vond het kennelijk irritant dat zij over Antonia begon terwijl hij dat al had uitgelegd. 'Ik heb je toch gezegd dat dat een vergissing was.'

'En weet zij dat ook?'

'Dat vertel ik haar zodra jij erin hebt toegestemd me terug te nemen, dwaas die ik ben, en me een tweede kans te geven.'

Dat had veel van hem gevergd, dat wist ze. Hij was er nooit de man naar geweest om toe te geven dat hij een dwaas was en hij was het niet gewend om te smeken. Dichter dan dit zou hij daar waarschijnlijk nooit bij komen.

Nauwelijks een maand nadat hij haar het nieuws had medegedeeld dat haar tot diep in haar ziel had geschokt maar niet echt als een verrassing was gekomen, keek ze nu naar een man die ze niet meer herkende. Ze voelde zich bijna stom bij de gedachte dat ze ooit in zijn ban had verkeerd. Ze kon amper de moeite nemen kwaad op hem te worden. Het leek gewoon niet meer belangrijk. Alhoewel...

'Laat het me even op een rijtje zetten.' Ze sprak zacht en keek hem recht in de ogen. 'Antonia Melhuish zit op dit moment thuis op je te wachten, en heeft er geen flauw vermoeden van dat jij mij hier zit te vertellen dat je haar op mijn teken wilt laten vallen als een baksteen.'

Hij wilde iets zeggen, maar ze stak haar hand op.

'En jij, voorzichtige en zorgvuldige man die je bent, wilde gewoon zeker weten dat je in je opzet zou slagen voordat je haar de bons geeft.'

Weer deed hij zijn mond open, maar ze vervolgde: 'Dus als ik ja zeg gaan we waarschijnlijk naar boven om het te vieren met een onmiskenbaar goede vrijpartij, en daarna geef je haar de kogel.' Ze durfde te zweren dat zijn ogen begonnen te blinken. 'Maar als ik nee zeg, dan ga je weer terug naar haar voor ze de kans heeft gekregen je te missen. Dan krijg je toch nog je vrijpartij, heb ik gelijk of niet?'

Nu leek hij ronduit beduusd. Ze kon zien dat hij zocht naar een antwoord – net iets te lang, al had hij vanaf het begin al geen enkele kans gehad.

'Ga dan maar gauw,' zei ze. 'Met een beetje geluk is het bed nog warm.'

'Freddie.'

'Waag het niet nog meer te zeggen.' Ze was blij dat de woede uiteindelijk toch naar boven was gekomen. 'Zwak, egoïstisch, door je pik geobsedeerd stuk ellende.' Dat klonk goed. Tamsin zou trots op haar geweest zijn. En ze meende het nog ook; dat was precies zoals ze hem nu zag.

Adrian was oprecht geschokt. Hij had dit niet verwacht en wist niet wat hij nu moest zeggen. De simpelste verklaring was dat ze kwaad was. En ze had het recht om kwaad te zijn. Zijn vader had hem daar al voor gewaarschuwd. Seksuele jaloezie was een krachtige emotie; dat begreep hij wel, en natuurlijk strafte ze hem – dat had hij waarschijnlijk, nee heel zeker, wel kunnen verwachten.

Ze zou wel bijdraaien.

Ze moest bijdraaien.

Nu hij er redelijk zeker van was dat zijn besluit vaststond, vond Adrian het vervelend dat het niet volgens plan was verlopen.

Hij zou haar wat tijd geven.

Hij stond wat aarzelend op. Nu teruggaan naar Antonia was geen goed idee, dus hij vermoedde dat het de club zou worden. Niet het huis van zijn ouders. Daar stond hij op het moment niet zo goed aangeschreven. Pa had het natuurlijk aan moeder verteld en die zou vreselijk boos zijn. Misschien kon hij een vriend bellen. Hij dacht aan Antonia Melhuish en haar kleine, strakke kontje. God, Freddie had gelijk. Hij was inderdaad geobsedeerd door zijn pik. En kijk eens tot wat voor ellende dat had geleid.

Freddie had genoeg van zijn geaarzel en stond ook op.

'Juist. Dan gooi ik je er nu maar uit. Ik ben de hele week samen met Harry hier. Geef me een paar dagen om hem de zaak uit te leggen, dan kun je hem komen opzoeken. Ik ga zondag terug naar Boston, nadat ik hem weer naar school heb gebracht, dus dan kun je hier terugkomen.'

'Wat vertel je Harry?' Hij had tenminste het fatsoen om nerveus te klinken.

'Wat mij het beste voor hem lijkt.' Freddie wist dat dat gezwollen klonk. Ze dacht met plotseling schuldgevoel aan Matthew. Toen ze weer sprak was haar stem zachter. 'Luister, Adrian, we hebben allebei tijd nodig om na te denken. Ik zal Harry niets definitiefs vertellen, dat beloof ik je. Misschien kunnen we aan het eind van de week nog eens praten.'

Adrian nam haar olijftakje aan. 'Oké.' Het gevoel van angst was hem onbekend, maar hij dacht nu toch dat dat was wat hij voelde. Hij wilde niet dat ze tegen hem zei dat het voorgoed voorbij was, en hij wilde ook niet dat ze dat tegen Harry zei. Hij dacht dat hij nu maar het beste kon vertrekken.

Boven pakte hij een weekendtas in. Toen hij weer beneden kwam zat zij in de woonkamer. 'Het spijt me, Freddie. Echt waar.'

Ze glimlachte bijna. 'Zeg maar niets meer, Adrian. Ik bel je wel.'

Hij knikte en vertrok.

Pas toen de deur achter hem was dichtgevallen realiseerde ze zich dat hij niet had gezegd dat hij van haar hield, en dat hij niet naar Amerika had gevraagd.

Matthew dook over de leuning van de bank heen om de telefoon te pakken toen die voor de derde keer overging. Na een rusteloze nacht was hij vroeg wakker geworden en een flink stuk gaan hardlopen. De zaterdagochtenden waren altijd heel moeilijk voor hem. Hij kon er niet aan wennen alleen uit te slapen, dus stond hij altijd vroeg op en rende een rondje door de wijk terwijl alle mensen die wel iemand hadden nog in elkaars armen lagen te slapen, of twee koppen thee zetten, of in bed over verschillende katernen van de krant kibbelden. Dat stelde hij zich tenminste voor wanneer hij langs de huizen rende met gesloten gordijnen waarachter gelukkige mensen woonden. Hij was bezig geweest koffie te zetten toen de telefoon ging en zijn hart ging sneller tekeer dan tijdens de vijf kilometer door de wijk.

'Met mij.'

De verkeerde mij. Hij wist dat hij teleurgesteld klonk. 'Ha die Tamsin. Hoe is het met je?'

'Ik voel me afgepeigerd en enorm, fijn dat je het vraagt. Ik maak uit dat glansloze welkom op dat ze nog niet heeft gebeld, maar dat je dacht dat zij het was.'

Ze wist altijd alles. 'Nee. Ja. Sorry, Tams. Ik vind het echt leuk je te spreken, weer aan de goede kant van de vijver.'

'Ze moet nog het een en ander doen, schat. Harry ophalen. Met Adrian praten.'

'Ik weet het.'

'Ze belt wel.'

'Ja.' Hij was daar niet zo zeker van.

'Luister. Neil en de hemelse au pair zijn met de kinderen naar de recreatieplas, dus junior en ik gaan een tukje doen en jij komt vanavond hier eten. Tenzij je iets beters te doen hebt op deze mooie zaterdagavond.'

'Niets dat ik niet voor jou zou afzeggen.' Ze lachten allebei. Ze wist hem altijd op te vrolijken. Zijn moeder zou haar een tonicum hebben genoemd. Zij en Neil waren sinds Sarahs dood zijn vaste afspraak voor de zaterdagavond. Zij of een dvd en een afhaalmaaltijd voor één persoon. God, wat was hij een triest geval! 'Halfacht?'

'Tot dan. Welterusten.' Ze verbeet een geeuw toen ze de telefoon neerlegde.

Hij nam zijn koffie mee naar de woonkamer. Het was een prachtige dag. De zon scheen door de ramen naar binnen, zodat hij het stof in de lucht zag zweven. Waar het zonlicht op zijn benen viel, die op de salontafel lagen, voelde het gewoon warm aan, terwijl het buiten toch herfstachtig was geweest. De *Financial Times* van zaterdag lag ongelezen op zijn schoot. Hij dacht aan Freddie. Hij had haar al twee weken niet gezien. Hij zou haar toch wel gemist hebben – hij miste haar ook altijd als ze in de zomer met Adrian en Harry op vakantie ging. Ze bleven altijd twee weken weg en als ze dan terugkwam zag ze er zo goed uit, goudgebruind door de zon. En ze leek altijd blij hem weer te zien.

Hij deed zijn best niet aan haar en Adrian tijdens hun vakantie te denken. Het idee dat ze samen waren was een kwelling voor hem. Hij zag zelden dat Adrian haar aanraakte, maar als hij dat deed had het altijd iets seksueels, iets bezitterigs. Een hand die in haar billen kneep, of als hij gedronken had stak hij soms zijn handen onder haar oksels door om haar borsten vast te pakken. Hij dacht niet dat ze het vervelend vond, hoewel hij had gezocht naar tekenen van ongenoegen op haar gezicht.

Hij wist dat het zielig was om zich problemen tussen hen voor te stellen. Hij herinnerde zich duidelijk een aangeschoten zondagmiddag in een cafétuin jaren geleden, nog voordat Sarah was gestorven. Zelfs nog voordat ze getrouwd waren, meende hij. Ze waren allemaal bij elkaar geweest, de meisjes van de Tenko Club. De drank, de zon en zijn slaperige stilzwijgen hadden ervoor gezorgd dat ze bijna waren vergeten dat hij er ook bij was, en ze zaten als meiden onder elkaar over jongens te praten. Het zou misschien enigszins prikkelend zijn geweest als hij niet ietwat aangeschoten was geweest, en vreselijk verliefd op Sarah. Hij was echter nooit vergeten wat Freddie had gezegd. Ze lag op haar rug, met een knie gebogen en de andere eroverheen, en had giechelend bekend: 'Hij is de beste minnaar die ik ooit heb gehad. Hij kan vanaf de andere kant van de kamer zorgen dat ik nat word en hij kan me binnen twee minuten laten klaarkomen, maar hij kan het ook twee uur laten duren. En het mooiste is nog dat hij altijd weet voor welke van de twee ik in de stemming ben.' Sarah had gegild van plaatsvervangende schaamte en Freddie had gelachen om haar eigen schaamteloosheid.

Het gesprek was verder gegaan – Reagan had gemerkt dat een stel jongens aan een tafeltje vlakbij mee zat te luisteren en begon een of ander uitgebreid verhaal te vertellen over een kerel die ze tijdens een congres had ontmoet en daarmee was de middag gedegenereerd. Tamsin was op een gegeven moment zelfs misselijk geworden, meende hij. Maar hij was dus nooit vergeten wat Freddie had gezegd en hij vermoedde dat hij daar telkens aan dacht wanneer hij zag dat Adrian haar aanraakte. Hij dacht niet dat hij ooit zo jaloers was geweest. Het was een lelijke, boosaardige vorm van jaloezie en hij kreeg er maagpijn van.

En nu had hij het waarschijnlijk verprutst. Wat een kloothommel. Over onbezonnen handelen gesproken! Hij had zijn tong in haar strot geduwd, enkele dagen nadat ze het over Adrian en die vrouw te weten was gekomen! En haar ouders! Hij kon gewoon niet geloven hoe stom, wanhopig en onhandig hij was geweest. Alle nachten die hij in bed had liggen denken aan dat fantastische bevrijdende moment waarop hij haar zou vertellen – zou laten zien – wat hij voor haar voelde, en waar was het op uitgedraaid? Een goedkope vrijpartij op de hoek van de straat tijdens het wellicht kwetsbaarste moment in haar leven. Goed gedaan, Matt. Geen wonder dat ze hem niet gebeld had.

Harry was geweldig. Haar geweldige zoon. Schuldgevoel, genegenheid en het feit dat ze hem gemist had maakten dat hij groter en breder leek nu hij naar haar toe kwam lopen. Maar hij voelde vertrouwd aan in haar armen, in de korte omhelzing die hij haar op de drukke parkeerplaats toestond, gegeven met een nonchalance waarvan ze wist dat hij die niet voelde.

Harry had haar ook gemist. Pap was geweldig, op een vaderachtige manier. Hij was leuk als je over sport of dat soort dingen wilde praten, maar hij was waardeloos met gevoelens. Soms had Harry bijna het gevoel dat hij ouder was dan pap.

Mam had beloofd dat ze voor de herfstvakantie terug zou zijn en hij was zo blij dat ze er inderdaad was. Dit was veel normaler, zij tweetjes samen.

Hij gooide zijn tas op de achterbank en stapte naast haar in de auto, verlangend naar de week van vrijheid.

De eerste paar kilometer praatten ze over school. Freddie kende de vragen waarmee ze diep in zijn psyche kon doordringen en de antwoorden moesten even bezinken. Het leek tot dusver goed te gaan dit schooljaar. Hij had een paar goals gescoord en een paar keer geprobeerd maar gemist, zijn punten voor wiskunde en scheikunde waren omhooggegaan (die voor Engels waren altijd al vrij hoog), en er was een nieuwe jongen in zijn klas, Michael, die hij wel aardig leek te vinden.

'Waar woont hij?' vroeg ze.

'Bij zijn moeder. Zijn ouders zijn gescheiden. Ze woont in Bath, geloof ik. Zijn vader doet iets met lesgeven, in Oxford. Hoe noem je dat?'

'Een professor?' Harry schudde zijn hoofd. 'Een don?'

Hij glimlachte. 'Ja, dat is het, een don. Die hebben ze toch ook in *The Godfather*?'

Freddie glimlachte. 'Zelfde naam, maar een iets andere functieomschrijving.'

Harry haalde zijn schouders op.

'Ja! Nou, daarom is hij hier. Hij heeft op een paar scholen in Oxford gezeten, maar nu zijn moeder in Bath woont, hebben ze hem hier naar school gestuurd. Zijn moeder zegt dat continuïteit nu belangrijk voor hem is.'

De volwassen woorden klonken vreemd uit Harry's mond en Freddie keek hem van opzij aan. Hij klonk zo nuchter.

Hij zette de radio aan. Toen ze weg was had Adrian hem weer op Five Live gezet, en het kostte Harry een paar minuten eer hij de witte ruis had gevonden waar hij de voorkeur aan gaf. Ze zette de radio wat zachter.

Een paar minuten later vroeg hij: 'Is papa thuis?'

'Nee, hij is een paar dagen weg. Ik moest je de groeten doen en zeggen dat hij je later deze week nog wel ziet.' Ze probeerde het op luchtige toon te zeggen en Harry leek niet van streek. Het was voor hem allemaal niet zo anders dan anders, realiseerde ze zich. Adrian had zijn leven nooit zo rond de schoolvakanties ingedeeld als zij dat deed. Op dat moment vertelde ze het hem bijna, maar ze kon niet meteen de woorden vinden en het moment ging voorbij. Ze vervolgde snel: 'Heb je zin om vanavond bij Tamsin en Neil te gaan eten? Het hoeft niet, als je liever thuis blijft. We kunnen ook een video huren en een pizza halen, lekker samen op de bank hangen?'

'Nee, ik vind het leuk. Ik heb Homey al sinds de zomer niet gezien.' Ze was blij dat hij erheen wilde. Om de een of andere reden wilde ze niet thuis zijn, zelfs niet met Harry erbij.

Ze parkeerde in de buurt van Kensington High Street. McDonalds was een vast ritueel op de eerste dag van de vakantie. Freddie dronk een koffie-verkeerd terwijl Harry een hamburger met frietjes at en daarna nog een grote aardbeienmilkshake wegwerkte. Terwijl Adrians gebrek aan belangstelling voor Cape Cod boekdelen had gesproken, was dat van Harry bijna troostrijk. Ze was weggeweest. Ze was weer terug. Simpel.

Hij was uit zijn sportschoenen gegroeid – 'Nu al?' – en ze brachten een uur in een sportwinkel door op zoek naar een belachelijk duur paar schoenen en kochten daarna een spel voor zijn X-Box en een sweater met capuchon. Freddie vond het heerlijk om bij hem te zijn. Tot slot kochten ze een grote bos gele tulpen voor

Tamsin bij het bloemenstalletje op de hoek naast de kerk en daarna reden ze naar huis. Toen Harry in de gang zijn schoenen uit schopte en liet liggen waar ze neergevallen waren in zijn haast om bij de computer te komen, riep ze hem niet terug om ze op te ruimen. Ze hield van zijn rommel in huis.

Ze belde snel naar Tamsin terwijl ze het bad vol liet lopen. 'Nog steeds zin om ons straks te voeren?'

'Absoluut! Zolang je met "ons" jou en Harry bedoelt. Hoe ging het met Adrian?'

'Dat vertel ik je straks wel. Ik heb hem voor het leeuwendeel van de week weggestuurd.'

'Goed zo. Dat geeft jou en Harry wat rust en ruimte. Weet hij het?'

'Nee, ik heb gezegd dat Adrian het een en ander te doen heeft en ik geloof dat hij dat wel pikte.'

'Dat is voorlopig prima.'

'Hoe laat?'

'Halfacht?' Ze hoorde Tamsin aarzelen, alsof ze nog iets wilde zeggen. 'Wat?'

'Niets. Halfacht.'

Het was tegen achten toen Freddie de Volvo bij de Bernards voor de deur parkeerde, en daarmee Tamsins auto klem zette. Ze was na een lang, geurig bad op haar bed in slaap gevallen in een groot badlaken. Ze was in het donker wakker geworden, had gemerkt dat Harry de sprei over haar heen had gelegd en hoorde de televisie in zijn kamer. Ze had zich wakker geschud en was naar hem toe gegaan. 'Sorry, lieverd. Dat was ook een mooi welkom.'

'Geeft niks, mam.' Hij grinnikte naar haar. 'Lange vlucht... en je wordt natuurlijk ook wat ouder!'

'Hé.' Ze tikte hem zacht op zijn hoofd met de haarborstel die ze in haar hand had. 'Pas op jij!'

'Ik wilde je over een paar minuten wakker maken.'

'Nou, ik ben uit mezelf wakker geworden. Ondanks mijn vergevorderde leeftijd. We moeten er over tien minuten zijn en jij moet nog douchen om die schoollucht kwijt te raken voor we gaan.'

Ze was tien minuten eerder klaar dan hij. Hemeltje, dacht ze, is dit prepuberaal gedrag? Nog niet zo lang geleden moest ze hem de badkamer in duwen. De kraan bleef uren lopen. En toen hij eindelijk uit de badkamer kwam, had hij overduidelijk gel gebruikt. Ze durfde er niets van te zeggen, maar hij leek Kuifje wel. 'Klaar?'

'Je ziet er leuk uit, mam.'

Wat heerlijk om dat te horen. Was dat echt zo? Haar haar was vreemd opgedroogd, dus had ze het maar gewoon vastgezet met een elastiekje. Ze droeg een spijkerbroek en een topje dat ze in Boston had gekocht. Maar het bleef heerlijk. 'Je ziet er zelf ook niet slecht uit. Laten we gaan, anders vinden we de hond in de pot.'

De jetlag moest erger zijn geweest dan ze gedacht had. Ze kon zich niet herinneren dat Matthew er ook zou zijn. Hij deed de deur voor hen open met een groot glas rode wijn in elke hand. Hij glimlachte verlegen en bood haar er een aan, die Freddie dankbaar in ontvangst nam.

'Hallo daar,' zei hij.

'Hoi.' Freddie vond het vreselijk dat ze zich zo ongemakkelijk voelde. Dit was een huis waar dat nooit zo zou moeten zijn. En hij was iemand bij wie ze nooit had verwacht zich zo te zullen voelen...

'Hé, Matt.' Harry duwde haar naar binnen, omhelsde Matt even en liep toen de trap op. 'Is Homey boven?'

'Je ziet er fantastisch uit.' Alweer een compliment.

Freddie streek haar haren glad. 'Echt waar? Ik was na het bad in slaap gevallen en zag eruit als Catweazle toen ik wakker werd.'

'Je ziet er fantastisch uit,' zei Matthew nog eens. Waarom deden vrouwen dat nou altijd? Wisten ze niet dat mannen dat alleen zeiden als ze het meenden?

Tamsin kwam de smalle gang binnen stormen en bood redding. 'Hallo, schoonheid. Prachtige bloemen. Dankjewel.' Ze kuste haar. 'Heb je een tukje kunnen doen?''

'Een paar uur. Jij?'

'De hele morgen. Hemels. En vanmiddag is Neil een paar uur bij me komen liggen en heeft Meghan de kinderen meegenomen naar Burger King.' Ze grijnsde suggestief.

Freddie stak haar handen op. 'Te veel informatie.'

'Jaloers,' verklaarde Tamsin. Ze trok haar mee de woonkamer binnen en trok zich daarna terug in de keuken.

Neil kwam van de trap af met een frisgewassen en gepoederde Flannery, die iedereen met open mond gehoorzaam goedenacht kuste voordat ze naar bed werd gebracht. Willa lag ook al in haar pyjama op de bank, duim in de mond, naar de Playbackshow te kijken. Freddie kuste haar. 'Dag, popje.' Willa wuifde even ten antwoord.

Freddie liep de keuken in, waar Tamsin in een reusachtige koekenpan met uien, paprika, bacon en knoflook stond de roeren. Op de tafel stonden een grote kom salade, een paar gesneden ciabatta's en een kommetje olijfolie. Ze dronk sinaasappelsap uit een wijnglas.

Matthew was bij Willa gebleven om te kijken hoe een verkeersagent uit Walthamstown werd getransformeerd tot Neil Diamond.

'Alles oké tussen jou en Matt?' vroeg Tamsin.

'Waarom niet?'

'Ik vroeg het me gewoon af. Dus jullie hebben erover gepraat?'

'Er valt niets te bepraten. Hou op ernaar te vragen. Alles is prima.'

'Dat is een "prima" op z'n Adrians, als je het niet vervelend vindt dat ik het zeg.'

'Ik vind het wel vervelend.'

'Oké. Sorry. Genoeg erover.' Tamsin glimlachte. 'Het is alleen dat ik geen zin heb me uit te sloven voor een absoluut fantastische pastaschotel als er sprake is van meningsverschillen onder de gelederen rond de tafel.'

'Dat ís er niet!' zei Freddie geïrriteerd.

'Prima!'

Het gevoel verdween tijdens het eten. Tamsin kon geweldig koken, volgens de Chaotische en Gewoonlijk Dronken Gierende Gourmet-School, en het eten was heerlijk. Homer en Harry waren uitgelaten en luidruchtig. De vriendschap tussen de twee jongens deed Freddie en Tamsin veel plezier. Neil en Matthew jutten hen verder op, tot Tamsin hen bijzonder afkeurend aankeek en de mannen overgingen op een van hun boeiende doorlopende discussies: gesprekken over de file-heffing en het effect daarvan op het spitsverkeer. Freddie liet zich omwikkelen door de zachte watten van de tijdzonewisseling en luisterde tevreden naar de anderen. Ze misten Adrian helemaal niet in hun gezelschap omdat die er eigenlijk nooit echt bij had gepast.

Uiteindelijk zei Matt: 'Ik ga opruimen. Blijven jullie drieën maar lekker zitten.'

'Ik help je wel.' Freddie stond op en begon borden op te stapelen. Tamsin en Neil keken elkaar aan. Freddie zag het en trok haar neus naar hen op.

'Geweldig idee. Kom, moeder,' zei Neil, 'jij, ik en de afstandsbediening op de bank.'

'Ik breng zo dadelijk wel koffie,' zei Freddie.

Matthew voelde zich als een tiener tijdens een feestje. Hij had aangenomen dat Freddie met de anderen naar de woonkamer zou gaan en nu dat niet zo was, was hij bang voor wat ze misschien tegen hem zou willen zeggen als ze alleen in de keuken waren.

'Ben je naar Rebecca geweest?' vroeg hij.

'Nee.'

'Denk je dat je naar haar toe gaat als je terug bent?'

'Jij vindt zeker dat ik het zou moeten doen, hè?'

'Het heeft niets met "moeten" te maken, Fred. Ik denk dat het noodzakelijk is dat je gaat.'

'Je klinkt net als Tamsin.'

'Tamsin is een wijze oude dame.'

Freddie glimlachte. 'En jij ook?'

'Niet altijd.' Stilte. 'Het spijt me van Boston, Freddie. Het was ontzettend onfatsoenlijk.'

Bedoelde hij onfatsoenlijk dat hij haar had gekust, of onfatsoenlijk omdat hij haar op dat moment had gekust? Freddie wist het niet. 'Het is prima.' O, god, nu klonk ze echt net als Adrian. Ze wilde dat ze dat verdraaide woord uit haar vocabulaire kon schrappen. Ze concentreerde zich op het opvouwen van servetten die toch de wasmachine in moesten en keek hem niet aan.

Matthew legde zijn hand over de hare. 'Nee, Freddie. Ik meen het. Echt. Ik wil niet dat het alles verpest.'

Nu keek ze wel op, in zijn ernstige bruine ogen. 'Dat gebeurt niet. We zijn vrienden, Matt. Geweldig goede vrienden.'

Hij glimlachte een beetje gespannen, maar zijn ogen stonden triest.

'Waarom doen we komende week niet iets samen om het te bewijzen?' Ze wilde zijn ogen zien glimlachen. 'Harry is op maandag en dinsdag hier met Homer en het vreselijke skateboard, dus dan zit ik zonder maatje. Zullen we een keer naar de bioscoop gaan 's middags, of gaan lunchen? Een galerie?'

Matthew stond nu met zijn rug naar haar toe – hij liet de spoelbak vollopen. 'Ik ben bang dat dat niet lukt. Ik moet voor mijn werk naar Leicester. Ik vertrek maandagochtend.'

Ze voelde een steek van teleurstelling en vroeg zich heel even af of hij misschien loog. 'Hoe lang?'

Zijn stem klonk vreemd. 'Minstens een paar dagen. Misschien de hele week. Het ligt nogal gecompliceerd.'

Ja, dat kon je verdorie wel zeggen. Alles lag op het moment gecompliceerd. 'Maar je bent in het weekend wel terug?'

'Waarschijnlijk wel.'

'Ik vertrek pas zondag, dus wat zeg je van zaterdag?' Ze sloeg met een van de servetten tegen zijn dijbeen. 'Zo gemakkelijk kom je er niet onderuit!'

Hij draaide zich om, met een bredere glimlach. 'Oké, zaterdag. Beslis jij maar wat we gaan doen.'

'Nou, Harry moet rond lunchtijd terug zijn voor het sporten, dus als ik je nou rond twee uur ophaal... dan zien we daarna wel verder.'

'Afgesproken. Nou ja, het is natuurlijk geen afspraakje.'

Ze keken elkaar aan en lachten. De spanning was gebroken.

'Malle dwaas!' zei Freddie.

Later lag Matthew thuis op de bank. Het licht was uit maar hij had de stereo aangezet. Hij luisterde in het donker naar U2. '*Slight of hand twist of fate, on a bed of nails she makes me wait, and I wait without you...*' Hij was te gespannen om te slapen. Het was alsof hij door haar nabijheid was opgeladen en het duurde een paar uur voor dat over was. Hij bleef maar denken aan zaterdag, aanstaande zaterdag.

Tamsin wreef Nivea in de huid van haar gezicht terwijl ze vanaf de overloop de slaapkamer binnenliep. Ze schopte haar slippers uit en ging op de rand van het bed zitten, ondertussen voortdurend orakelend. Neil was dol op dit moment van de dag: de wereld volgens Tamsin. Als de televisie in de hoek van de kamer aanstond, praatte ze over Paxman, maakte een opmerking over Parkinson, riep tegen nieuwslezers en politici. Als ze naar een thriller keken, of een moordmysterie, slaakte ze na tien minuten een theatrale kreet en schreef ze de naam van de moordenaar op een briefje dat ze tot het eind van de film onder haar kussen verstopte. En dan haalde ze het triomfantelijk tevoorschijn om te bewijzen dat ze al die tijd al geweten had wie het was geweest. Ze herschikte alle gesprekken van de avond in hoofdpunten en juweeltjes die hij kon verteren, gepeperd met voorspellingen, oordelen en meningen. Hij hield van haar. Ze was een nachtmerrie, maar hij hield van haar. Nu had ze het – heel voorspelbaar – over Freddie en Matthew.

'Het leek wel goed te gaan, vind je niet?' Neil wist dat hij niet geacht werd te antwoorden. 'Ik geloof dat hij vreselijk zijn best doet om niet te laten merken hoeveel pijn het hem doet wat er in Boston is gebeurd. En volgens mij is zij het ook niet vergeten, maar ik dacht echt even dat ze me zou vermoorden toen ze binnenkwam en hem hier aantrof. Maar ze weet natuurlijk niet wat ik weet, niet echt. Ze weet natuurlijk dat hij haar gekust heeft, maar ze weet niet wat erachter steekt, of wel dan? Niet echt. Begrijp je?'

Neil begreep het niet. Helemaal niet. Hij wist dat zijn hoofd bonkte van de rode wijn, het vroege opstaan en de ochtend bij de recreatieplas. En hij wist dat hij wilde gaan slapen. En dat het hem als puntje bij paaltje kwam helemaal niets kon schelen of Matthew en Freddie nou samen gelukkig werden of apart, zolang ze maar allebei gelukkig werden, hoewel hij geneigd was te denken dat ze samen gelukkiger zouden zijn. Hij was echter ook verstandig genoeg om te weten dat al die dingen geen indruk zouden maken op zijn vrouw. Hij rolde naar haar kant van het bed, legde zijn hoofd tegen haar onderrug en snoof tevreden de geur van Nivea en Euthymol-tandpasta op. Ze was veel te lang weg geweest en nu wilde hij haar alleen nog maar vasthouden en gaan slapen.

'Ik denk dat het wel goed komt tussen hen, weet je?' Ze liet ruimte open voor zijn reactie. 'Neil?' Hij was in slaap gevallen met zijn hoofd tegen haar aan. Toen ze opstond, glimlachte hij en rolde terug naar zijn kant van het bed. Toen zij in bed stapte, kroop hij tegen haar aan, een hand op haar buik, op zijn ongeboren kind.

Tamsin rolde liefdevol met haar ogen. Hopeloos. Als ze het type was geweest om te bidden, zou ze een gebedje hebben opgezegd voor Freddie en Matthew.

Freddie stond bij Harry's slaapkamerdeur naar hem te kijken onder zijn Harry Potter-dekbed. Het dutje in de vroege avond, en iets anders, hadden alle slaperigheid bij haar weggenomen, en ze was nu op weg terug naar haar slaapkamer met een dvd. Ze had de plank doorzocht en *Gone with the Wind*, een oude favoriet, laten staan, evenals *When Harry met Sally*. Ze had gekozen voor het vierde seizoen van *Friends*, aflevering 1-4. Het was de aardappelpuree en chocolademelk van de dvd-wereld – pure troosttelevisie. Ze was blij dat ze thuis was. Amerika was één grote schok geweest. Grace. Haar vaders kanker. Dat gedoe met Rebecca. Reagan. Eén grote schok was eigenlijk nog te zwak uitgedrukt. De afstand wierp meer licht op hoe ongewoon de afgelopen maand was geweest. Thuis was vertrouwd. Harry was hier. Ze zouden een heerlijke week hebben samen. En Matthew was hier. Telde dat ook mee? Ze hoopte dat ze er goed aan had gedaan om voor zaterdag met hem af te spreken.

Harry draaide zich om en kneep slaperig zijn ogen tot spleetjes tegen het licht achter haar. 'Mam?'

'Sorry, schat. Ga maar weer slapen.'

'Ik hou van je, mam.'

Ze hoopte dat hij nooit te oud of te onverstoorbaar zou worden om dat te zeggen. 'Ik hou ook van jou. Welterusten.'

Ze hadden inderdaad een heerlijke week. Ze gingen naar de film. Ze gingen schaatsen. Ze gingen nog een keer winkelen. Toen ze op een avond met hun bord op hun schoot hadden zitten eten bij een onbegrijpelijke reality-serie waar Harry verslaafd aan leek te zijn, vertelde ze hem over Rebecca. Ze wilde dat hij begreep waarom ze terug moest naar Amerika en ze wilde niet dat hij zich in de steek gelaten zou voelen. En op een bepaald niveau wilde ze ook weten hoe hij op die onthulling zou reageren.

'Wauw! Dat is behoorlijk heftig!'

'Ja, inderdaad.'

'Waarom heeft je vader het je dan niet eerder verteld?'

'Ik denk dat hij me probeerde te beschermen.'

'Waarom was dat dan nodig?'

'Omdat ze wegging toen ik nog heel klein was... te jong om me haar te herinneren. En ze maakte geen deel uit van mijn leven. Ik vermoed dat hij dacht dat het alles in de war zou schoppen als ik het te weten kwam, begrijp je?'

'Ik denk het wel. Maar je bent volwassen, mam. Al eeuwen. Hij had het je toch wel eerder kunnen vertellen.'

Daar kon ze niets tegenin brengen.

'Wil je met haar gaan praten? Ga je daarom terug?'

'Ik denk dat ik dat wel moet doen, vind je ook niet?'

'Het zal wel.'

Hij was een poosje stil en ze vroeg zich af of hij zijn aandacht weer op de televisie had gericht. Toen zei hij: 'Ik kan me niet voorstellen dat ik geen moeder zou hebben,' en glimlachte hij naar haar.

Op woensdagochtend belde ze Adrian en zei dat hij Harry op donderdag en vrijdag kon hebben. 'Ik heb hem niets verteld, dus neem hem maar mee naar je ouders of zo. Doe maar alsof alles in orde is.'

Adrian interpreteerde dat kennelijk als een goed teken. Hij deed nu eens niet zo moeilijk over dat het kort dag was. Hij klonk zelfs dankbaar. 'Oké. Pap en ik gaan wel met hem golfen op paps club. Dat vindt hij vast heerlijk. En alles komt goed, Freddie, dat zul je zien.'

Alsjeblieft, zeg! Ze had niets gezegd. Ze wist dat ze het voor zich uitschoof, maar ze wilde niet dat deze week om confrontaties, beslissingen en serieuze gebeurtenissen draaide. Ze wilde dat juist allemaal niet.

Ze liet Harry thuis achter bij Barbara, de hulp, zodat ze Adrian niet hoefde te zien als die hem kwam halen. Ze zei tegen Harry dat ze met een advocaat moest praten over het testament van haar vader. Tot dusver leek Harry nog geen argwaan te koesteren; hij was te opgewonden over het feit dat hij op de club van zijn grootvader mocht gaan golfen. Daar was hij nog nooit eerder geweest.

Freddie ging naar de sportschool en zwom honderd baantjes, langzaam en gracieus. Daarna ging ze in de whirlpool zitten, haar hoofd achterover en haar ogen dicht, en genoot ze van het borrelende warme water. Ze voelde zich ontspannener dan ze in tijden geweest was. Ze weigerde aan Adrian, Matthew of haar ouders te denken. Ze maakte haar hoofd leeg en dat was een lekker gevoel.

Na een rug-, nek- en schoudermassage, een pedicure- en gezichtsbehandeling stond ze haar haren te drogen voor de spiegel in de kleedkamer. Niet slecht voor een vrouw van zesendertig, dacht ze. Helemaal niet slecht. Normaal kwam ze hier niet voor al die verwennerij en ijdelheid. Misschien moest ze dat toch wat vaker doen.

En toen was het zaterdag en maakte ze weer die vreselijke rit in de verkeerde richting. Harry was de vorige avond wat stil geweest. Ze waren allemaal samen naar de Pizza Express geweest – Neil, Tamsin, Freddie, Harry, Homer en Willa – voor een vroege avondmaaltijd. Daarna had Tamsin Willa mee naar huis genomen en was de rest naar een of andere actiefilm geweest waarin de schurk een ongeloofwaardig buitenlands accent had en de held nog tijd had om spitsvondig te zijn terwijl zijn leven aan een zijden draadje hing. Harry had tijdens de rit naar huis niet veel gezegd en ook nu was hij stil. Hij had zelfs geen muziek opgezet.

'Mam?' Ze dacht opeens dat ze wist wat er ging komen en voelde zich beroerd worden.

'Ja, lieverd?'

'Gaan jij en pap scheiden?'

Ze keek naar zijn gezicht en toen naar het klokje in het dashboard. Hij moest over een uur terug zijn en ze wilde de auto langs de weg zetten. Verdomde auto's. Waarom moest ze zulke moeilijke gesprekken altijd in auto's voeren? Ze voelde een golf van irritatie – wat had Adrian hem verdorie verteld? Het was echter haar eigen schuld: ze had met Harry moeten praten voor hij met zijn vader meeging. Wilde ze hem haar eigen versie het eerst geven?

'Waarom vraag je dat?' Een belabberde reactie – ze wist het al terwijl ze het zei.

Zijn gezicht bevestigde dat. 'Je mag me geen vraag stellen. Je moet eerst de mijne beantwoorden.'

Ze moest de auto stilzetten en hem aankijken. 'Wacht even.' Ze zette haar richtingwijzer uit, verliet de A3 en reed het parkeerterrein van de hortus botanicus van Wisley op. Ze parkeerde in een van de diagonale vakken. Om hen heen liepen oude mensen met parka's en gezonde schoenen aan.

'Mag ik vragen wat je vader je verteld heeft?'

'Hij heeft niets gezegd.'

'Waarom dan?'

Hij was gepikeerd. 'Omdat ik de hele week thuis ben geweest en jij en pap elkaar nauwelijks gesproken hebben. Omdat je expres wegging toen hij me eergisteren kwam halen. Omdat je de hele week al vreemd doet. Je bent hartstikke lang in Amerika geweest en morgen ga je weer terug. Ik ben niet achterlijk, mam. Ik ben geen klein kind.'

Dat was wel duidelijk. Freddie voelde zich stom. Natuurlijk waren er tekenen geweest die een gevoelig kind zou oppikken. Wat ongelooflijk naïef en onaardig van haar om dat niet in te zien. Wat egoïstisch.

Hij was echter niet zo boos dat hij niet toestond dat ze haar hand op de zijne legde. Voor het eerst in lange tijd voelde ze tranen op komen zetten.

'Het spijt me, mam. Niet huilen, alsjeblieft. Alsjeblieft!' smeekte hij. Maar de tranen rolden al over haar wangen en ze kon ze niet meer tegenhouden, ook al vond ze ze nog zo ongepast. Ze deed haar best om haar zelfbeheersing te herwinnen, beet op haar lip. Harry vervolgde: 'Het zou niet zo erg zijn als het zo was. Heel wat jongens hebben gescheiden ouders. Michael heeft er geen problemen mee, dat zijn ouders...'

Hij klonk wanhopig. Dit was verkeerd. Freddie wilde dat hij huilde, of kwaad werd, niet dat hij het voor haar gemakkelijker probeerde te maken. Daar was hij veel te jong voor.

Ze kon niet geloven dat ze er zo'n troep van had gemaakt. Ze had de hele week de tijd gehad om met hem te praten en nu zouden ze het binnen tien minuten op weg naar school moeten doen, net voordat ze hem daar weer achter moest laten.

Met grote inspanning maakte ze een eind aan de tranen. 'Harry, lieve schat, alles is in orde met me. Sorry. Het spijt me zo. Het is vreselijk gemeen dat ik instort op weg naar school. Je weet hoe erg ik het vind om je weg te brengen.'

Harry knikte.

'Luister, schat. Je hebt gelijk – het spijt me, ik had het je moeten vertellen. Pap en ik hebben problemen, volwassenenproblemen. Ze hebben niets – maar dan ook helemaal niets – met jou te maken, dat moet je goed begrijpen. Het is iets tussen mij en je vader. Ik weet niet wat er gaat gebeuren – echt niet. Maar het komt allemaal op een ongelukkig moment voor me, samen met de dood van mijn vader en al die dingen in Amerika die ik moet regelen. Ik kan niet alles tegelijk in orde maken, dus heb ik je vader gevraagd me wat ruimte te geven om over het een en ander na te denken en daar heeft hij mee ingestemd.' Dat klonk geloofwaardig, vond ze. Zou Harry dat ook vinden?

'Ik wil niet dat je je er zorgen over maakt terwijl je op school bent. Je moet goed onthouden dat we allebei, je vader en ik, heel veel van je houden, en dat niets daar verandering in kan brengen.' God, ze klonk als iemand in een slechte film. Maar Harry luisterde en knikte. 'En ik beloof je dat ik voortaan met je zal praten. Ik zal je vertellen wat er aan de hand is, dat beloof ik je. Oké?'

'Oké. Het spijt me dat ik je aan het huilen heb gemaakt, mam.'

Ze stak haar armen naar hem uit en hij legde zijn hoofd tegen haar schouder. 'Jij hebt me niet aan het huilen gemaakt, grote jongen. Je... je bent het beste wat me in mijn leven is overkomen. Hoor je me? Jij maakt me vreselijk gelukkig.'

Hij hield haar even stevig vast, en zij hem ook. Ze bleven ongeveer een minuut zo zitten. Een ouder echtpaar keek nieuwsgierig naar binnen en glimlachte toen.

Uiteindelijk maakte ze zich van hem los en zocht in zijn gezicht naar een reactie. 'Gaat het wel met je?'

Hij knikte en zijn glimlach was oprecht. Ze had hem gerustgesteld, dat kon ze zien. Hij deed niet alsof.

Matthew wist dat ze gehuild had: haar ogen waren roodomrand en haar neus was roze. Ze zag er heel kwetsbaar uit en hij wilde haar aanraken. Ze schudde zijn blik vol genegenheid van zich af.

'Waag het niet om aardig tegen me te doen,' zei ze. 'Ik ken dat gezicht. Dan begin ik weer helemaal opnieuw en kan ik niet meer ophouden en wordt het een vreselijke middag.'

Nee, want ik zal je vasthouden. 'Oké. Absoluut geen vriendelijkheid. Waarom ben je zo laat, onbeschoft kreng?'

Freddie barstte in lachen uit. 'Van het sublieme naar het belachelijke!'

'Nee, ik meen het, je bent laat. Ik heb gereserveerd in Electric Cinema. Als je die luie reet niet gauw in beweging zet, missen we de voorfilmpjes.'

'En dat is het leukste gedeelte.'

'Precies! Laten we gaan.'

Hij droeg zijn bril in de bioscoop. Het was een draadmontuur met ronde glazen en hij leek net een schooljongen als hij hem ophad.

Het was vertroostend om naast hem te zitten, maar ze zag niet veel van de film. Ze had er een zootje van gemaakt – ze zag nu in hoe egoïstisch het was geweest om alles de hele week op z'n beloop te laten. Ze was zwak geweest. En nu had ze Harry op school achtergelaten, zich afvragend wat er aan de hand was in hun gezin. Terwijl ze hem normaal altijd op de eerste plaats stelde.

Na de film gingen ze naar een bar.

'Wat vond je ervan?'

'Ik keek eigenlijk niet echt.'

'Dat weet ik. Jongen viel voor meisje. Meisje viel voor beste vriend van jongen. Enige verwarring. Wat geweld hier en daar. Wat gewetensonderzoek. Soundtrack van Motown. Jongen krijgt meisje. Klaar! En nu, wat is er aan de hand?'

'Het gaat om Harry. Hij vroeg me vanochtend of Adrian en ik gaan scheiden. En toen moest ik huilen.'

'Wat heb je tegen hem gezegd?'

'Ik heb gezegd dat er nog niets beslist is en dat we allebei van hem houden. Bla-bla-bla.'

'En is dat waar? Dat er nog niets beslist is?'

'Ik weet het niet.' Ze legde haar gezicht in haar handen. 'Ik ben zo in de war dat ik niet helder kan denken. Ik ben zo gestrest dat ik het gevoel heb voortdurend aan de rand van een afschuwelijke afgrond te staan. Alsof ik erin zal tuimelen als ik adem durf te halen.'

'Vanwege Adrian?'

'Het gaat niet alleen om Adrian. Het is gewoon alles. Ik ben zo kwaad op mijn vader omdat hij is doodgegaan voordat we dingen hebben uitgepraat. Het maakt me onbeschrijflijk gefrustreerd om dingen pas te ontdekken nu hij er niet meer is. Hij zag nooit iets onder ogen. We hadden een afschuwelijke, verstoorde relatie waarin hij niet in staat was me ook maar enige genegenheid te tonen, maar ik heb een kamer in zijn huis gevonden die bijna een altaar voor mij vormde. Hij was getrouwd – want daar komt het in feite gewoon op neer – met Grace en ik wist daar helemaal niets van. En Grace – zij heeft me grootgebracht – kwam voor mij het dichtst bij een normale ouder, maar ik heb haar hetzelfde aangedaan als mijn vader mij. Zodra ik de kans kreeg ben ik hard bij hen weggelopen. En moet je kijken waarheen! Recht in de armen van precies zo'n man als hij. Ook een emotioneel achtergebleven, dominante man. Ergens ben ik mezelf kwijtgeraakt – zo voelt het althans – en de afgelopen vijftien jaar ben ik niet meer mezelf geweest. Door bij Adrian weg te gaan raak ik niet alleen Adrian kwijt, maar ook mezelf zoals ik was toen ik met hem samen was. En ik ben zo bang dat die andere ik voor altijd verdwenen is.'

Ze keek hem aan, hem bijna smekend het te begrijpen.

En in zekere zin begreep hij het ook. Toen hij Sarah had verloren was hij ook zichzelf kwijtgeraakt. Hij herinnerde zich een toespraak die iemand eens had gehouden tijdens een bruiloft. De spreker had een analogie voor het huwelijk gegeven die Matthew altijd was bijgebleven. De man had het over de stad Koblenz in Duitsland, en over een punt waar twee rivieren – de Rijn en nog een andere waarvan hij zich de naam niet herinnerde – samenvloeien. Kennelijk kon je op de plek waar ze samenkwamen de twee afzonderlijke kleuren nog zien en nadat ze waren vermengd bleven de kleuren nog een poosje te onderscheiden, tot ze verderop samen een nieuwe kleur vormden. De spreker zei dat hij zijn huwelijk altijd had gezien als twee kleuren die goed met elkaar waren gemengd en een nog mooiere kleur hadden gevormd. Adrians kleur had die van Freddie vertroebeld. Dat bedoelde ze. En ze was bang voor wat er zou overblijven als ze die weghaalde.

Maar net als Tamsin, Neil en Reagan had hij haar gekend voor ze Adrian ontmoette, en hij zou haar ook daarna nog kennen. Het zou allemaal wel in orde komen. Dat moest ze alleen zelf geloven.

'Je bent in de war, dat is alles. Je moet jezelf de tijd gunnen om alles te verwerken. En dat kun je alleen maar doen als je ophoudt het jezelf zo moeilijk te maken. Jij hoeft je nergens schuldig over te voelen.' Hij sloeg zijn arm om haar heen en ze leunde tegen hem aan. 'Het kost tijd. En je moet de juiste plek vìnden om te beginnen.'

'Ik weet niet waar dat is. Weet jij het?' vroeg ze.

Hij dacht even na. 'Dat moet je moeder zijn. Je moet uitzoeken hoe het met haar zit, wat dat je over je vader vertelt. Adrian verkeert nu niet in de positie om zich ermee te bemoeien, dus hij moet maar wachten. En Harry redt zich wel.'

'Maar ik ben bang.'

'Voor je moeder?'

'Voor wat ik voor haar zal voelen.'

'Dat betekent niet dat je het niet moet uitzoeken.'

Zijn hersenen werkten op volle toeren. Hij wilde niets liever dan zeggen dat hij met haar mee zou gaan. Tamsin was voorgoed weer thuis en Reagan – tja, Reagan leek hem nu niet de beste hulp. Hij dacht aan zijn werk, en of hij het zich kon veroorloven nog langer vrij te nemen. Zou ze ervan schrikken als hij het aanbood? Hij herinnerde zich Boston en vroeg zich af wat Tamsin ervan zou vinden.

En toen zei hij het toch.

'Ik ga wel met je mee.'

'Doe niet zo raar. Dat kan niet – je moet werken.'

'Je moet me een dag of twee geven om wat dingen te regelen, maar het onmisbare-man-syndroom is iets waar ik nooit aan heb geleden. Ze kunnen heus wel een poosje zonder mij. Als ik een vlucht kan krijgen, kan ik er dinsdag of woensdag zijn – als jij dat wilt.' Hij was ongelooflijk nerveus.

'Dat kan ik niet van je vragen,' zei Freddie.

'Dat heb je ook niet gedaan. Hou op je zorgen te maken en zeg gewoon of je wilt dat ik kom of niet.'

Ze ging recht zitten. Ja, dat wilde ze. Dat wilde ze heel graag. 'Ja, alsjeblieft. Dank je.'

Ze zei het later nog eens, toen ze hem thuis afzette. 'Ik kan niet geloven hoe jullie me allemaal al geholpen hebben. Ik ben zo blij met mijn vrienden.'

'We houden van je. Bovendien hebben jullie hetzelfde voor mij gedaan.'

Ze omhelsden elkaar kort. Daarna kuste ze hem op zijn wang, iets te dicht bij zijn mond. Heel even verlangde ze ernaar hem echt te kussen en dat verbaasde haar. Hij zou die fout echter niet opnieuw maken. Hij opende zijn portier en het moment ging voorbij.

Weer thuis stuurde ze Harry en Adrian een e-mailtje.

Aan: *AdrianSinclair@hotmail.com*
Adrian,
De kust is veilig thuis. Ik neem zondag de vlucht naar Boston. We praten wel als ik terug ben. Het spijt me dat ik zo vaag doe, maar iets beters kan ik op het moment niet. Het is niet dat ik probeer je te straffen.
Let alsjeblieft op Harry. Hij vroeg me vandaag of we gaan scheiden. Ik heb gezegd dat we problemen hebben maar dat we allebei van hem houden. Ik weet dat dat in elk geval waar is. Ik heb liever dat je niet in details treedt, maar ik wilde niet dat je van niets zou weten als hij jou binnenkort hetzelfde vraagt.
Freddie

Aan: *HarrySinclair@hotmail.com*
Lieve Harry – ik hoop dat de wedstrijden goed gingen vanmiddag. Pappa heeft beloofd heel vaak naar je te komen kijken zolang ik in Amerika ben. Ik kom gauw weer thuis, lieverd, maar ik weet dat we elkaar vaak zullen spreken en je kunt me e-mailen wanneer je maar wilt. De volgende keer dat we samen zijn, zal ik je alles vertellen wat er hier gebeurd

is. Daarbij vergeleken zal *EastEnders* op *The Waltons* lijken,
dat kan ik je wel vertellen. Weet je eigenlijk wel wat
The Waltons is?

Maak je alsjeblieft geen zorgen, Harry. Ik hou heel erg veel
van je (en ik hoop dat niemand deze sentimentele woorden
over je schouder meeleest!).

Laat het me weten als je wilt dat ik je wat cd's stuur!

xxx Mam

Herfst: Cape Cod

Het was weer een prachtige middag. Reagan had uren in de duinen gelegen. Ze had een boek meegenomen, een zwaarlijvig exemplaar dat ze al jaren wilde lezen en dat ook op de boekenplanken van Freddies vader bleek te staan. Ze had echter nog geen bladzijde gelezen. Ze was drie keer opnieuw aan de eerste twee alinea's begonnen, had het toen opgegeven en was languit op de deken gaan liggen die ze had meegenomen.

Het lag niet aan het boek. Het lag aan haar hoofd. Jaren en jaren – zolang als ze zich kon herinneren – was haar hoofd vol geweest, vol met werk, Matthew en van alles, en nu voelde het aan alsof het zichzelf had uitgeschakeld. Ze had sinds Freddie en Tamsin waren vertrokken niet meer naar de radio geluisterd of naar de televisie gekeken.

Elke morgen wandelde ze het dorp in, kocht eten voor die dag, nam ergens koffie en pannenkoekjes met ongezouten boter en echte ahornsiroop en praatte alleen met andere mensen als het niet anders kon. Ze had Eric niet meer gezien en hoopte dat dat niet zou gebeuren. Het leek of ze wakker was geschud door wat er met hem was gebeurd. Ze wilde dat niet meer doen. Ze wilde geloven dat ze meer waard was dan dat.

Haar mobiele telefoon stond uit en lag ergens in een la. De telefoon in huis ging niet over. Grace was bij haar zus in Vermont en thuis of op haar werk wist niemand behalve Freddie en Tamsin waar ze was.

Ze sliep goed, werd verkwikt wakker en at als een paard. Grote borden pasta met tomatensaus die ze aanmaakte met olijfolie en verse basilicum, met pijnboompitjes en romige mozzarella erbovenop. Ze voelde zichzelf steeds sterker worden.

De honger dreef haar nu ook weg van het strand. Ze had die ochtend in het dorp garnalen gekocht, een bol knoflook en een paar kleine sterke chilipepers. Ze zou ze bakken in boter en eten met een stuk brood en raketsla en wellicht een glas chardonnay. Daarna zou ze misschien een tukje gaan doen.

Er stond een auto langs de weg geparkeerd. Hij was eendeneiblauw en dat maakte hem bijzonder, en er zaten mensen in, maar die stapten niet uit toen ze naar het huis liep, dus dacht ze er verder niet meer aan.

Ze had die ochtend voor het eerst in haar leven een wasje buiten gehangen; ze had om zichzelf geglimlacht toen ze het bloemenschort van Grace met de diepe zak voor wasknijpers om haar middel knoopte. Het wasgoed zou nu wel droog zijn en onvoorstelbaar wit aan de waslijn langs het huis hangen te wapperen. Ze legde haar tas en deken neer en pakte de rieten mand die ze op de trap naar de veranda had laten staan.

Toen ze terugkwam zag ze dat de mooie auto er nog steeds stond. Het portier aan de bestuurderskant was open, maar de bestuurder aarzelde kennelijk. Reagans eerste reactie was ergernis. Bezoek paste vandaag niet in haar plannen – of wanneer dan ook.

Na wat een eindeloze impasse leek stapte er een vrouw uit de auto. Ze was lang en zwaar. Niet vormeloos zwaar, maar fors. Flinke borsten, flinke heupen, maar wel een taille. Ze was aantrekkelijk op een zigeunerachtige manier – soepel vallende stoffen en schelpenoorbellen. Er hing een felgekleurde sjaal om haar schouders en haar haren waren zilvergrijs. Een geboren kampleidster – je herkende ze op een kilometer afstand.

Terwijl ze naar Reagan toe liep drong het plotseling tot Reagan door. Dit moest haar zijn. Deze vrouw leek op Freddie – ze liep als Freddie, rechtop, gracieus. En hoe dichterbij ze kwam, hoe duidelijker de gelijkenis werd.

De vrouw, Rebecca, bekeek haar van top tot teen, zocht naar punten van herkenning. Ze vraagt zich af of ik Freddie ben, dacht Reagan en liep met de hand op haar heup naar de vrouw toe. Ze zal wel zien dat ik Freddie niet ben, dat ik dat niet kan zijn.

Toen ze nog ongeveer een meter van elkaar vandaan waren, veranderde Rebecca's gezicht. Teleurstelling of opluchting?

Reagan stak haar hand uit. 'Ik ben Reagan.'

'Ik ben Rebecca.' Ze schudden elkaar wat onwennig de hand. 'Ik ben...'

'De moeder van Freddie. Dat kan niet anders.' Reagan zocht naar wat ze verder kon zeggen. 'U lijkt op haar.'

Rebecca gaf geen antwoord.

'Ik ben een vriendin van Freddie. Ik ben met haar hierheen gekomen toen haar vader was gestorven. Om te helpen. Ik ben advocate, ziet u... en...' Haar stem stierf weg.

'Is Freddie hier?'

'Nee.' Nu wist ze zeker dat het teleurstelling was wat ze op Rebecca's gezicht zag. 'Ze is voor een week of zo terug naar Engeland om Harry te zien. Thuis is het herfstvakantie.'

'Daar had ik niet bij stilgestaan.'

'Nee.' Dat wist Freddie in elk geval wel. Moeders hadden zo'n rare kalender – ze rekenden niet in seizoenen of maanden, maar in trimesters en schoolvakanties. 'Tweede week van februari?' 'Natuurlijk, dan is het voorjaarsvakantie.' Reagan had jarenlang rekening gehouden met die belangrijke data – ze bleef dan uit de buurt van vliegvelden of ski-oorden. De prijzen waren twee keer zo hoog en je zag overal zeurende kinderen en hun ouders, de moeders in onflatteuze, gemakkelijke kleren, de vaders gebukt onder rugzakken vol speelgoed.

'En Grace?'

Reagan schudde haar hoofd. 'Naar Vermont. Ze is na de begrafenis vertrokken om even bij te komen. Ik ben alleen hier, vrees ik.'

Rebecca glimlachte wat ongemakkelijk. 'Het spijt me. Ik had moeten bellen.'

'Niet het gemakkelijkste bezoekje, neem ik aan?'

'Nee... Ik had waarschijnlijk beter niet kunnen komen, en moeten wachten tot zij naar mij toe kwam. Als ze dat zou willen...' Ze keek nu naar het huis. 'Ik was gewoon... nieuwsgierig. Ik wilde haar zien. Ben vanochtend in de auto gestapt en hier terechtgekomen.'

Reagan wist niet wat ze moest zeggen.

'Is ze... is ze erg van streek?' vroeg Rebecca.

'Ze zit nogal in de knoop. Het is een hoop om te verwerken. Eerst haar vader die doodgaat. Wist u dat hij ziek was? Zij niet. Dat hoorde ze pas naderhand, en dat was niet leuk voor haar. Ze moest daar nog van bijkomen toen ze hoorde dat de moeder die ze in God weet hoe lang niet heeft gezien gezond en wel enkele tientallen kilometers verderop woont. Hoe denkt u dat ze zich voelt? "Van streek" lijkt me te zacht uitgedrukt.'

Ze wilde geen herrie schoppen, maar het verbaasde haar hoe kwaad ze namens Freddie was. 'Ik ben blij dat ze er niet is. En ja, ik vind inderdaad dat u had moeten wachten tot zij contact opnam. U hebt dat al die tijd niet gedaan, dus waarom nu wel?'

Ze verwachtte dat Rebecca van streek zou zijn geraakt door haar ruwe toon, maar de andere vrouw leek kalm. Reagans gezicht was rood geworden en haar hart ging tekeer, maar Rebecca zag er net zo koel en kalm uit als toen ze over het gras naar haar toe was komen lopen.

'Jullie zijn vast goede vriendinnen,' zei Rebecca.

'Dat zijn we inderdaad.'

'En je wilt niet dat ze gekwetst wordt.'

'Dat ze nog meer gekwetst wordt.'

Rebecca boog haar hoofd als erkenning van die waarheid. Toen glimlachte ze. 'Je hebt gelijk. Ik heb hier niets te zoeken. Het is maar beter dat ze er niet is. Ik ga wel weg.'

Reagan knikte kort.

'Ik laat het aan jou over of je haar vertelt dat ik ben geweest of niet. Jij kent haar duidelijk beter dan ik.' De manier waarop ze het zei had niets sarcastisch of verdedigends. 'Maar als je het haar vertelt, zeg dan alsjeblieft dat ik haar graag zou ontmoeten... heel graag. Ik neem aan dat ze weet waar ze me kan vinden.'

Reagan knikte weer.

'Dank je, Reagan. Nogmaals mijn excuses dat ik je heb gestoord.' Ze draaide zich om en liep over het gras weg. Reagan wilde haar niet in de auto zien stappen en weg zien rijden. Ze schaamde zich over de confrontatie, verbaasde zich over haar eigen betrokkenheid en stoorde zich aan Rebecca's kennelijke onverschilligheid. Ze ging naar binnen en deed de deur achter zich dicht.

Ze zou het Freddie natuurlijk moeten vertellen. Ze keek naar de telefoon, rekende snel het tijdsverschil uit en realiseerde zich toen dat ze niet hoefde te bellen. Ze kon het haar beter vertellen als ze terug was.

Ze sliep die middag niet. Ze lag op de schommelbank op de veranda en dacht na over moeders. Dat had ze waarschijnlijk het meest gemeen met Freddie. Bij Tamsin draaide alles om moeders. Tamsin had een hechte band met haar eigen moeder en was er altijd van overtuigd geweest dat het moederschap haar ware lotsbestemming was. Ze was geconditioneerd om een partner te vinden en de cyclus die zo goed voor haar was geweest te herhalen. Sarah stamde ook uit een gewoon gezin en was altijd een beetje een vaderskindje geweest, maar kinderen krijgen had wel bij het plan gehoord en was voorgekomen in de dromen die de leden van de Tenko Club elkaar 's avonds laat beschreven.

Reagan had Freddie bijna benijd om het feit dat die geen moeder had. Zijzelf had er wel een, maar de band waar anderen het over hadden, was haar altijd vreemd geweest. Ze vertelde haar moeder niets. Ze had geen belangstelling voor wat haar moeder dacht. Ze was geen toetssteen, klankbord of toeverlaat. Ze was een vrouw van middelbare leeftijd, en was dat altijd al geweest, die zich kleedde in onflatteuze hemdjurken en lelijke schoenen, en was sinds 1959 met haar vader getrouwd. Voor die tijd had ze geen leven van betekenis gehad. Wat niet wilde zeggen dat Reagans vader haar grote hartstocht was, of de kinderen uit hun huwelijk. Reagan geloofde niet dat haar moeder ook maar een gram hartstocht in zich had. Ze had pakweg vijf gezichtsuitdrukkingen, en bij geen van alle werden veel spieren gebruikt. Ze zei dingen als: 'Wat jij wilt, schat,' en: 'Ik bemoei me daar niet mee.' En dat was verdomme waar ook. Ze had zich ook nooit met Reagans leven bemoeid, had nooit blijk gegeven van bezorgdheid over het onopvallende, verlegen, leesgierige schoolmeisje; had haar slecht voorbereid op de wereld naar de universiteit laten vertrekken. Ze had geen kik gegeven toen Reagan drie jaar later getransformeerd terugkeerde. Toen Reagan op haar drieëntwintigste haar eerste vriendje mee naar huis had genomen en had verkondigd dat ze bij elkaar zouden slapen, had ze meteen toegegeven en de handdoeken die ze in de logeerkamer had klaargelegd naar Reagans kamer gebracht. Toen Reagan tot diep in de nacht luidruchtige seks had gehad, had haar moeder de volgende ochtend timide gevraagd: 'Goed geslapen, liefje?'

Toen ze in Reagans eerste zelfgekochte flatje werd rondgeleid – een tweekamerwoning in een veelbelovende buurt en met de hulp van Sarah, Freddie en Tamsin in wit had ingericht – had ze gezegd dat het 'leuk' was.

Toen Reagan partner werd in het advocatenkantoor, de eerste vrouw van begin dertig die ze dat zelfs maar ooit hadden gevraagd, had haar vader gehuild en had haar moeder gezegd dat het 'fijn' was. Haar moeder bewaarde haar afstudeerfoto in een album in de eetkamer, die twee keer per jaar werd gebruikt.

Ze 'vatte' Reagan niet, en Reagan probeerde niet langer haar te 'vatten'. Er zat helemaal niets in. In het kamp zou ze hebben gejammerd en geklaagd tot ze erbij neer zou zijn gevallen.

Toen ze jonger was had Reagan zich proberen voor te stellen waarom haar moeder bij zoveel dingen zo weinig voelde. Maar er was gewoon niets. Haar moeder leidde een saai, futloos leven en ze besefte niet eens dat ze daar ontevreden of ongelukkig mee kon zijn. Door de jaren heen was Reagans irritatie overgegaan in woede, daarna medelijden en uiteindelijk nonchalance – soms zelfs afgunst; haar moeder kwelde zichzelf tenminste niet.

Freddie had haar moeder nooit gemist, zo kwam het althans op Reagan over. Ze was er altijd zo blasé over. 'Je kunt niet missen wat je nooit hebt gehad,' zei ze dan. 'Grace was geweldig.' Ze was zo onafhankelijk. Daar was Reagan erg van onder de indruk geweest toen ze elkaar pas kenden. Ze leek al zo begripvol en sterk op haar achttiende. Dat was aantrekkelijk en spannend.

Ze benijdde Freddie haar verhaal. Het was zoveel interessanter om te zeggen dat je moeder je had verlaten toen je vier was, dan dat je moeder gekleed ging in gebloemd polyester en niets voor je betekende.

Reagan herinnerde zich het gevoel van verraad toen Harry geboren was. Freddie had het moederschap ontdekt en een tijdlang was ze net als de anderen. Reagan had nooit kinderen gewild. Ze had nooit dat verlangen naar leven in haar baarmoeder gevoeld. Ze was in de put geraakt toen Harry geboren was. Freddie, Sarah en

Tamsin dachten waarschijnlijk dat het kwam doordat ze ook een baby wilde, maar ze hadden het mis.

Nu was de jaloezie er weer, en knaagde die aan de hoekstenen van haar nieuwe kracht. Rebecca had er interessant en warm uitgezien. En nu kreeg Freddie misschien toch nog een moeder.

Cape Cod

Reagan vertelde het haar niet. Ze was het wel van plan: ze hield zichzelf voor dat ze het moest vertellen. Maar ze kon het niet. Niet toen Freddie terugkwam met de aankondiging dat Matthew ook zou komen.

'Alweer?' Freddie leek van haar toon te schrikken en Reagan probeerde het te verzachten. 'Moet hij niet werken? En al die vluchten? Dat is niet goedkoop.' Daar had Freddie niet aan gedacht. Ze voelde zich voor de zoveelste keer egoïstisch. En vervolgens geïrriteerd – waarom gaf Reagan haar het gevoel dat ze zich moest verdedigen?

'Dat moet jij nodig zeggen!' Het klonk ook alsof Freddie zichzelf verdedigde.

'Ik heb geen werk en ik heb maar voor één retourvlucht betaald. Hij vliegt heen en weer als een jojo. Daar zullen ze op zijn werk wel gek van worden.'

'Maar denk eens aan de airmiles!'

Reagan besloot het erbij te laten en glimlachte om Freddies poging tot humor.

'Wat heb jij allemaal gedaan terwijl wij weg waren?' vroeg Freddie.

'Ik heb heerlijk niets gedaan.' En toen kwam de leugen eruit en was het te laat: 'Nauwelijks iemand gesproken, behalve om eten te kopen en koffie te bestellen.'

Later probeerde Freddie het opnieuw. 'Matt komt terug omdat hij met me meegaat naar Provincetown.'

Reagan trok haar wenkbrauwen op.

'Met ons, bedoel ik, als jij ook meegaat. Ik ga mijn moeder opzoeken.'

'Waarom?'

Zij was de eerste die die vraag stelde. Alle anderen, Matthew, Tamsin, Neil, zagen het als een noodzaak. Voor hen was het niet 'waarom' maar 'wanneer'. Maar Freddie probeerde wel antwoord te geven. 'Omdat het iets is wat ik moet doen. Ik bedoel, al die jaren heb ik niet geweten waar ze was...'

'Ja, en je hebt altijd gezegd dat je haar niet miste.'

'Ik wist niet dat er iets te missen viel. En ik was gelukkig. Maar nu ik weet dat ze daar is, moet ik wel gaan, moet ik het weten. Dat begrijp je toch zeker wel?'

Reagan schokschouderde.

'Het zal als jeuk zijn waaraan ik niet mag krabben. En dat zal steeds erger worden. Ik weet niet wat het zal betekenen of wat het zal veranderen, maar ik moet het doen.'

Reagan zei niets.

Freddie kon het stilzwijgen van haar vriendin niet verdragen. 'Vind jij van niet, dan?'

Reagans stem klonk nu minder hard. 'Ik weet het niet, Freddie. Ik geloof dat ik wel begrijp wat je zegt over die jeuk, maar je moet je afvragen wat het voor jou zal betekenen. Wat kan ze je in hemelsnaam vertellen over haar verdwijning destijds dat het in orde zal maken, waardoor jij het zult begrijpen? Denk je niet dat het misschien juist erger zou kunnen worden? Je moet goed nadenken voordat je naar haar toe gaat, en het niet doen omdat andere mensen het een goed idee vinden.'

Met andere mensen bedoelde ze natuurlijk Matthew, Tamsin en Neil. Freddie vroeg zich even af waarom Reagan een standpunt tegen hen innam. Ze probeerde zich voor te houden dat Reagan ook haar vriendin was.

Ze had gedacht dat het Reagan misschien goed zou doen om alleen te zijn, en toen ze eerder naar buiten was komen lopen om de taxi te begroeten had ze er fantastisch uitgezien – verfrist, ontspannen en op de een of andere manier zachter. Waarom had het praten over Matthew, Tamsin en haar moeder de irritaties en wrok weer aan de oppervlakte gebracht?

Reagan ging niet met hen mee. Ze was wakker geworden met hoofdpijn, zei ze, en die was met een wandeling langs het strand

niet verdwenen. Het verbaasde Freddie niet. Ze had ook raar gedaan tegen Matthew. Na zijn aankomst had hij geprobeerd haar
een kus op de wang te geven, maar ze had zich op het verkeerde
moment afgewend, waardoor zijn kus op haar oor terechtkwam.
Ze had hem met een kinderachtig, geïrriteerd gebaar wegge-
veegd.

'Wat mankeert haar?' had Matthew gevraagd toen ze in de auto
zaten en Chatham uit reden op weg naar Provincetown. Het was
een prachtige dag. De verkleurende bladeren staken spectaculair
af tegen de blauwe lucht en de zon scheen warm op hun gezichten.

'God mag het weten! Ik begin me af te vragen waarom ze überhaupt hierheen gekomen is.'

Matthew trok een wenkbrauw op.

'Dat klinkt gemeen, het spijt me. Ik weet wel waarom ze is gekomen – omdat ze een goede vriendin is en een goed mens, en omdat
ze er voor me wilde zijn.' Ze zei het alsof ze het van een kaartje
oplas. 'Maar, ze kan het je wel moeilijk maken. Het was veel gemakkelijker toen Tamsin hier nog was – zij weet Reagan altijd
weer op te vrolijken en ze pikt geen flauwekul van haar. Reagan is
al in een rothumeur sinds ik terug ben.'

Matt deed zijn best redelijk te praten.

'Ik denk dat ze veel problemen heeft.'

'Nou, het gaat hier nu om mijn problemen en ik eis de misère
voor mezelf op als ik daar behoefte aan heb.'

Het parkeren was een ramp in Provincetown. Ze reden tien minuten rond en vonden uiteindelijk een plekje voor een kunstgalerie
met twee bijzondere zeegezichten voor het raam. Beide toonden
hetzelfde uitzicht, het strand en de zee met rechts een vuurtoren.
Het ene uitzicht was echter stormachtig, en zo grauw en somber
dat het wel winter moest zijn; het licht van de vuurtoren doorsneed
de duisternis met een iriserende straal. Op het andere schilderij was
het zomer: de zee was zo kalm als een vijvertje, het strand op de
voorgrond was vol zonaanbidders in kleurige badkleding. Beide
schilderijen waren prachtig en heel aantrekkelijk door de eenvou-
dige stijl. Freddie keek er even naar en keek er nog een paar minu-

ten dwars doorheen terwijl Matthew wijs probeerde te worden uit de plattegrond. Nu ze hier was, wist ze niet zeker of ze hier wel wilde zijn.

'Voorzover ik het kan zien, zitten we in de juiste straat en als we hier verder gaan en dan bij die scherpe bocht links, komen we er uiteindelijk wel, denk ik. Het is nog wel meer dan een kilometer. Wil je het met de auto doen?'

'We vinden nooit meer een parkeerplek en de wandeling zal me goed doen.'

'Wil je dat ik meega?'

'Weet je? Eigenlijk niet. Ik wil niet vreselijk dramatisch overkomen, maar ik geloof dat ik dit alleen moet doen. Vind je dat goed?'

'Natuurlijk. Wat je maar wilt.'

Ze kneep dankbaar in zijn hand. 'Wat ga jij intussen doen?'

'Maak je over mij maar geen zorgen. Ik kijk hier wel even om me heen – misschien ga ik wel informeren of we een keer walvissen kunnen kijken. Ik weet niet zeker of dit de juiste tijd van het jaar is, maar ik kan wel informeren.'

'Laat je niet oppikken, wil je?'

'Dat is een risico dat je zult moeten nemen.' Op het trottoir omhelsde hij haar. 'Alles oké?'

'Ik voel me nu een vreselijk watje. Ik wil eigenlijk het liefst weglopen.'

'Nee, dat wil je niet. Je gaat dit doen.' Hij liet haar los, drukte haar het adres in haar hand en wees haar in de goede richting. 'Ik heb mijn mobiel bij me, voor het geval je me nodig hebt.'

Ze knikte.

'Heb je de jouwe?'

Ze haalde hem uit haar zak en zwaaide ermee. 'Ja, meneer. En een schone zakdoek.'

Hij gaf haar een tik op haar billen. 'Wegwezen dan.'

'Tot straks.'

Matthew bleef haar even staan nakijken en stapte toen de galerie binnen. Aan de muren hingen schilderijen en het middengedeelte was voor sculpturen. Er stonden enkele bijzondere stukken drijfhout, hoekig en donker, met metalen staken verankerd aan wat eruitzag als brokken kalksteen. Hij vond ze prachtig en indrukwekkend en bleef er een poosje naar staan kijken.

De eigenaar van de galerie, een kalende, te zware man van in de vijftig kwam naar hem toe, op de maat van de Mexicaanse muziek die uit luidsprekers in alle vier de hoeken klonk. 'Wilt u gewoon even rondkijken, meneer, of mag ik u wat meer over de werken vertellen?'

'Ik stond juist naar deze sculpturen te kijken – ze zijn heel bijzonder.'

'Ja hè?' Hij keek hem verrukt aan. 'Hier in Provincetown gemaakt, met plaatselijke materialen.' Matthew knikte even. Daardoor aangemoedigd maakte de man een weids gebaar. 'Alles wat u hier ziet, is door plaatselijke kunstenaars gemaakt.'

'Het is duidelijk een bloeiende artistieke gemeenschap.'

'Absoluut.' Hij bekeek Matthew van top tot teen. 'Bent u overgekomen uit Engeland?'

Matthew voelde zich ongewoon nerveus nu hij voor een keer als heteroseksuele man in de minderheid was.

'Ja. Ik ben samen met een vriendin. Ze is een familielid gaan opzoeken. Ik wacht op haar.' Hij zweeg even. 'De schilderijen voor het raam...?'

De man knikte.

'Ze zijn prachtig. Ik vind de stijl erg mooi.'

'Ah, ja. Ze zijn erg populair bij de toeristen.'

Bespeurde hij nou iets kleinerends in de toon van de man?

'Ik heb er achterin nog meer.' Hij glimlachte echter toen hij Matthew in die richting wees.

Het waren soortgelijke schilderijen. Een groot doek van een schip vol toeristen in kleurige parka's die naar walvissen keken en diverse kleinere schilderijen van de huizen langs de kust, gemaakt vanaf het strand. Alle stukken gaven met een verbazingwekkend kleurgevoel de grote verschillen weer tussen de natuur en het weer van de kaap, en de bezoekers.

Er kwamen twee nieuwe klanten binnen en de eigenaar van de galerie verontschuldigde zich bij Matthew.

Matthew besloot dat hij het schilderij van het schip mooi genoeg vond om zich af te vragen wat het kostte. Hij stapte naar voren en keek naar het prijskaartje ernaast: *Walviskijkers*, 2002, $2000.

Het was niet de prijs die maakte dat hij naar lucht hapte. Het was de naam van de kunstenaar, die eronder getypt was. 'Rebecca Valentine'.

Het werd vrij plotseling rustig toen Freddie eenmaal het drukke centrum achter zich gelaten had. Ze kwam voorbij wat eruitzag als de laatste koffieshop en meteen loste de menigte zich op en was ze alleen op straat. De architectuur was fascinerend. Veel van de grotere huizen, met veranda's rondom, waren pensions, waar handgeschilderde uithangbordjes wiegden in de wind, adverterend met 'jacuzzi' en 'besloten zonneterras'. Sommige zagen er heel voornaam uit, met glazen torens met windvaantjes erop en kunstig smeedijzer. Sommige waren klein en werden bijna verdrongen door de andere. De meeste waren smetteloos schoon, hoewel bij sommige de tijd en het weer hun sporen hadden achtergelaten.

Ze was er sneller dan ze verwacht had – ze was gefascineerd geweest door het dorp. Nu stak ze een sigaret op en leunde tegen een muur. Dit huis was een van de grootste en was grijs gepotdekseld. Vanaf de weg leken het drie huizen. Twee naar de weg gericht en het derde ertussenin een stuk naar achteren geplaatst, zodat het gelijk kwam met de achterkant van de andere twee en een binnenplaatsje vormde met potten vol liefdevol verzorgde planten en pas geschilderde witte bankjes. Het huis in het midden hing op een grijze pier boven het strand. Aan de straatkant stond voor alledrie de huizen een wit houten hekje en door de zijramen kon Freddie zien dat de enorme ramen in de achtergevel uitkeken over de zee. De ingang was aan de zijkant, met een portiek en een buitenlamp. Ze kon niet ophouden ernaar te kijken, en ze kon niet dichterbij gaan.

Ze glimlachte bijna in zichzelf, omdat ze in gedachten plotseling de stem van Loyd Grossman hoorde: 'Wie woont er in een huis als dit?'

Ze bleef tien minuten alleen maar naar het huis staan kijken. Ze moest een stap naar achteren doen, tegen de lage stenen muur, om twee mensen te laten passeren. Ze draaiden zich een paar meter verder naar haar om en vroegen zich duidelijk af wat ze daar deed. Freddie realiseerde zich dat ze daar niet de hele dag kon blijven staan, maar ze kon zich er niet toe brengen naar binnen te gaan. Ze was niet in staat het poortje te openen, naar het portiek te lopen en aan te bellen.

Misschien had Reagan gelijk gehad.

Toen ging de deur open. Er kwamen en man en een vrouw naar buiten met grote mokken in hun handen.

Haar moeder leek op haar. Haar lengte, houding en haarkleur – ook haar gewicht, als Freddie niet zo goed zou opletten wat ze at.

Die vrouw was haar moeder. De man zag ze nauwelijks. Haar knieën trilden en ze voelde haar wangen rood kleuren.

Dat is mijn moeder.

Ze had niet kunnen voorkomen dat ze gezien werd, zelfs al had ze het geprobeerd. Ze stond daar veel te pontificaal op het trottoir.

Ze keken allebei naar haar, maar zij zag alleen het gezicht van haar moeder.

Ze had het gevoel dat ze eeuwen naar elkaar staarden, maar het was waarschijnlijk maar een paar seconden. Freddie probeerde iets van Rebecca's gezicht af te lezen. Ze zag geen geschoktheid of verbazing. Emotie? Dat zeker. Het was geen boosheid. Toen gaf Rebecca haar mok aan de man en kwam naar haar toe, een paar passen maar. 'Freddie?'

Ze kon het niet. Haar moeders actie zette haar in beweging. Haar hoofd schuddend in zinloze ontkenning week Freddie eerst langzaam achteruit, draaide zich toen om en rende weg. Ze wist alleen maar dat ze wilde rennen. Ze liep zo hard ze kon – ze kon zich niet herinneren ooit nog zo hard te hebben gelopen sinds ze een kind was – de heuvel af en de straat door. Ze bleef rennen tot ze voorbij de laatste koffieshop was die ze pas enkele minuten daarvoor was gepasseerd en ze weer de vertroosting en anonimiteit van de menigte naderde.

Ze zat op het bankje voor de koffieshop met een kop hete chocolademelk en voelde zich stom. Wat een optreden. Matthew was helemaal uit Engeland overgekomen voor dit fiasco, in vredesnaam.

Waarom had die vrouw haar zo bang gemaakt en gefascineerd? Dat was helemaal niets voor haar, en juist dat was zo verwarrend. Dit was helemaal niet hoe Freddie had verwacht te zullen reageren. Ze was sterk, en bekwaam; ze was emotioneel beheerst, en ze werd niet geacht waarvoor dan ook dit soort gevoelens te hebben – vooral niet voor een moeder die ze meer dan dertig jaar niet had gezien, of gemist. Dit alles voelde helemaal niet goed.

Rebecca keek haar na. 'Wat kan ik doen?'

De man die al vijftien jaar haar beste vriend was keek haar in hulpeloze bezorgdheid aan.

Rebecca pakte haar mok koffie weer van hem aan en liep naar het bankje waar ze naar op weg waren geweest. 'Je kunt bij me komen zitten.'

Ze waren vrienden geworden omdat ze allebei gefaald hadden. Rebecca Valentine, mislukt als echtgenote en moeder, was naar Provincetown gekomen aan het eind van haar lange poging weg te lopen voor zichzelf. Vijf jaar later had Cosmo Richardson de Derde, mislukt als echtgenoot en vader, haar daar gevonden. Zij serveerde drankjes in een bar en hij dronk ze.

Er was toen nog geen markt geweest voor haar schilderijen, zelfs geen sympathieke galerie-eigenaar. Ze huurde een paar kamers, gebruikte een daarvan als keuken-slaapkamer-woonkamer en de andere als piepklein atelier, en werkte vijf avonden per week om haar rekeningen te betalen.

Cosmo was zo ver weggelopen als een niet al te avontuurlijke Amerikaan zonder paspoort maar kon – hij kwam uit Sacramento, Californië. Hij had een versmade echtgenote en twee zoons achtergelaten waarvan zij zwoer dat hij ze nooit meer alleen te zien zou krijgen. Haar opvoeding in Oregon had haar gestimuleerd in de gedachte dat homoseksualiteit gelijk stond aan perversie. Hij had zich inderdaad pervers gevoeld: het was niet lang na de opkomst van aids. En hij was jurist. En bovendien echtgenoot en vader.

Rebecca had gelachen toen hij haar vertelde dat hij jurist was. 'Ik ben vervloekt,' zei ze. 'Zeg alsjeblieft dat het niet waar is,' had ze eraan toegevoegd. 'Juristen kunnen alleen geld verdienen, problemen en ellende veroorzaken.'

Hij was geen jurist meer en hij wist dat hij ook niet pervers was. Zijn relatie met Rebecca leek meer op een huwelijk dan het zijne ooit had gedaan. Een goed huwelijk.

De serveerster en de perverse man hadden die eerste avond uren gepraat. Ze had hem meegenomen naar haar kamer en hem op de bank laten slapen, nadat ze hem in haar armen had gehouden terwijl hij huilde. Ze waren de schilderes en de schrijver geworden, wat een stuk eenvoudiger klonk dan het was geweest. Ze hadden enkele magere jaren gehad en allebei jarenlang ook baantjes gehad voor ze de kost konden verdienen met wat ze graag deden. Ze waren niet rijk, maar hadden het wat andere mensen goed noemden. Zijzelf noemden het veilig. Het huis was van hen samen. Ze hadden het tegen een gunstige prijs gekocht omdat het zo vervallen was en het had hen een paar jaar gekost om het te maken zoals het nu was. Ze waren er buitengewoon trots op.

Het voorste linkerdeel was van hem. Hij had een woonkamer, een grote keuken en twee slaapkamers, elk met een eigen badkamer. Het was precies zoals hij het wilde hebben, met veel goud en Tiffany-glas, dat hij kocht wanneer hij er tegenaan liep. Het achterste deel, met het spectaculaire uitzicht over zee was van haar. Het licht daar was fantastisch. Ze had een prachtig atelier, plus de andere kamers, al vermoedde Cosmo dat ze vaker op de grote divan in het atelier sliep dan ze zou toegeven. Hij noemde die periodes haar 'artistieke vluchten', die ze vrij regelmatig doormaakte. Het gedeelte rechts voor verhuurden ze, soms voor een zomer, soms voor een jaar of zelfs een week. Zolang een huurder rustig en tolerant was, maakte het hen niets uit. En gewoonlijk waren ze dat: intolerante mensen verdroegen Provincetown niet zo lang.

Ze hadden allebei geluk en succes gehad. Rebecca's schilderijen verkochten goed op de hele Cape en in een paar leuke zaakjes in Boston. Soms kreeg ze opdrachten, maar ze schilderde voornamelijk wat ze zelf wilde, en de mensen kochten dat.

Cosmo schreef kinderboeken. Hij was de 'schepper' – dat hoorde hij nog steeds graag – van Chunky Perkins, jaszak-popster. Chunky was zo'n vijftien centimeter lang, woonde in de jaszakken van een reeks haveloze figuren en had de vertederende of irritante gewoonte om op ongeschikte momenten tevoorschijn te komen en te gaan zingen. Hij leek een beetje op Tom Jones, of zelfs Elvis voordat de Mars-ijsjes hun tol begonnen te eisen, met een lelijk toupetje en een goed hart, en hij had voor elke gelegenheid een lied.

Cosmo beschikte over een encyclopedische kennis van popmuziek; hij kende de eerste regels van bijna elk nummer dat ooit in de *Billboard* had gestaan, en had een grote verzameling oude 45-toerenplaten. Chunky werd geïllustreerd door een ex-minnaar wiens woede toen Cosmo het met hem uitmaakte niet zo ver ging dat hij de steeds hogere voorschotten weigerde die de kinderboekenuitgever bood. De uitgeverij was een oude, gevestigde firma op Beacon Hill, maar daar kwam hij tegenwoordig zelden, alles stond op schijf. Zijn agent was in onderhandeling met Nickelodeon en het leek erop dat Chunky groots zou doorbreken. Cosmo zette bijna de helft van wat hij verdiende op twee rekeningen voor zijn zoons, waarvan ze niet eens op de hoogte waren, en die bedoeld waren voor hun studie. Hij had hen al acht jaar niet gezien, sinds hun moeder was hertrouwd met een buitengewoon conservatieve man, maar hij stuurde wel nog steeds kaarten en cadeautjes met verjaardagen en Kerstmis. Hij hield er ook een logboek van bij, in een leren album, voor het geval zijn ex-vrouw ze niet aan de jongens had gegeven. Hij geloofde, of hield zichzelf in elk geval voor dat hij dat geloofde, dat ze hem zouden komen zoeken als ze eenentwintig waren, en hij dacht dat hij misschien het album nodig zou hebben om te bewijzen dat hij al die tijd van hen had gehouden. Het was het voorwerp dat hij zou pakken als er brand uitbrak. Dat, en zijn gesigneerde elpee van Diana Ross.

Als Rebecca al foto's had van Freddie, stelde ze die niet tentoon. Hij had er nooit een gezien. En ze praatte ook niet voortdurend – zoals hij over zijn jongens deed – over de hoop haar dochter ooit te ontmoeten. Ze zei dat ze daar geen recht op had. Ze zei dat ze haar besluit had genomen toen ze Freddie in de steek had gelaten en daarbij moest blijven. Hij geloofde dat niet. Er ging geen dag voorbij dat hij niet aan zijn jongens dacht en betreurde dat hij niet bij hen was. Zelfs als de keuzes die hij had gemaakt en het leven dat hij nu leidde, voor hem noodzakelijk waren, deed dat niets af aan de spijt, het schuldgevoel en het verlangen naar hen, en hij wist dat dat ook voor Rebecca gold. Terwijl hij naast haar op de bank in de namiddagzon zijn koffie zat te drinken, wist hij beter dan de meesten wat voor verwarring ze voelde.

Ze hadden geen van beiden kinderen moeten hebben, maar wat had het voor zin dat ze zich dat kwalijk namen? Hij had de zijne gekregen omdat hij was opgegroeid in een tijd en op een plaats waar dat van hem werd verwacht, waar hij al zijn energie erop had gericht om de stemmen in zijn hoofd tot zwijgen te brengen. Zij had haar dochter gekregen als onderdeel van wat zij als een ontsnapping zag.

Tegenwoordig zou het allemaal anders zijn geweest.

Will was nu bijna achttien, Tom zestien maanden jonger. Freddie was twee keer zo oud en hij was bij Rebecca geweest in de periode dat ze hoorde dat Freddie geslaagd was, trouwde en zelf een kind kreeg. Hij moest het accepteren omdat hij van haar hield, maar hij kon niet zeggen dat hij het begreep. Voorzover hij wist, had ze de afstand tussen hen nooit trachten te overbruggen: geen brief, geen telefoontje, geen bezoek. Daarom was hij ook zo verbijsterd geweest toen ze verkondigde dat ze naar de begrafenis van haar ex-man ging. Misschien was het gemakkelijk geweest om weg te blijven toen Freddie in Engeland was. Maar dat ze maar een uurtje rijden bij haar vandaan was moest te veel voor haar zijn geweest.

Hij had met haar mee gewild, maar dat wilde zij niet. Ze kon soms zo verdomd onafhankelijk zijn. Ze was die avond teruggekomen en meteen naar haar deel van het huis gegaan. Het was een onuitgesproken regel tussen hen dat een dichte deur ook echt een dichte deur betekende en hij had haar wens om alleen te zijn gerespecteerd, al had hij de hele avond gehoopt een klop op zijn deur te horen.

Ze leek er niet over te willen praten. Ongeveer een week geleden was ze een paar uur weggeweest. Hij vroeg zich af of ze misschien naar Freddie was gegaan en wachtte opnieuw af.

Nu leek het erop dat Freddie naar hen toe was gekomen. Hij voelde een vreemde mengeling van vreugde voor Rebecca en pure afgunst. Zijn jongens de straat in te zien lopen, op zoek naar hem... wat zou hij dat graag zien. Cosmo stond zichzelf nooit toe te bedenken wat ze tegen hem zouden kunnen zeggen. In zijn fantasie begrepen ze het altijd.

Ze had er precies zo uitgezien als Rebecca die eerste keer dat hij haar ontmoette. De mode was anders, en het haar... maar in essentie was ze dezelfde vrouw. Nu zou zijn beschermende ik Rebecca dwingen erover te praten.

Rebecca zuchtte. 'Ik neem aan dat ze nieuwsgierig was, net als ik.'

'Waarom denk je dat ze niets tegen je zei? Ze was helemaal hierheen gekomen.'

'Ze komt wel terug. Ik was niet dapper genoeg om een gesprek te beginnen op de begrafenis en zij weet nog maar pas dat ik hier ben. Ze heeft tijd nodig.'

'En wat ga je haar vertellen als ze inderdaad terugkomt?'

'Ik neem aan dat ik antwoord zal geven op haar vragen.'

'En?'

Het duurde lang voor ze antwoord gaf. 'Dat hangt van haar af.'

Ze was klaar, dacht ze, voor alles wat Freddie haar voor de voeten kon gooien. Er zou sprake zijn van woede, daar was ze van overtuigd, maar hoe nieuwsgierig zou haar dochter zijn? Rebecca had zich door de jaren heen vaak geplaagd met de vraag of wat ze had gedaan onder welke omstandigheid dan ook te vergeven zou zijn.

Ze zag zichzelf niet als een moeder, maar werd er wel door omringd. Het was de belangrijkste kijk van de maatschappij op een vrouw. Toneelspelen, boeken, televisie, films, overal kon je zien hoe je het goed of fout moest doen. Deed je het fout, dan werd je daar voor altijd voor veroordeeld. Een vrouw leek geen grotere misdaad te kunnen begaan dan een slechte moeder te zijn, en zij was vast de slechtste die er bestond.

Ze had de verschillende scenario's overdacht. Ze had ervoor kunnen kiezen te blijven. Of ze had Freddie mee kunnen nemen – ze probeerde zich het leven dat ze had geleid voor te stellen met Freddie in haar kielzog. Ze probeerde zich voor te stellen dat ze gebleven was. Ze zag niet in dat ze een van die dingen had kunnen doen en daarbij bereiken wat ze nu had bereikt.

Ze had een hoge prijs betaald voor haar geluk, maar ze wist niet of ze dat ooit zou kunnen opgeven. De wond was dertig jaar oud en was zo goed als genezen. Er konden nu weken of maanden voorbijgaan zonder dat ze weer die vreselijke wanhoop voelde.

Nu hij dood was waren haar walging en afkeer voor hem weggesijpeld. Het was als de lagen van een ui, al het kwaad dat ze elkaar hadden aangedaan. Zij had het Freddie aangedaan, hij had het haar aangedaan en het was ook hem aangedaan. Ze waren slachtoffers en ze waren daders. Behalve Freddie. Die had hier niet om gevraagd.

Dus Rebecca was er klaar voor, al die jaren later.

Ze keek naar de straat waarover haar dochter was weggerend en hoopte dat het niet te lang zou duren.

Matthew wachtte op haar in een café onder aan de heuvel. 'Ik ben blij je te zien. Ik geloof echt dat een van die kerels daar naar me zat te kijken...' zei hij.

Freddie draaide haar hoofd om en Matthew trok aan haar arm. 'Niet kijken!'

'Waarom denken alle heteroseksuele mannen altijd dat ze aantrekkelijk zijn voor homo's? Geloof je niet dat het van je afstraalt dat je hetero bent?'

'Jij wel dan?'

'Daar heb ik nooit over nagedacht.' Dat was niet helemaal waar, besefte ze, maar dat ging ze hem niet vertellen. Het volstond al dat hij meende dat elke homo binnen een straal van honderd meter achter hem aan zat, zonder dat hij dacht dat dat ook voor haar gold.

Hij nam een slok van zijn bier.

'Dat ziet er goed uit, mag ik er ook een?'

'Natuurlijk.' Hij wenkte een serveerster, bestelde en boog toen over de tafel naar haar toe. 'Vooruit. Vertel op.'

'Er valt niet veel te vertellen.'

'Heb je haar gezien?'

'Ja.'

'En...'

'Ze lijkt wel wat op mij.'

'Tja, je hebt nooit op je vader geleken, dus ik neem aan dat dat te verwachten was.'

'Dat zal wel.'

'Herkende ze je?'

'Ik denk het wel.'

'Juist.' Matthew had de gretige, open blik van een kind dat op een verhaal zat te wachten. Ze kon zien dat hij belangstellend was, maar wist niet wat ze hem moest vertellen. Hoe kon je in een café bij een biertje over zulke gecompliceerde gevoelens gaan zitten praten? Hoe kon ze ooit zeggen wat ze voelde met betrekking tot die vrouw?

Ze legde haar hand over die van Matthew. 'Luister, Matt... ik heb tijd nodig om het allemaal op een rijtje te zetten zodat ik er straks in hele zinnen over kan praten. Het is zoiets... groots – snap je?' Hij dacht wel dat hij het begreep en glimlachte. Zolang ze hem maar niet wegstuurde. En dat deed ze niet.

Ze dronken nog een paar glazen bier en keken naar de wondere wereld die voorbij kwam. De verliefde stelletjes, armen om elkaar heen, meer homo's dan hetero's, en de touringcar uit New Jersey vol gepensioneerden met hun tassen vol broodjes.

Ze bleven onder de terrasverwarming zitten tot hun tenen en vingers koud werden en liepen daarna gearmd naar de andere kant van de straat waar de auto geparkeerd stond.

Er was niemand anders op aarde met wie ze dit kon doen, dacht Freddie. Reagan en Tamsin zouden niet hebben goedgevonden dat ze niet praatte. Adrian zou haar verlangen naar rust en stilte niet hebben begrepen.

Matthew wilde zijn wat zij wilde dat hij was. Ze was plotseling heel dankbaar, heel ontroerd en voelde zich heel dicht bij hem staan.

Ze passeerden wat eruitzag als de laatste winkel toen het begon te schemeren. Toen zagen ze plotseling rechts van hen een pad naar een stuk strand in de beschutting van met gras begroeide duinen.

'Laten we daarin gaan.' Ze zag het licht van een vuurtoren.

'Heb je het niet koud?'

Dat had ze niet... er stond geen wind. Het was bijna stil hier, alleen het geluid van de zee die een paar meter bij hen vandaan op het strand klotste.

Ze proefde zijn angst en onzekerheid toen ze hem kuste. 'Matt?'

Ze hield zijn gezicht in haar handen. 'Matt, het is goed.' Zelfs in het grauwe licht kon ze zijn ogen vragend naar de hare zien kijken.

'Is dit wat je wilt?'

Dat was het. Ze trok zijn gezicht weer naar het hare toe en zei: 'Ja, alsjeblieft.'

En toen beantwoordde hij haar kus. Wat vreemd om voor het eerst in meer dan twaalf jaar iemand anders te kussen dan Adrian. Het was anders dan in Boston, waar ze zichzelf een halt had toegeroepen voor ze echt was begonnen. Het was allemaal nieuw. Zijn reacties, zijn smaak, zijn geur, zijn lippen op de hare. Ze wilde meer. Ze trok zijn jas open en stak haar handen onder zijn trui. Zijn T-shirt zat in zijn broek en ze trok eraan tot ze zijn blote buik kon voelen, met zacht donzig haar, bracht haar handen omhoog naar zijn harde tepels en toen naar zijn rug en zijn schouders. Hij was warm en stevig. Hij duwde haar nu iets terug zodat hij haar kon aanraken. Het moment dat zijn hand zich in haar beha om haar borst sloot, deed hen allebei stoppen. De intimiteit markeerde een scheidslijn waar ze overheen gingen. Ze konden echter geen van beiden nog stoppen. Ze hadden nog de tijd om zich te bedenken toen hij zijn jas op het zand uitspreidde en ze hun laarzen uit moesten trekken om hun broek uit te kunnen doen. En toen ze om zichzelf moesten lachen, in hun blote benen en met sokken aan. En toen ze nog steeds niet konden stoppen, gingen ze samen liggen, vouwde zij haar sjaal open en gooide die over hen heen. Ze hadden hun ogen open en ze keek hem verbaasd en verrukt aan toen hij bij haar binnendrong en begon te bewegen. En ook dit was anders.

Het was weken geleden sinds ze seks had gehad – dat was lang voor haar – en het voelde goed aan. Adrian wist altijd precies hoe ze het wilde hebben, alsof hij een recept volgde en ze had zich vaak lichamelijk bevredigd gevoeld lang voordat ze mentaal bezig was de liefde met hem te bedrijven. Dit was anders – elke sensatie leek versterkt, nieuw. Ze realiseerde zich dat het voor Matt waarschijnlijk jaren geleden was. Hij beefde.

Hij zei haar naam, één keer maar, in haar nek, zijn adem warm tegen haar koude huid. Ze hield hem dicht tegen zich aan.

Hij kwam veel te vroeg klaar, maar dat gaf niets. Ze was er zelf niet dicht genoeg bij gekomen om zich erdoor gefrustreerd te voelen, en op de een of andere manier was dat niet waar het om draaide. Seks met Adrian draaide alleen maar daarom, en ze waren er heel goed in samen. Het was het beste stukje van hun huwelijk, het stuk waar niets aan was veranderd, dat ze gebruikten om al het andere goed te maken. Freddie kende andere vrouwen wier seksleven helemaal was afgestorven – een vriendin wier echtgenoot nooit meer hetzelfde was geweest sinds hij haar hun kind had zien baren; een andere die nooit nee zei, maar die in gedachten boodschappenlijstjes maakte wanneer haar man boven op haar lag te puffen; een vrouw die al twee jaar niet de aanzet had gegeven tot seks. Freddie had een keer, tijdens een aangeschoten avondje met vriendinnen, toegegeven dat Adrian en zij het nog steeds drie of vier keer per week deden. Ze hadden haar ongelovig aangekeken, deels jaloers, deels ongelovig. Hun reactie had haar het idee gegeven dat verder alles dan ook wel goed zou zijn.

Dit, met Matthew in het halfduister op het vochtige zand, was anders. Het duurde even voor het tot haar doordrong dat ze zich gekoesterd voelde.

Toen hij weer op adem was gekomen, trok hij terug en zochten zijn ogen haar gezicht. 'Het spijt me.'

Ze glimlachte. 'Dat hoeft niet.'

'Wil je...?' Hij kon de zin niet afmaken. Woorden waren kennelijk moeilijker dan daden.

Ze redde hem. 'Me aankleden voordat mijn billen eraf vriezen... nou en of!'

Het was inmiddels verdraaid koud. Toen Matthew opstond kreeg ze kippenvel op de lichaamsdelen die hij met zijn lichaam had bedekt. Ze kleedde zich snel en zonder te praten aan en toen ze klaar waren, trok hij de rits van Freddies jas dicht, zette haar muts recht en kuste haar op haar voorhoofd. Ze sloeg haar armen om hem heen en ze bleven een minuut zo staan voor hij zich van haar losmaakte en haar meetrok naar de weg.

Ook in de auto bleven ze nog een paar minuten zwijgen, terwijl de verwarming warme lucht tegen hun gezichten blies. Matthew was de eerste die iets zei. 'Ik had nooit gedacht dat het zo zou zijn, de eerste keer.'

'Ik heb helemaal nooit over een eerste keer nagedacht. Jij wel?'

Zijn gezichtsuitdrukking werd ernstig en hij keek naar zijn handen toen hij antwoordde: 'Wel honderd keer, Freddie.'

Ze wist niet wat ze moest zeggen.

'Luister eens, je moet er toch iets van hebben beseft, na Boston...?'

Natuurlijk had ze dat, maar ze had zichzelf niet toegestaan daaraan te denken... had geen ruimte gehad om eraan te denken. 'We waren dronken...'

'Doe dat niet,' zei hij plotseling fel. 'Ik was niet dronken. Ik had genoeg wijn op om me moed te geven, dat was alles. Genoeg om me te laten vergeten dat ik maanden en maanden had gedaan alsof ik die gevoelens niet had. Pogingen om je te beschermen, pogingen om Adrian en Sarah en verder iedereen geen onrecht aan te doen. Pogingen om je in het hokje van "beste vriendin" te houden, omdat verder alles zo vreemd aanvoelde. Ik was zo bang dat ik je zou verliezen als ik te snel ging. Ik hield mezelf voor dat ik wachtte tot jij naar mij toe zou komen – tot jij me anders zou gaan zien. Maar, Freddie, dat moment kwam maar niet. Jij kwam maar niet. Weet je wat de doorslag gaf?' Hij wachtte niet op antwoord. Elk woord werd met nadruk uitgesproken. 'Ik zag in dat ik het risico zou moeten nemen. Dat ik het niet kon verdragen zo dicht bij je te zijn zonder het te proberen. Niet meer. Dus vertel me alsjeblieft niet dat dat in Boston gebeurde omdat ik dronken was. Ik heb het gewoon geprobeerd en gefaald. Je zag me nog steeds niet anders.'

Freddie wendde zich naar hem toe. Hij keek haar niet aan, dus bracht ze haar hand naar zijn gezicht en draaide het naar haar toe. 'Ik denk dat ik dat net wel deed.'

Ze las trots en boosheid van zijn gezicht af. 'Dat denk je?'

Freddie kneep geërgerd haar ogen dicht. 'Denken is alles wat ik op het moment kan doen, Matt. Ik weet niet eens meer zeker wie ik ben. Alles in mijn leven waarvan ik dacht dat het vaststond is veranderd. Mijn vader, mijn moeder, Adrian. En nu jij.'

'Het was nooit mijn bedoeling het nog erger te maken voor je.'

'Dat weet ik. En dat heb je ook niet gedaan.' Ze trok hem naar zich toe. 'Dat heb je niet gedaan. Je moet me alleen wat tijd geven. Kun je dat?'

'Tijd heb ik genoeg.'

'En geef me niet te snel op. Alsjeblieft?'

Hij glimlachte triest. 'Nooit.'

'Dank je.'

Ze klampten zich aan elkaar vast.

'Ik hou van je, Freddie.'

'Dat weet ik.' Ze had het altijd al geweten. Het was alleen dat zijn liefde was veranderd, en dat zij dat niet had gemerkt. En ze wist niet zeker of haar liefde voor hem ook was veranderd. Het ging allemaal te snel.

Wat er op het strand was gebeurd, had goed aangevoeld. Behaaglijk en spannend, warm en juist. En nu ze in de auto zaten voelde ze zich niet ongemakkelijk, zelfs met zijn onthullingen en de nieuwe intimiteit die in de lucht hing. Het enige wat ze zeker wist was dat ze niet wilde dat hij haar in de steek liet.

'We kunnen maar beter gaan, voordat Reagan ons als vermist opgeeft,' zei ze.

'Ja.'

Matthew wilde met haar over Sarah praten. Hij wilde haar vertellen dat hij wist dat Sarah het niet erg zou vinden. Hij wilde haar vertellen dat hij daar op het zand, toen hij de liefde met haar bedreef, geen moment aan Sarah had gedacht. Maar net zoals Sarah daar niet bij hen had gehoord, hoorde ze er ook nu in de auto niet bij. En hij was bang – hij had op het moment het gevoel dat hij haar had gewonnen, dat Freddie hem toestond van haar te houden, en hij wilde niets doen om dit nieuwe, kwetsbare evenwicht te verstoren. Onder het rijden, met haar hand op de zijne op de versnellingspook, zwol zijn hart van blijdschap. Hij had haar gekust en zij hem. Hij had haar aangeraakt, de liefde met haar bedreven. Hij kon het nauwelijks geloven. Hij wilde dat hij had kunnen zien wat hij aanraakte, en hij wilde dat er tijd was geweest om het langzamer, beter te doen. Maar er was – altijd, durfde hij nu te geloven – ten minste hoop. Zolang hij het nu niet verprutste. Zolang hij zijn gevoelens en behoeften maar stevig in bedwang hield en haar er niet mee verstikte. Hij wist dat hij dat kon. Hij moest het kunnen.

'Honger?' vroeg Matthew toen ze veertig minuten later Chatham binnen reden.

Ze voelde het pas toen hij erover begon. Ze was uitgehongerd. 'God, ja.'

'Zal ik naar de winkel gaan en een gebraden kippetje halen of zo? God, wat mis ik Indiase restaurantjes ineens! Of denk je dat Reagan de hele middag in de keuken heeft gestaan?'

'Dat kan ik me niet voorstellen. Kip lijkt me een prima idee. Bedankt, Matt.'

Ze vroeg zich even af of hij haar wat ruimte probeerde te geven, maar bedacht dat hij sinds vanochtend waarschijnlijk ook niet meer gegeten had – en de tijd had hen geleerd op culinair vlak niet te veel van Reagan te verwachten.

Hij liet haar uitstappen en reed achteruit terug de weg op.

Pas op de veranda vroeg Freddie zich af hoe ze eruitzag. Waren haar lippen rood, haar wangen ruw door zijn stoppelbaard? Of was de verandering subtieler? Ze voelde Matthews vocht tussen haar benen. Er was geen tijd geweest om na te denken over anticonceptie, maar ze gebruikte nog steeds de pil – dat was net zo'n automatisme voor haar als tandenpoetsen. Had hij ernaar moeten vragen? Waarschijnlijk wel... Maar het moment was daar niet naar geweest. Ze wist dat ze klonk als een van die dwaze meisjes in soapseries, maar het kon haar niets schelen. Ze moest glimlachen om hun roekeloosheid.

Ze glimlachte nog steeds toen ze de deur opendeed en naar binnen stapte. Reagan zat met opgetrokken benen op de bank voor het vuur, een open boek naast haar. Ze zat in de vlammen te staren, haar armen om haar knieën geslagen, maar sprong op toen Freddie binnenkwam. 'Hoe gaat het met je?' vroeg ze.

'Goed. Hoe gaat het met jou?'

'Best. Een beetje eenzaam hier in mijn eentje eigenlijk – ik ben blij je te zien.' Ze keek verwachtingsvol over Freddies schouder naar de deur. 'Waar is Matt?'

Freddie voelde dat ze bloosde. In vredesnaam! 'Hij is wat te eten voor ons gaan halen.'

Reagan keek haar nu aandachtig aan en ze zou het liefst haar gezicht verbergen. Ze was nog niet klaar om erover te praten. Ze trok haar jas uit en zette haar muts af en hing beide aan de haakjes achter de deur. 'Ik lust wel wat te drinken. Staat er een fles wijn open?'

Reagan liet zich echter niet afleiden. 'Wat is er gebeurd?'

'Wat bedoel je?' Het was het beste wat Freddie kon bedenken. 'Met mijn moeder?' voegde ze eraan toe, hoewel ze heel goed wist wat Reagan bedoelde. Dat was het probleem met oude vriendinnen – je kon ze niet voor de gek houden.

'Met Matt.'

Hoe kon Reagan dat zo snel hebben opgepikt? 'Niets.' Ze zei het te snel, te defensief.

'Dat geloof ik niet.'

'Luister, Reagan. Hou erover op, wil je? We hebben elkaar gekust, dat is alles.' Ze wist niet waarom ze loog. Schaamde ze zich? 'Een moment van zwakte. Het stelde niets voor. Zeg er niets over, wil je. Ik weet zeker dat hij er niet over wil praten, en dat wil ik eigenlijk ook niet.'

Reagans gezicht stond echter op onweer en haar ogen waren tot spleetjes geknepen van boosheid. Freddie voelde zich schichtig, en een beetje bang.

'Dachten jullie niet aan Sarah?'

Dat was gemeen. Het was ook de eerste keer dat Sarahs naam werd genoemd sinds...

'Wat bedoel je precies? Dat is niet eerlijk, Reagan. We hebben elkaar alleen gekust, dat is alles,' zei ze weer, al dacht ze niet dat Reagan haar geloofde.

Het was een gespannen avond. Reagan prikte maar wat in het eten dat Matthew had gehaald, rookte genoeg sigaretten om de lucht in de kamer benauwd te maken, en dronk diverse grote glazen wijn.

Matthew vond het vervelend dat ze er was – hij wilde Freddie voor zichzelf hebben. Hij wilde praten over wat er gebeurd was. Of er niet over praten. Hij was tevreden geweest op de terugweg van Provincetown, opgelucht. Toen hij in Chatham van de auto naar de winkel liep, had hij zich geweldig gevoeld en triomfantelijk zijn vuist in de lucht gestoken. Nu werd hij steeds nerveuzer. Het was nog onbestendig, deze nieuwe band met Freddie, en Reagan vormde een schrikbeeld.

Hoewel ze echter niet geneigd leek te praten, had ze ook geen haast om naar bed te gaan. Het was een uur geweest voor ze allemaal naar de trap liepen.

Op de overloop volgde Matthew Freddies dringende blik en liep de logeerkamer in.

Tien minuten later klopte Freddie zachtjes aan en kwam binnen. Hij zat nog steeds, geheel gekleed, op de rand van het bed. Hij had zitten vechten tegen de aandrang om op zijn tenen naar haar kamer te lopen en op haar deur te kloppen. Nu draaide zijn maag zich bijna om in een mengeling van opwinding en opluchting. Ze deed de deur dicht en leunde ertegenaan, met één hand op de klink. Ze fluisterde: 'Lag het aan mij of was de spanning te snijden, vanavond?'

'Het lag niet aan jou. Het kwam door juffertje Siberië.'

'Wat is er toch met haar?'

'Heeft ze je iets over vandaag gevraagd voor ik terugkwam met het eten?'

'Ik heb gezegd dat we elkaar gekust hadden.'

Hij knikte.

'Ze is jaloers.'

'Ze is Glenn Close in *Fatal Attraction*.' Hij lachte, maar het klonk nerveus, zelfs in zijn eigen oren.

'Misschien moet ik met haar gaan praten,' zei Freddie.

Misschien moet je in mijn bed komen liggen en de hele nacht blijven, zou hij willen zeggen. Hij beet op zijn tong. 'Dat zou ik nu niet meer doen. Laat haar er maar een nacht over slapen. Morgen is ze weer in orde. Je weet hoe humeurig ze kan zijn.'

Op dat moment hoorden ze boven hen een deur opengaan. Voetstappen kwamen de trap af, langs Matthews deur en naar beneden, naar de keuken.

Ze moesten allebei giechelen. Freddie stak de mouw van haar vest in haar mond.

Hij vond dat samenzweerderige gevoel heerlijk en was volstrekt niet in Reagan geïnteresseerd. Hij wilde alleen maar dat Freddie bij hem bleef.

'Ik ga naar beneden om met haar te praten.'

'Kom je daarna terug?'

'Ben jij dan nog wakker?'

'Als jij terugkomt wel.'

Ze wilde terugkomen. Ze wilde door hem vastgehouden worden. Ze wilde plotseling naakt tegen hem aan liggen onder het witte dekbed en hem vasthouden terwijl hij sliep.

'Ik kom terug.'

Hij blies haar een kus toe en ze liep achteruit de kamer uit, glimlachend.

Reagan zat aan de keukentafel te roken. Ze had het licht niet aangedaan, maar er viel een streep licht binnen vanuit de gang. De elektrische cijfertjes van de oven en magnetron glommen.

Toen ze Freddie zag, duwde ze de sigaretten naar haar toe.

'Nee, dank je.'

'Vindt hij het niet prettig dat je rookt?'

Freddie probeerde het luchtig te houden. 'Ik hou niet van Amerikaanse sigaretten. Te veel menthol.'

'Ik weet het, van jullie tweeën. Jullie hadden niet als een stel tieners over de overloop hoeven te sluipen, hoor.'

Freddie voelde de vermaning en haar nekharen gingen overeind staan. 'Ik "sloop" niet.'

Reagan wuifde haar tegenwerping terzijde. 'Doet er niet toe. Waar het mij om gaat is dat ik het weet van jullie.' Ze nam een slok uit een whiskyglas dat Freddie nog niet eerder had zien staan. 'Maar weet jij het ook van mij en Matt?'

'Wat is er met jou en Matt?'

'Ik ga ervan uit dat dat nee betekent.'

'Waar heb je het over, jou en Matt?'

'Er is een mij en Matt geweest. Niet recent, natuurlijk. Jij bent nu het snoepje van de maand.'

Freddie wist niet wat ze moest zeggen.

'Ik heb me wel eens afgevraagd of hij soms een of andere weddenschap had aangenomen dat hij het met ons allemaal zou doen. De Tenko-club. Jij, ik, Sarah en Tamsin. Al kan ik hem niet kwalijk nemen dat hij Tamsin tot het laatst bewaart.'

Dat was gemeen – dat begreep Freddie in elk geval. Het was het enige stukje dat ze echt begreep. 'Waar heb je het in godsnaam over?'

'Nou, denk eens na. Eerst was er Sarah. Nou,' ze nam een lange haal van haar sigaret en drukte die toen uit, 'feitelijk was ik er eerst, en toen Sarah en toen ik weer. En nu jij.'

Freddie werd boos. Ze was te moe voor raadseltjes. 'Luister eens, Reagan, ik weet niet waar je het over hebt, maar ik ben bekaf. Ik weet dat je al dagen iets dwarszit. Als je nou eens ophield onzin te verkondigen en me precies vertelde wat er aan de hand is? Dan kunnen we de atmosfeer zuiveren en kan ik terug naar bed.'

Reagan lachte, een hol, geforceerd geluid. 'Het spijt me als ik je uit je bed vandaan houd – of liever gezegd, het zijne. Ik vond dat je hoorde te weten dat de man met wie je op het punt staat naar bed te gaan – of al bent geweest, voorzover ik weet – met twee van je beste vriendinnen geslapen heeft.'

'Wanneer?'

'Nou, Sarah...'

'Sarah niet. Ik heb het over jou.'

'De nacht voor ze trouwden. En weer net na Sarahs dood.'

'Wat?' Freddie voelde zich beroerd.

'Je hebt me toch wel gehoord. Hij zou het natuurlijk ontkennen of proberen uit te leggen. Je weet wel, slippertje net voor het huwelijk, behoefte aan troost na de begrafenis. Misschien brengen kerkdiensten hem in de stemming. Ik heb hem nooit gehad na een doop, en god weet dat we die wel een paar hebben meegemaakt, maar zeg nooit nooit.'

Dit was een Reagan die Freddie niet kende. Humeurig, ja. Uitdagend, soms. Maar dit was pure bittere boosaardigheid en ze goot het als vergif uit over deze ruimte, dit huis, deze dag. Freddie was geschokt, ongelovig, bang bijna. Ze begreep niet waar dit vandaan kwam.

Ze kon er niet eens over nadenken of ze het nou geloofde of niet. Instinctief dacht ze van niet – maar waarom zou Reagan liegen? Nee, de vraag was niet zozeer waarom, maar hoe ze ertoe in staat kon zijn. En wat ze beweerde, was mogelijk. Reagan was alles wat Sarah niet was geweest. Ze was hoekig waar Sarah zacht was, cynisch waar Sarah zachtaardig was, vamp-achtig en sexy waar Sarah ingetogen was.

Ze herinnerde zich hoe hij die middag op haar had gelegen. Ze herinnerde zich hoe goed het had gevoeld. Ze wilde dit nu niet horen, maar Reagan praatte nog steeds. 'En god weet dat hij geen belangstelling had voor iets blijvends tussen hem en mij. Wat dat betreft was er alleen Sarah. Hij zal met jou ook niets blijvends willen, denk ik. Maar jij zult wel teruggaan naar Adrian, niet dan?' Ze snoof. 'Ik neem aan dat je het een vakantieliefde zou kunnen noemen.'

Freddie staarde alleen maar naar haar in het donker.

'Wees niet boos op me, Freddie.' Reagan dronk haar glas leeg. 'Ik wilde alleen maar dat je de waarheid wist. De waarheid bevrijdt je – dat zeggen ze toch?' Ze stond op. Freddie meende dat ze wankelde. Ze moest in korte tijd veel whisky hebben gedronken. 'Ga dus maar fijn door met je neukfestijn op Cape Cod. Stoor je maar niet aan mij.'

Freddie stond ook op. 'Ik stoor me wel aan je, Reagan. Ik begrijp niet waarom je dit doet.'

Reagan gaf geen antwoord en Freddie voelde een overweldigende behoefte om bij haar uit de buurt te komen. 'Ik wil dat je weggaat uit mijn huis.' Ze kon zelf niet geloven dat ze dit tegen Reagan zei. Ze voelde zich geprovoceerd door het uitblijven van een reactie. Gefrustreerd zei ze: 'Het lijkt me het beste dat je morgen vertrekt.'

Reagan liep echter al de trap op. Freddie volgde haar. 'Hoor je wat ik zeg?'

Reagan maakte een verachtelijk gebaar over haar schouder. 'Ik heb je wel gehoord.' Daarna gooide ze haar deur dicht.

Freddie keek naar Matthews deur. Ze kon hem niet onder ogen komen. Ze ging naar haar eigen slaapkamer, deed de deur dicht en ging op het bed liggen. Reagans gemene woorden tolden door haar hoofd. Ze lag te beven. Het zou sowieso zenuwslopend zijn om een dergelijk gesprek met iemand te hebben – maar met Reagan, een van haar oudste vriendinnen...

In zijn eigen kamer hoorde Matthew Freddie en Reagan voorbijlopen en toen werd het stil in huis. Ze waren in de keuken buiten gehoorsafstand geweest, dus hij had niets van het gesprek opgevangen, tot Freddie riep: 'Hoor je wat ik zeg?' en Reagan haar deur dichtgooide.

Een uur lang lag hij gespannen wakker, wilde hij dat ze van gedachte veranderde en naar hem toe kwam. Hij kon het niet opbrengen naar haar toe te gaan: hij was bang voor wat hij te horen kon krijgen. Hij sliep onrustig en beschimpte zichzelf omdat hij zo'n lafaard was. Het was ongeveer vier uur in de ochtend toen hij het er toch maar op waagde. Hij klopte twee of drie keer zachtjes op haar deur. 'Ga alsjeblieft weg, Matt.' Haar stem klonk niet boos. 'Ik kan nu niet met je praten. Ik zie je morgen wel. Alsjeblieft.'

Tamsin nam op toen de telefoon voor de tweede keer overging. Ze lag met haar benen op de bank, met een punt walnotentaart op haar buik. Ze had de gordijnen dichtgetrokken en de televisie aangezet en dacht erover een tukje te gaan doen... nadat ze de taart op had gegeten, natuurlijk. Maar wie had er behoefte aan *Neighbours* als je Freddie had?

Freddie vertelde haar alles, bijna fluisterend. 'Denk je dat het waar is?'

'Natuurlijk niet. Doe niet zo belachelijk. Maar vraag je dat niet aan de verkeerde persoon? Waarom moet je mij bellen als hij daar vlak bij je is?'

'Omdat ik van streek was, en in de war ben.'

'Ik begrijp wel dat je van streek bent. Volgens mij is Reagan helemaal geflipt. Maar in de war?'

Ze had Tamsin het hele verhaal verteld – haar bezoek aan Rebecca, wat er met Matthew op het strand was gebeurd, de uitbarsting van Reagan. Tamsin had een heel gamma aan emoties doorgemaakt: sympathie, verrukking, woede.

'Ik snap jou niet, Fred. Je zei dat het goed aanvoelde, jij en Matt. Ik weet niet wat Reagans probleem is, maar ik geloof echt niet dat het iets met jullie te maken heeft.'

Toen ze had opgehangen had ze geen slaap meer. De baby schopte trouwens ook. Op een gegeven moment stak er een voetje aan de rechterkant naar buiten. Ze pakte het hieltje vast. Hallo baby. Ze maakt jou ook kwaad, hè. Misschien had Neil gelijk en zette Freddie inderdaad zelf obstakels op de weg naar haar geluk. Het ergerde haar dat ze niet daarginds was. Ze wist zeker dat zij alles in orde had kunnen maken.

Freddie had hoofdpijn. Ze geloofde niet dat ze geslapen had tegen de tijd dat het licht begon te worden. Ze hoorde Reagan boven stilletjes heen en weer lopen, maar kon zich er niet toe brengen naar haar toe te gaan. Omstreeks halfzeven stopte er buiten een taxi. Freddie zag vanachter het gordijn dat Reagan vertrok. Dit voelde vreselijk aan. Dit alles. Reagan was al bijna twintig jaar een van haar beste vriendinnen. Het was niet altijd gemakkelijk geweest, maar de vriendschap was blijven bestaan. Dit leek niet iets waar ze weer overheen zouden kunnen komen.

Ze trok een ruime trui aan over haar nachthemd en liep naar de keuken om koffie te zetten.

Er lag een briefje op de keukentafel met haar naam op.

Beste Freddie
Het spijt me verschrikkelijk. Ik haat mezelf voor vannacht.
Ik haat mezelf in het algemeen, trouwens. Zeg ook tegen Matt dat
het me spijt.
Reagan

Matthew kwam naar beneden terwijl ze het stond te lezen. Hij zag er vreselijk uit. Ze was niet naar hem teruggegaan, terwijl ze dat wel had beloofd. Ze gaf hem het briefje en ging thee zetten.

'Wat spijt haar zo, afgezien van het gebruikelijke verhaal?' Hij probeerde zijn toon luchtig te houden.

'Ze heeft me een aantal dingen verteld.'

'Wat voor dingen.'

'Dingen over jou.'

Hij roerde in zijn mok, wachtte.

'Ze zei dat jullie met elkaar geslapen hebben.'

'Wanneer?'

Ze keek hem niet aan dus kon ze zijn gezichtsuitdrukking niet zien, maar zijn stem klonk luid in de vroege ochtend. Ze sloot haar ogen en de woorden kwamen eruit. 'Voordat je Sarah ontmoette.

De avond voor je met haar trouwde. En na de begrafenis.' Ze kon zelf niet geloven dat ze het zei.

Matthew stond op en de stoelpoten krasten over de vloer. 'En jij geloofde haar?'

Ze keek hem nog steeds niet aan.

'Freddie?' Hij schreeuwde nu bijna. 'Geloofde je haar?'

'Nee, natuurlijk niet. Evenmin als Tamsin.'

'Heb je het hier met Tamsin over gehad?'

Freddie knikte.

'Wanneer is dit allemaal gebeurd?'

'Toen ik gisteravond naar beneden ging, zat zij hier. Toen zei ze al die dingen.'

'En Tamsin?'

'Ik heb haar gebeld toen ik naar bed was gegaan.'

Hij was stomverbaasd. 'Waarom ben je niet met mij komen praten?'

'Dat zei Tamsin ook al.'

'En ze had verdorie gelijk. Dit is niet te geloven.'

'Het spijt me.'

'Het spijt je! Dat is geweldig. Dat is echt geweldig, Fred. Je weet echt hoe je een kerel gek moet maken, nietwaar? Gisteren was de mooiste dag die ik in tijden heb gekend. In jaren. Jij voelde het ook. Dat weet ik. En vervolgens heb ik liggen wachten en wachten en jij kwam niet – vanwege dít...' Hij schudde zijn hoofd.

Freddie schaamde zich.

Ze zaten een poosje zwijgend bij elkaar. Toen Matt weer sprak klonk zijn stem zachter. 'Ter informatie, en niet dat ik het kan bewijzen, want dat is niet zo, maar het is maar dat je het weet... Ik heb nooit met Reagan geslapen. Wat niet wil zeggen dat zij het niet heeft geprobeerd. Wat zij je heeft verteld zijn de keren dat ze het heeft geprobeerd. Er was niets tussen ons in Chester voordat ik Sarah ontmoette, behalve misschien in haar hoofd. Ze kwam inderdaad naar me toe de avond voor ik met Sarah trouwde en probeerde me op een beschamende manier te versieren. Ze deed hetzelfde nadat Sarah was overleden, wat van vreselijk slechte smaak getuigde. Beide gevallen waren een kwelling. Ik ben er geen van beide keren op ingegaan en heb niets gedaan of gezegd dat haar zou kunnen aanmoedigen of hoop geven. Ik heb geprobeerd haar haar waardigheid te laten behouden. En ik heb geprobeerd vriendelijk te blijven, omdat ze jullie vriendin was. En om dezelfde reden heb ik er jullie geen van allen iets over verteld. Sarah stierf zonder het ooit te hebben geweten.'

'Het spijt me, Matt. Je had haar moeten horen. Ze zei zulke gemene dingen.'

'Je had mij erbij kunnen halen.'

'Ik weet het. Ik wéét het, en het spijt me.'

Hij stak zijn arm over de tafel heen en pakte haar hand vast. 'Luister, wat maakt het uit? Er is tussen ons niets veranderd. Niet als je mij gelooft. En als je me niet gelooft, heeft dit alles geen zin.'

'Ik geloof je. Ik geloof je echt.'

'Nou dan... dan is er toch niets veranderd, of wel?'

Freddie trok haar hand zachtjes los.

'Wat, Freddie?'

Freddie deed haar best hem een gevoel uit te leggen dat ze zelf niet begreep. 'Ik geloofde haar niet. Ik weet niet wat er met haar aan de hand is en op het moment kan me dat niet erg veel schelen. Maar wat ze zei, de keren waarover ze het had, heeft de dingen weer in de context geplaatst waar ze uitgevallen waren.'

Matthew keek naar haar gezicht. 'Je bent mijn vriend, Matt, een van mijn oudste vrienden. Je bent vreselijk belangrijk voor me. Je bent getrouwd geweest met een van de beste vriendinnen die ik ooit heb gehad. Jullie hadden zo'n geweldig huwelijk...' Freddie zweeg. Ze wist niet hoe ze verder moest gaan.

'We hadden een geweldig huwelijk en toen ging zij dood. Ze is doodgegaan, Freddie. We hielden allemaal van haar, maar ze is gestorven.'

'Maar als dat niet zo was, zou je nog met haar samen zijn geweest.'

Hij snapte haar logica niet. Hij stond op, liep naar de andere kant van de tafel en pakte haar bij haar schouders. 'Als, en als, en als. Maar het is wel gebeurd, Freddie. En nu hou ik van jou. Dat klinkt niet goed – zo eenvoudig of zo snel is het niet gegaan. Ik heb heel lang om haar gerouwd. En ik ben er heel lang kapot van geweest. En nu hou ik van jou. En daar is niets mis mee. Het is net zo puur en net zo oprecht als de manier waarop ik van haar hield. Waarom zie je dat nou niet?'

Ze kon hem geen antwoord geven.

Zijn ogen boorden zich in de hare. Toen liet hij haar los en ging hij weer zitten. 'Dit is zo'n flauwekul, Freddie. Dit alles. Je zoekt steeds nieuwe smoesjes. Sarah, Adrian, Harry, je vader, je moeder. Het is zo'n onzin. Jij voelt het ook, dat weet ik. Denk je dat ik me aan je zou blijven opdringen als ik dat niet wist? Maar ik kan niet voor altijd blijven wachten. Ik ben een goeie kerel, maar ik ben geen sukkel. En als je verwacht dat ik weg zal lopen net als de vorige keer, vergeet het dan maar. Dit wordt hier en nu geregeld, Freddie. Een van ons beiden moet het onder ogen zien. Het spijt me als de timing niet goed is, maar daar kun je je niet langer achter verstoppen. Dit is het moment. We hebben maar één leven, Freddie, en wij weten beter dan de meesten dat tijd iets heel kostbaars is.'

Reagan had een taxi besteld zonder een bestemming op te geven. Nu vroeg de chauffeur: 'Waarheen?' en ze wist het niet. 'Is er een vliegveld op de Cape?'

'Ja, mevrouw. Er is er een in Provincetown, een klein uurtje naar het noorden.'

'Breng me daar dan maar heen.'

'Weet u het zeker, mevrouw?'

'Waar vliegen ze heen?'

'Naar Boston, voornamelijk.'

'Dan weet ik het zeker.'

Het vliegveld bleek uit één gebouw te bestaan. Er was één balie en ze zag nergens bagagebanden of computers, alleen een paar mensen in beige pakken, en een balie van Hertz waar een grote sint-bernard lag te slapen.

Er kwam pas laat in de middag een vliegtuig en ze konden pas rond lunchtijd met zekerheid zeggen of die vlucht door zou gaan – er werd slecht weer voorspeld. De zonneschijn van de vorige dag had plaatsgemaakt voor een grauwe, druilerige mist.

Toen Reagan weer naar buiten stapte was de taxi weg. Hij had waarschijnlijk niet snel genoeg kunnen vertrekken, dacht Reagan.

De chauffeur had een paar keer geprobeerd met haar te praten, maar ze was onbeschoft geweest. Ze had te veel aan haar hoofd om luchtige gesprekjes te voeren.

Ze realiseerde zich dat ze honger had. Ze had de vorige avond nauwelijks gegeten en die ochtend nog helemaal niets. Een van de beige pakken kwam naast haar staan. 'Kan ik een taxi voor u bellen?'

'Waarheen?'

'Nou, als u vastbesloten bent te wachten op die vlucht naar Logan vanmiddag, kunt u denk ik het beste naar Provincetown gaan. Dat is maar een paar kilometer en het is een goede plek om de dag op de Cape door te brengen.'

Ze glimlachte zwakjes en knikte.

De taxichauffeuse die twintig minuten later arriveerde was zo breed als ze lang was en haar lichaam bestond uit diverse rollen boven elkaar – boezem, taille, heupen – in een mannen-T-shirt en een spijkerbroek geperst. Ze had heel kort haar, ringen aan allebei haar duimen en een tatoeage op elke pols, maar een verbazingwekkend zachte stem. Het was niet het plaatselijke accent met z'n harde, korte lettergrepen. Ze klonk veeleer alsof ze uit het verre zuiden kwam. 'Alles goed met je, lieverd?' vroeg ze na een paar kilometer.

Om de een of andere reden antwoordde Reagan: 'Nee, eigenlijk niet.'

'Nou, een hoop mensen zeggen dat een taxichauffeur zo goed als een psychiater is. Wil je erover praten?'

Reagan keek op de meter. Het beige pak had gezegd dat het ongeveer tien dollar was naar Provincetown en er stonden er al zes op de meter. Ze dacht niet dat ze aan vier dollar genoeg tijd zou hebben. 'Niet echt.' Ze glimlachte. 'Maar bedankt. Wat ik wel nodig heb is een plek om de dag door te brengen. Het weer lijkt me niet goed genoeg om walvissen te gaan kijken, en het aantal koppen koffie dat ik kan drinken voor ik weer terug moet voor de middagvlucht is beperkt. Ik heb geld genoeg. Kunt u me ergens heen brengen waar ze kamers verhuren?'

'Dat kan ik wel, ja. Ik zal je naar een geweldige zaak brengen – die wordt gerund door een paar vriendinnen van me. Het is hier vrij rustig zo midden in de week en buiten het seizoen – ik weet zeker dat je er terecht kunt.'

'Dank u.'

Het was inderdaad prachtig, het soort hotel waar je met een geliefde heen zou moeten gaan, hoog op een heuvel, boven aan drie brede trappen gemaakt van spoorbielzen.

Ze zat op de veranda terwijl Tanya met haar vriendinnen was gaan praten. Ze stelde zich voor dat ze zei dat ze een of andere mafkees had opgepikt die op het vliegveld had gestaan zonder enig idee te hebben welk vliegtuig ze zou nemen en waarheen. Die eruitzag alsof ze in tranen zou kunnen uitbarsten, maar er niet over wilde praten.

Toen ze naar buiten kwamen, zagen ze er alledrie uit als verpleegsters die net een terminale diagnose hebben gehoord. Normaal had Reagan een hekel aan medelijden, maar nu voelde ze zich erdoor getroost. Natuurlijk kon ze blijven, zeiden ze. Geen probleem. Er was koffie en er waren muffins. Niemand sprak over geld.

Ze glimlachte dankbaar en dronk wat koffie op de veranda. Ze kon maar een meter of tien voor zich uit kijken door de mist, maar dat uitzicht beviel haar nu wel.

Wat had ze in hemelsnaam gedaan? Om te beginnen had ze verzwegen dat Freddies moeder was langsgeweest. Daarna had ze haar die afschuwelijke, hatelijke leugens over Matthew verteld. Ze waren eruit gefloept voor ze het in de gaten had en ze had de pijn op Freddies gezicht gezien, maar was toch doorgegaan. Jaloezie had als een zuur in haar keel gebrand. Reagan, weer degene die er overschoot. Het was als een spelletje stoelendans, waarbij zij altijd degene was die geen stoel had. Ze had toen ze sprak alleen maar haar eigen pijn gevoeld. Nu was ze hen allemaal kwijt. Dat was wel duidelijk. Ze hadden door de jaren heen heel wat van haar geaccepteerd, maar dit was het einde, dat wist ze zeker. Waarom zouden ze hierna nog iets met haar te maken willen hebben?

En zij waren het beste stukje van haar leven. Het enige echt goede in haar leven.

Reagan huilde niet vaak, maar nu rolden de tranen ongecontroleerd over haar wangen.

En zo vond Rebecca haar.

Rebecca kende de meisjes die het pension in eigendom hadden. Het was een klein plaatsje als je de toeristen weghaalde en het huis stond maar tien huizen bij haar vandaan. Het was dat besef van gemeenschappelijkheid en aanvaarding waar ze zo van hield. De meisjes waren lesbisch, maar het maakte niet uit dat zij dat niet was. Hoewel ze soms wenste dat ze het wel was. Ze vond de meeste mannen niet geweldig – zijzelf had vooral slechte gekozen. Ze was erheen gegaan voor een kop koffie – de percolator stond altijd aan en ze had vanochtend geen zin om te schilderen. De meisjes wisten niets van haar dochter, dus ze was gewoon gekomen om naar de roddels te luisteren, koffie te drinken en te voorkomen dat ze thuis constant naar de weg zat te staren in de hoop Freddie terug te zien komen.

Haar pols versnelde toen ze Freddies vriendin herkende. Misschien was Freddie toch hier. Misschien was ze gisteren niet vertrokken.

Maar het meisje was alleen.

Toen Reagan opkeek en haar zag, schaamde ze zich voor haar tranen en veegde ze driftig met haar mouw door haar gezicht. 'Hallo.'

'Wat doe je hier?'

'Ik heb geen flauw idee.'

'Mag ik bij je komen zitten?'

Reagan haalde haar schouders op, dus Rebecca ging zitten. 'Ze is gisteren naar me toe gekomen. Freddie,' zei Rebecca.

'Dat weet ik.'

'Had je haar verteld dat ik vorige week langs was gekomen?'

'Nee. Sorry.'

'Het is wel goed.'

De tranen begonnen weer te vloeien. 'Nee, het is niet goed.' En nu snikte ze, harde, gekwelde snikken die haar schouders deden schokken en haar gezicht vertrokken.

Rebecca knielde bij Reagans stoel neer en legde een hand op haar onderarm. 'Wat is er in hemelsnaam gebeurd?'

Eerst wuifde Reagan de vraag weg, maar toen Rebecca niet opzij ging en daarmee bewees dat haar bezorgdheid meer was dan alleen beleefdheid, zei ze: 'Ik ben een vreselijk kreng geweest. Ik heb iets onvergeeflijks gedaan.'

Rebecca knikte en streelde Reagans arm. 'Toevallig ben ik 's werelds grootste expert op het gebied van onvergeeflijke daden...'

Reagan viel uiteindelijk op een rode fluwelen bank in de lounge in slaap. Rebecca legde een sprei over haar heen en bleef een poosje naar haar zitten kijken.

Toen pakte ze een klein zwart boekje en haar mobiele telefoon uit haar tas. 'Freddie?'

'Ja. Met wie spreek ik?'

'Met Rebecca Valentine.'

Stilte.

'Ik weet dat je gisteren hier was.' Toen Freddie geen antwoord gaf, vervolgde Rebecca: 'Maar daar bel ik niet over. Ik bedoel, ik zou het heerlijk hebben gevonden als je met me zou willen praten, maar dat is niet waarvoor ik bel.'

'Waarom bel je dan wel?'

'Er is hier een vriendin van je.'

'Reagan.'

'Dat klopt.'

'Wat doet ze in jouw huis? Ze weet niet eens waar je woont. Niet precies.'

'Ze is niet bij mij. Ze is in een pension wat verderop in de straat. Ik ging daar even langs en vond haar.'

'Maar je kent haar niet.'

'Ik heb haar vorige week ontmoet.'

'Ik begrijp het niet.'

'Ik wilde je vorige week komen opzoeken. Je was in Engeland. Ik had Reagan gevraagd je te vertellen dat ik was langsgeweest.'

'Dat heeft ze niet gedaan.'

'Dat weet ik. We hebben met elkaar gepraat. Ik vond dat je moest weten dat ze hier is. Ze wilde vanmiddag een vlucht naar Boston nemen, maar naar het weer te oordelen gaat ze voorlopig nergens heen.'

'Ben je hier geweest?'

'Ja, Ik had het niet moeten doen. Ik was bijna opgelucht toen je er niet bleek te zijn. Het was verkeerd van me. Reagan was daar trouwens heel duidelijk over. Ze zei dat het aan jou was om te beslissen of en wanneer je me zou opzoeken. En ze had gelijk. Maar zoals ik al zei, ik vond dat je nu moest weten dat ze hier is. Ze is er vreselijk aan toe.'

'Waarom belt ze me zelf niet?'

'Omdat ze bang is dat het te laat is. Ze denkt dat het onvergeeflijk is, wat ze gezegd heeft.'

Ze waren zich allebei bewust van de vreemde tekst van dit gesprek. Freddie kon nauwelijks geloven dat ze haar moeders stem hoorde.

Ze was te geschokt om boos te zijn, maar het voelde wel vreemd.

'Luister, ik hoop dat ik hier goed aan heb gedaan,' vervolgde Rebecca. 'Ze is in de Point Inn. Dat is maar een stukje verder de heuvel op dan mijn huis, aan de rechterkant. Voor het geval je het wilt weten.'

Freddie was er niet zeker van of ze het wilde weten of niet.

'Weet ze dat je me belt?'

'Nee. Ze slaapt. Ze heeft zichzelf in slaap gehuild.'

Reagan huilde nooit.

'Juist. Oké. Bedankt.'

Rebecca wist niet wat ze verwacht had, maar wilde niet tot ziens zeggen. 'Graag gedaan.'

Freddie hing op.

'Dat was mijn moeder. Ze heeft Reagan gevonden, die hartstochtelijk zat te huilen in een pension in Provincetown. Ze belde om te zeggen dat ze zich zorgen over haar maakt en vond dat ik moest weten waar ze is.'

'Wat?'

'Ik weet het.' Ze stak haar hand op om hem tot zwijgen te manen. 'Vraag het me maar niet.' En toen: 'Ik ga erheen.'

'Doe het niet.'

'Ik moet wel, Matt. Ik kan het hier niet bij laten. Wat voor vriendin zou ik zijn als ik dat deed?'

'Wat voor vriendin is zij geweest?'

'Een vriendin die niet helemaal in orde was. Een nachtmerrie.'

'Je slaat gewoon weer op de vlucht.'

'Nee, dat doe ik niet. Ik kom terug.' Ze legde haar handen tegen zijn wangen. 'Ik kom terug.'

'En hoe moet het verder met ons?'

Ze kuste hem innig. 'Ik sla niet meer op de vlucht, Matt, maar dit moet ik gewoon doen.'

Ze vond het pension gemakkelijk genoeg. Reagan was er niet. Ze boekte een kamer en gooide haar tas op het bed.

De eigenaressen waren duidelijk gefascineerd door de soap die zich bij hen in huis afspeelde. 'Je bent ook Engelse. Je bent vast Reagans vriendin.'

Voor zo'n geremde vrouw had ze hier wel snel vrienden gemaakt. 'Ja.'

'Ze is op het strand.'

'Met dit weer?'

'Het beste weer om je hoofd leeg te maken. Neem de steile trap hier recht voor, aan de overkant van de weg, als je haar in wilt halen.'

Reagan was ook vaak genoeg wel in orde geweest, als vriendin. Op een avond niet lang na de geboorte van Harry, was ze direct uit haar werk langsgekomen. Ze zag er ongelooflijk chic uit, vond Freddie, in een onberispelijk blauw pakje en met duizelingwekkend hoge hakken zoals Freddie die alleen droeg op avonden dat ze wist dat ze niet ver zou hoeven te lopen.

Adrian was weg geweest en Reagan had de paniek en uitputting in Freddies stem aan de telefoon erkend toen ze zei dat ze Clarissa misschien toch een kindermeisje had moeten laten aannemen.

'Onzin, dat zou geen kindermeisje zijn geweest, maar een spion. Als je die vrouw een vinger geeft... Ik kom naar je toe. Rond zessen.'

Reagan ging nooit voor negen uur naar huis.

Maar die avond was ze gearriveerd, beladen met tassen van Harvey Nichols. Handgemaakte pasta met verse pestosaus en salade, perziksap en prosecco van de delicatessenafdeling ('kan niet koken, weiger te koken'), een zeer royale handtas van Anya Hindmarch ('want ik weiger met je uit te gaan als je zo'n vreselijke luiertas meeneemt') en een keur aan producten van Clarins ('zodat je iets aan die donkere wallen kunt doen'). Freddie was haar bijna in de armen gevallen van dankbaarheid.

'Als je maar niet verwacht dat ik tegen junior ga zitten kirren!'

Nadat ze gegeten hadden, de Bellini's gedronken hadden, de inhoud van de luiertas (een cadeautje van Clarissa) hadden overgeladen en de crème hadden opgebracht, was Freddie op de bank in slaap gevallen. Toen was Harry begonnen te jammeren.

En Reagan had hem in zijn autostoeltje op de leren zitting van haar Alpha Spider gezet en anderhalf uur met hem door West-Londen gereden. Ze was pas teruggekomen toen hij diep in slaap was. Hij had die hele nacht doorgeslapen, en alle nachten daarna.

Het was koud. Was het pas gisteren dat ze hier haar slipje had uitgetrokken? Het weer was behoorlijk omgeslagen. Nu trok ze haar muts over haar oren omlaag en duwde ze haar handen diep in de zakken van haar jas. De wind sneed in haar gezicht.

Reagan stond zo'n honderd meter bij haar vandaan aan de rand van het schuim naar de zee te staren. Toen ze dicht genoeg bij haar was om gehoord te worden riep Freddie: 'Reagan!' Ze draaide zich om. Vijf stappen dichterbij. 'Oké. Ik geloof zelf haast niet dat ik hier ben, maar ik ben er. Matt wilde niet dat ik kwam en ik weet verdraaid zeker dat Tamsin gezegd zou hebben dat ik je in je eigen sop gaar moest laten koken, maar ik ben er. Je mag wel iets goeds te vertellen hebben, want ik zeg je dit, dame, dit is verdomme je laatste kans.'

'Hoe heb je me gevonden?'

Freddie kende Reagan goed genoeg om te weten dat ze zich verzette tegen de impuls om hard weg te lopen. 'Wat doet dat er nou toe? Mijn moeder belde me. Het schijnt dat jullie al kennis hebben gemaakt.'

'Het spijt me.'

'Wat?'

'Alles.'

'Luister, Reagan. Ik ben hier. Help me het te begrijpen.'

'Dat kan ik niet.'

'Of je wilt het niet. Heeft dit iets met Matt en Sarah te maken?'

Reagan gaf geen antwoord.

'Was je verliefd op een van beide?'

Haar gezicht gaf het antwoord.

'Was je verliefd op Matt? Ben je nog steeds verliefd op hem?'

'Ik weet het niet. Ik dacht dat ik het was. Dat heb ik jaren gedacht.'

'En nu?'

'Nee. Ik ben niet verliefd op hem.'

'Wat dan?'

Reagan keek haar aan. 'Ik ben jaloers. Oké? Ik ben zo jaloers dat ik denk dat ik eraan kapot zou kunnen gaan.'

'Waarop?'

'Op wie. Ik ben jaloers op jou, en ik ben jaloers op Sarah – dat was ik althans – en ik ben zelfs jaloers op Tamsin. Ik dacht dat het was omdat ik Matt wilde. Ik heb hem het eerst ontmoet, weet je nog, maar toen werd hij verliefd op haar en toen is het begonnen. Omdat het me duidelijk maakte dat hoezeer ik ook veranderd was op de universiteit, ik nog steeds niet zo goed was als zij.'

'Dat is belachelijk. Dat Matt verliefd werd op Sarah had er niets mee te maken dat zij beter zou zijn dan jij. Zo werkt het niet in de liefde.'

'En hoe moet ik verdomme weten hoe het werkt in de liefde, Freddie? Nou? Wie heeft er ooit van mij gehouden?' Ze sloeg zich bij elk woord van die laatste zin tegen haar borst.

'God, Freddie! Weet je dat ik zelfs jaloers op Sarah was omdat ze doodging? De jaren zullen haar nooit meer ouder maken. Nou? Hoe macaber is dat? Ze ging dood en werd vereeuwigd. Perfecte Sarah. Tragische Sarah. O, begrijp me niet verkeerd, ik hield net zoveel van haar als jullie allemaal – misschien zelfs wel zoveel als Matt. Ze had me gered toen we jong waren. Jij en Tamsin zouden zich nooit iets van me aan hebben getrokken als zij dat niet had gedaan. In het begin sleepte ze me overal mee naar toe, en ik merkte heus wel dat jullie me alleen maar tolereerden. Maar ik wilde erbij horen.'

'Je hoorde er ook bij.'

'Maar dat kwam door haar.'

'Oké.' Freddie worstelde met de kracht van Reagans gevoelens. Dit ging tientallen jaren terug.

'Maar weet je wat ik deed de avond voordat mijn beste vriendin ging trouwen? Ik probeerde met haar verloofde naar bed te gaan. Wat ik je gisteren vertelde – over Matt die het met me aanlegde – dat was niet waar. Het ging altijd van mij uit. Hij heeft me nooit aangemoedigd. Hij heeft het zelfs nooit tegen Sarah verteld, hij wilde niet dat ze kwaad op me werd. En wat deed ik vervolgens? Ik ging naar hem toe toen ze dood was en probeerde het opnieuw. We praatten over Sarah en we huilden allebei en toen hij was uitgehuild ging hij naar bed en viel in slaap. Ik kroop bij hem in bed en begon hem te kussen.'

Freddie was hevig geschokt.

'En hij kuste me terug. Dat is de enige keer dat hij dat gedaan heeft. Hij was niet echt wakker. Hij wist niet dat ik het was, dacht dat zij het was. En toen het tot hem doordrong dat ik het was; ik heb nog nooit iemand zo kwaad gezien. Hij heeft maanden niet tegen me gesproken. Ik zag hem al die tijd niet. Hij gaf me niet de kans me te verontschuldigen. Hij zei gewoon dat hij er nooit meer iets over wilde horen. Natuurlijk is het tussen ons niet meer hetzelfde. Iets dergelijks vergeet je nooit meer. Ik probeerde de rouwende echtgenoot van mijn beste vriendin te versieren. Nu weet je wat voor iemand ik ben. Heb je enig idee hoezeer ik mezelf haat? Ik wilde jou zijn. Of Sarah. Of wie dan ook, als ik mezelf maar niet was..'

'Dit is belachelijk, Reagan.' Freddie was bang. 'Het is krankzinnig. Hoe heb je het zo uit de hand kunnen laten lopen?'

'Ik weet het niet.' Ze zakte op haar knieën in het zand en haar hoofd viel naar voren, zodat haar haren voor haar gezicht hingen. Ze beefde.

Freddie ging dichter naar haar toe en toen ze weer sprak klonk haar stem wat kalmer.

'Ik dacht dat ik het niet erg zou vinden als ik een gigantisch succes werd,' vervolgde Reagan, 'met mijn eigen geld en een fantastische carrière. Ik dacht dat jullie mij dan zouden benijden. Maar dat hebben jullie nooit gedaan – omdat ik nooit iets benijdenswaardigs heb bezeten. Die hoge functie, de chique flat – dat telt allemaal niet, is het wel?'

'Natuurlijk niet. Maar wij dachten dat dat jou gelukkig maakte.'

'Je had geen idee, zie je. En weet je wat nog het meest tragisch van alles is? Jullie tweeën zijn niet alleen de beste vrienden die ik ooit heb gehad – jullie zijn mijn enige vrienden. Jullie hadden het moeten zien.'

'Jij had het ons moeten laten zien.' Freddie knielde bij haar neer en probeerde haar aan te raken.

Reagan kromp ineen. 'Het is nu allemaal te laat.'

'Waarom zeg je dat?'

'Ach, kom nou, Freddie! Doe niet zo verdomd optimistisch – je lijkt Sarah wel. Natuurlijk is het te laat. We kunnen hier niet meer bovenop komen.'

'Wie zegt dat?'

'Dat zeg ik.'

'Je helpt hulp nodig, Reagan, professionele hulp. Jij zit zo diep in een of andere put dat wij je er niet uit kunnen halen.'

Reagan knikte.

'Maar het is niet te laat. Geloof je nou echt dat we vriendinnen gebleven zouden zijn als jij alleen maar het rare meisje van een paar kamers verderop was dat Sarah altijd overal mee naar toe sleepte?'

Reagan hief haar hoofd op en keek haar aan.

'Geen sprake van. We zijn na al die jaren nog steeds bevriend met je omdat we dat willen. Als je een rothumeur hebt, oké, dan ben je echt vreselijk. Je kunt nukkig, pinnig en gemeen zijn. En je hebt je de laatste tijd behoorlijk uitgeleefd wat dat betreft. Maar je kunt ook heel grappig en vrijgevig, spitsvondig en loyaal zijn. Je bent toch hier, of niet soms?'

'Ik ben niet voor jou hierheen gekomen, maar voor mezelf.'

'Ten dele, misschien, maar je weet dat dat niet helemaal waar is.' Ze stak weer een hand uit om Reagan aan te raken en deze keer ontweek die haar niet. 'Het zit allemaal tussen je oren, Reagan. Het zit allemaal hier.' Ze wees.

Reagan verloor plotseling haar stekeligheid. Ze leunde zo zwaar tegen Freddie aan dat Freddie moeite moest doen om haar evenwicht te bewaren, en begon onbedaarlijk te snikken. Tussen de wanhopige klanken door hoorde Freddie: 'Ik ben... gewoon... zo... ongelukkig.' Ze had het gevoel dat Reagan zich eindelijk echt had blootgegeven.

Reagan wilde niet meteen met haar terug. 'Ik kan Matt niet onder ogen komen.'

Freddie wilde haar niet achterlaten. 'Ik praat wel met hem.'

Reagan glimlachte dankbaar. 'Dan nog niet.'

Het was verbazingwekkend loyaal van Matthew dat hij nooit over dit alles had gesproken. Freddie had vrij heldere herinneringen aan zijn trouwdag – ze herinnerde zich hen allemaal samen. Er was een foto: Matthew in het midden met Sarah en de drie meisjes eromheen, allemaal stralend. Freddie zag de foto voor zich. Ze had hem thuis op een boekenplank in de woonkamer staan.

En ze herinnerde zich de diep bedroefde periode kort na Sarahs dood. Ze hadden elkaar afgelost: Tamsin, Reagan, Freddie en Neil. Even binnenvallen, tijd met Matthew doorbrengen, daarna verslag uitbrengen bij de anderen. Op een avond had ze aangebeld en had hij tot haar verbazing geglimlacht. 'Laat me eens raden? Je komt toevallig langs?'

'Natuurlijk niet,' had ze geantwoord. 'Ik heb vanavond weduwnaarwacht.'

Hij had een hand op haar schouder gelegd en gezegd: 'Goed zo – toegeven dat je een probleem hebt is de eerste stap naar herstel.' Ze hadden samen gelachen.

Die avonden waren vreemd. Je kon met hem naar de televisie zitten te kijken of wat te eten staan klaarmaken in de keuken, en praten of gewoon stil bij elkaar zitten, en dan begon hij plotseling stilletjes te huilen. Dan keek je hem aan en welden de tranen op in zijn ogen. Ze hadden dat allemaal met hem doorgemaakt. Op een van die avonden had Reagan gedaan wat ze had verteld. Het was ontstellend. En het sprak boekdelen over Matthew dat hij er nooit over had gesproken.

Je kon immers kiezen in hoeverre je betrokken raakte bij je vrienden? Toen Sarah gestorven was waren ze bijna geobsedeerd geraakt door het verlangen voor hem en voor elkaar te zorgen. Geschoktheid en verdriet hadden hen naar elkaar gedreven omdat ze elkaar erdoorheen konden helpen. Zijn lijden, en hun reactie daarop, waren acuut. Dat van Reagan was chronisch: lange termijn, gemakkelijk te negeren. Freddie kon echt niet zeggen dat het helemaal Reagans schuld was geweest dat zij het niet hadden opgemerkt, hoewel ze een verdraaid goed rookgordijn had opgetrokken. Ze hadden er gewoon voor gekozen het niet te zien. Ze hadden niet voor haar klaargestaan. Als dat wel zo was geweest, zouden ze de aanwijzingen, de tekenen hebben herkend. En misschien zou het dan niet zo ver gekomen zijn.

Matthew was uiteindelijk de enige die Reagan bescherming had geboden – degene die het meest door haar geleden had.

'Matt zal het wel begrijpen.'

'Toch wil ik een paar dagen hier blijven.'

'Waarvoor? Als het alleen is om je te verstoppen, dan...'

'Niet om me te verstoppen.'

'Ik kan je niet dwingen terug te komen.'

'Nee.'

'Maar beloof je dat je terugkomt?'

'Ik beloof het.'

Ze liet Reagan in de Point Inn achter. Ze had verderop in de straat moeten parkeren en moest nu langs Rebecca's huis lopen om bij haar auto te komen. Alleen kon ze dat niet. Ze liep naar de deur en klopte aan. Er werd niet opengedaan. Maar toen ze een stap achteruit deed en weg wilde lopen, ging een andere deur open, in het deel van het gebouw dat het dichtst bij het strand stond.

Rebecca leek niet verbaasd haar te zien. Ze zette de deur wijd open en ging tegen de muur staan om haar binnen te laten. Freddie was dankbaar dat ze niet over koetjes en kalfjes begon of de zware stilte vulde met zinloze gemeenplaatsen. Ze ging naar binnen, blij om uit de kille bries te zijn.

Boven was het warm. Rebecca was aan het werk geweest – er zat een veeg vermiljoen op haar wang en een druppel op de mouw van haar zwarte kiel. Het paste bij de grote sjaal die ze schuin over de andere schouder droeg.

Nu ze hier was wist Freddie niet wat ze zou willen zeggen. Rebecca liet de stilte even voortduren en begon toen te praten. Haar stem klonk zacht. Het Engelse accent waarmee ze moest zijn opgegroeid was grotendeels verdwenen, maar Freddie herkende er toch nog iets van. 'Hoe is het met je vriendin?'

'Dat weet ik niet precies.'

Weer stilte.

'Maar bedankt dat je me gebeld hebt. Ze blijft een paar dagen in het pension.'

'Het is daar goed voor de ziel.'

Freddie keek naar de doeken om haar heen. 'Ze zijn mooi.'

'Dank je.' Ze accepteerde het compliment met een knikje.

'Heb je altijd al geschilderd?' De eerste van een miljoen vragen die ze zou willen stellen.

'Nee, ik ben daar pas hier mee begonnen.' Wanneer was dat? En waarom? Freddie wist niet waar te beginnen.

Dus begon Rebecca. 'Heeft hij je ooit verteld waarom ik ben weggegaan?'

'Hij vertelde me helemaal niets. Je was er gewoon niet.'

'Heb je er niet naar gevraagd?'

'Tegen de tijd dat ik oud genoeg was om het me af te vragen, was de band met hem daarvoor niet goed genoeg.'

'Dat vind ik jammer.'

Freddie haalde haar schouders op.

Rebecca glimlachte. 'Je lijkt waarschijnlijk behoorlijk op mij.'

Freddie onderdrukte de verontwaardigde reactie die ze voelde. 'Hoezo?'

'Het niet-weten heeft niet aan je gevreten. Veel mensen zouden er compleet neurotisch van zijn geworden. Het zou hun hele leven hebben gekleurd.'

Freddie wist niet waarom ze het zou vertellen, maar ze merkte dat ze zei: 'Dat gebeurde wel toen mijn zoontje geboren werd.'

Rebecca knikte peinzend. 'Je begreep niet hoe ik je in de steek had kunnen laten.'

'Nee.'

'Maar het heeft jou tot een betere moeder gemaakt.'

'Misschien.'

'Heb je een foto van Harry?' Ze klonk gretig. 'Ik wist natuurlijk dat hij geboren was. Ik zou graag een foto van hem willen zien.'

Freddie wilde boos genoeg, verbitterd genoeg zijn om Rebecca te straffen, om nee te zeggen. Waarom stak ze dan haar hand in haar tas? Zwijgend gaf ze Rebecca het zachtleren mapje dat ze altijd bij zich droeg. Er zaten drie foto's in: een van Harry als gerimpelde pasgeborene, bijna verborgen tussen de witte lakens; een van hem als peuter, staand tussen haar benen, recht in de camera lachend, een en al blonde krullen en lange wimpers; en de meest recente met een zweem van de man die Harry zou worden, niet langer onbewust voor de lens, de lichtelijk gemaakte pose. Maar nog altijd haar Harry.

Rebecca keek er lange tijd naar. Ze legde haar duim op een van de gezichten en streelde het haast onmerkbaar. Daarna gaf ze de foto's terug aan Freddie. 'Een prachtige jongen.'

Stokte haar stem nou even? Of wilde Freddie dat alleen maar? 'Heb je nooit geprobeerd hem te zien?' Waarom, waarom, waarom niet?

'Hem niet, nee.'

De manier waarop ze het zei maakte dat Freddie vroeg: 'Heb je wel geprobeerd mij te zien?'

'Eén keer, ongeveer een jaar nadat ik was weggegaan.'

Zoals de meeste van Rebecca's zinnen liet ook deze veel ongezegd. Het was bijna ondraaglijk. Freddie wist niet waar ze heen moest met haar vragen, en óf ze daar eigenlijk wel heen moest. Misschien had ze niet moeten komen. Misschien was het beter om het niet te weten. Ze voelde zich daar prima bij. Had zich er altijd prima bij gevoeld.

Maar nu stond Rebecca hier voor haar. Natuurlijk kon ze niet weglopen. Ze kon alleen maar gaan zitten en zich afvragen welk van de pleisters ze van de wonden van haar jeugd en volwassen leven moest trekken, aan welke korsten ze moest krabben tot ze gingen bloeden. Het was zo reusachtig dat ze niet wist waar ze moest beginnen.

En vreemd genoeg, irritant genoeg, leek Rebecca precies te weten wat ze dacht. Ze stond nu bij het grote raam en keek naar de zee toen ze sprak. 'Ik wil je graag vertellen waarom ik ben weggegaan.' Er sprak trots en een zekere opstandigheid uit de houding van haar gracieuze schouders. 'Niet omdat ik naar vergeving verlang of omdat ik denk dat je het dan allemaal zult begrijpen, maar omdat het een begin is.'

Ze lijkt inderdaad op mij, dacht Freddie. Het begin is de meest logische plek om te starten.

Rebecca draaide zich weer naar haar om en ging, met haar benen onder haar getrokken, op de rieten chaise-longue tegenover Freddie zitten.

'Ik was negentien toen ik je vader ontmoette, geen erg volwassen negentienjarige. Ik was toen ongeveer vijf maanden in Boston. Ik was er gaan werken voor een familie die mijn vader kende – iemand die hij voor de oorlog op de universiteit had ontmoet en met wie hij al die tijd bevriend was gebleven. Zijn dochter had een kindermeisje, hulp en gezelschap nodig. Ze had pas een baby gehad en de bevalling was erg moeilijk geweest. Ze was zwak en moe. Ik neem aan dat mijn ouders dachten dat het goed voor me zou zijn, mijn horizon verbreden, en ik wilde heel graag gaan. Ik wilde altijd iets heel graag. Mijn leven was erg... saai geweest. Veilig. Particuliere school, alleen omgaan met het juiste soort mensen, alleen de dingen leren die een jongedame hoorde te leren. Het was verstikkend.' Ze keek Freddie vragend aan en haar dochter knikte – die impuls begreep ze in elk geval.

'Hij kwam op een avond daar eten. Hij was partner in het advocatenkantoor waar Kitty's man werkte. Ik at altijd met hen mee – ik was geen bediende. Kitty en ik waren vriendinnen geworden en ik was dol op de baby. Je vader was een knappe man, vooral die eerste avond dat ik hem ontmoette. Hij was de baas natuurlijk en iedereen wilde indruk op hem maken. Hij was onberispelijk gekleed. Ik herinner me zijn handen, zijn nagels, alsof hij die had laten manicuren. En hij was zo veel groter dan ik dat ik flink omhoog moest kijken. Dat was ik niet gewend en ik vond het prettig. En die eerste avond gebeurde er iets. Het was geen lust – ik had mijn hele leven op een meisjesschool gezeten, dus ik weet niet of ik lust zou hebben herkend als het dat wel was geweest, maar er was iets. Hij keek naar me zoals nog niemand ooit had gedaan. Als... alsof hij me moest hebben. Vanaf het eerste moment dat hij me zag.' Ze staarde nu voor zich uit – herinnerde het zich, vermoedde Freddie. Ze praatte bijna in zichzelf. 'Ik geloof niet dat hij die avond iemand anders heeft aangekeken. Ze wedijverden allemaal om zijn aandacht, maar hij richtte elke opmerking tot mij. Vroeg me van alles over mezelf. Hij had prachtige ogen. Mysterieus. Hij zag eruit alsof hij veel had gezien, weet je?

En toen begon hij me na te jagen. Dat is de enige manier om het te beschrijven. Hij maakte me niet het hof. Het had iets van een missie. Bloemen, briefjes, attenties. De ochtend na dat diner stuurde hij me tien dozijn rode rozen. Ik wist niet dat iemand zoiets echt deed. Het is sindsdien ook niet meer gebeurd! Ik werd er helemaal door overweldigd. Hij keek naar mijn mond als ik praatte, en gaf me het gevoel dat elk geluid dat ik maakte het belangrijkste was wat hij ooit had gehoord. Hij nam me mee naar het ballet, naar het theater, naar chique restaurants – hij maakte me deelgenoot van die werelden. Mijn ouders hadden niet op die manier geleefd en als dat wel zo was geweest, zouden ze mij er nooit in betrokken hebben. Hij gaf me het gevoel dat ik erin thuishoorde. We zaten in de beste stoelen in het theater en de hele tijd wist ik dat hij naar mij zat te kijken in plaats van naar de voorstelling. Alleen maar naar mij. Hij kocht cadeautjes voor me. De dingen die hij voor me deed maakten me sprakeloos en ademloos. Als dat onwaarschijnlijk klinkt, bedenk dan dat ik niet veel meer was dan een kind – een meisje met een beperkte visie op het leven, dat haar idee over romantische idealen had gehaald uit de boeken die ze las, helden als Heathcliff, Jay Gatsby en Maxim de Winter. Mannen met hartstocht, met een verleden; broeierige mannen...'

Haar stem stierf weg. Ze stond op en schonk zichzelf een glas whisky in uit de fles op het bijzettafeltje. 'Het klinkt dwaas, ik weet het,' – Freddie vond van niet – 'maar zo ging het precies.'

Ze hield de fles in Freddies richting, die knikte en ze schonk een paar centimeter in een ander glas.

'Als een meisje tegenwoordig vrijheid en spanning zoekt, wil ontsnappen... dan pakt ze een rugzak en verdwijnt gewoon. Ik wou dat ik dapper genoeg was geweest om zoiets te doen, maar dat was ik niet. Hij leek een kans.

Hij kuste me voor het eerst in het Common. In de lente. De man in het maatpak en het meisje in de rok van kaasdoek, daar in het park. Wat een kus was dat, alsof hij er alles van zichzelf in had gelegd. Ik was nooit eerder gekust, niet echt, niet zo, en als hij me toen gevraagd had in een ravijn te springen zou ik het hebben gedaan. In plaats daarvan vroeg hij me stiekem met hem te trouwen. Jezus, dat was zo romantisch. Naderhand wist ik eigenlijk nooit of ik ja heb gezegd om mijn ouders te treiteren, of omdat het me een avontuur leek, of gewoon vanwege die kus. Een week later waren we getrouwd. Ik had het tegen niemand verteld.'

Ze zweeg even. Freddies hoofd gonsde van de vragen. Waar was het gebeurd? Hoe was het? Wat had je aan? Ze wilde alle leegtes vullen, maar wilde niet dat Rebecca dat wist, en meer nog dan dat, wilde ze dat het verhaal naar haar toe kwam.

'Het zou nooit iets geworden zijn. Hoe kon het ook? Liefde is geweldig, als het dat tenminste was, maar het is niet genoeg. We scheelden meer dan twintig jaar. Het waren de jaren zestig en ik had nog niet geleefd – ik had in mijn leven niets helemaal voor mezelf gedaan. Was niet dronken geweest, had niet met iemand geslapen met wie ik dat beter niet had kunnen doen, laat staan iemand met wie ik het wel had moeten doen, had niet alleen gewoond, had mezelf nog helemaal niet leren kennen. Ik verruilde alleen het ene onderdanige leven voor het andere. Ik was een dwaas.'

Ze zweeg en Freddie wist niet wat ze moest zeggen. Deze man klonk zo anders dan haar vader dat het was of ze naar een gesproken boek luisterde – ze had nog niets gehoord dat ze herkende.

'Ik wou bijna dat ik je kon vertellen dat hij een slechte echtgenoot was, dat hij me sloeg, me bedroog of mishandelde. Iets duidelijks. Ik neem aan dat ik dan beter uit de vergelijking zou komen. Hij was geen slechte echtgenoot, op de manier waarop de meeste echtgenoten worden beoordeeld. Maar zodra ik met hem trouwde was de betovering verbroken, toen veranderde alles. Subtiel, maar duidelijk. Tijd – dat viel het meeste op. Voor we trouwden had hij alle tijd van de wereld voor me, maar erna ging hij meteen weer aan het werk, en bleef hele dagen en vaak tot laat in de avond daar. Ik wist niet waar dat verlangen om bij me te zijn was gebleven. In lucht opgelost. Het is alsof je in de zon ligt te bakken en er dan plotseling wolken voor schuiven – zo plotseling waren zijn aandacht en zijn tijd verdwenen. Ik begreep het niet. En door zijn gebrek aan tijd had ik meer dan genoeg. Ik had niet veel vrienden in de vs. Kitty kreeg weer een baby en ik heb altijd geweten dat ze wat ik had gedaan niet goedkeurde. Mijn ouders hadden me niet vergeven. Ik had hen erbuiten gehouden en ze hebben hem nooit ontmoet. Ik was eenzaam en in de war. Kregelig ook, neem ik aan. Ik wist dat hij zijn belangstelling voor me had verloren en ik snapte niet waarom.

'Ik had mijn eerste verhouding toen jij ongeveer een halfjaar oud was. Ik herinner me dat hij, toen hij daarachter kwam, een keer heeft gezegd dat hij nooit zeker zou weten of je van hem was of niet. Maar dat was je wel. Ik had gewacht om te zien of hij door jouw komst bij me terug zou komen. Dat gebeurde niet. Vandaar die verhouding – nou ja, het is nauwelijks een verhouding te noemen. Ik ging naar bed met de tuinman.' Ze lachte. 'Het klinkt banaal, ik weet het, maar mijn god, wat een lichaam!'

Freddie vroeg zich af of ze vergeten was tegen wie ze het had, maar Rebecca keek haar aan en vervolgde: 'Het spijt me als je het schokkend vindt,' – het leek haar helemaal niet te spijten en Freddie was ook niet geschokt, omdat ze geen beeld van Rebecca als haar moeder had dat Rebecca kon verbrijzelen – 'maar ik heb altijd nogal van seks gehouden. Nadat je geboren was nam hij niet veel notitie meer van me... en de tuinman, nou ja, hij wel.'

Nu glimlachte Freddie. Ze leek meer met haar moeder gemeen te hebben dan ze had gedacht. Als Adrian ooit geen seks meer met haar had gewild, zou ze daar ergens anders naar op zoek zijn gegaan.

Als Rebecca de glimlach al opmerkte, dan liet ze dat niet blijken. Heel even dacht Freddie aan Adrian en Antonia Melhuish.

'Ik neem aan dat het verkeerd van me was, maar het was immers allemaal verkeerd, nietwaar? Ik dacht dat hij misschien ook iemand anders had, hoewel hij me wat dat betreft nooit reden heeft gegeven om aan hem te twijfelen. Hij had gelegenheid genoeg. Het klinkt misschien immoreel, maar ik dacht dat als hij het niet wist...'

'Maar hij kwam erachter?'

'Pas in het jaar dat ik vertrok.'

'Duurde het zo lang?'

'Met de tuinman? God, nee! Er waren anderen. Mijn paardrij-instructeur. De echtgenoot van een buurvrouw – dat zat me niet helemaal lekker, maar voorzover ik weet is ze het nooit te weten gekomen. Een kerel die ik tijdens een dodelijk saai advocatenfeestje ontmoet had. Het ging altijd alleen maar om de seks.' Ze dacht even na. 'Dat is niet waar. Seks, ja, dat had ik nodig, maar ik denk dat het er ook om ging dat ik vastgehouden en gekoesterd wilde worden, al was het maar een paar minuten. Die man had me een behoorlijke klap gegeven. Dat hielp me daar bovenop te komen.'

'En toen?'

'Hij betrapte me. Hij moet iets geweten hebben, die keer. Hij wist waar hij me kon vinden en wanneer.'

Freddie vroeg zich af waar dit toe zou leiden. 'Heeft hij je eruit gegooid?' Was dat wat er gebeurd was? Ze zag plotseling een heel nieuw scenario voor zich: ze wilde me niet in de steek laten, hij dwong haar te vertrekken. Dat zou alles veranderen.

Rebecca schudde haar hoofd. 'Hij had me immers niet bij je vandaan kunnen houden. Er zijn wetten en rechten.'

Freddie was verbaasd over het feit dat haar moeder zich nergens achter trachtte te verschuilen.

'Wat dan?'

'Hij liet die man vertrekken – die was niet belangrijk. Hij liet mij mijn jurk aantrekken. Hij bleef de hele tijd naar me kijken. Ik herinner me zijn walging, alsof ik vies was. Toen begon hij te schreeuwen, te razen. Ik had hem nog nooit zo gehoord. Normaal was zijn boosheid heel rustig, heel ingehouden. Er waren dagen geweest dat ik er alles voor over zou hebben gehad als hij tegen me tekeer was gegaan, over wat dan ook, maar dat was de enige keer dat hij het deed. Hij noemde me een ondankbare hoer. Hij noemde me trouweloos, net als mijn moeder was geweest...' Ze liet de zin onafgemaakt.

Freddie begreep het niet.

Rebecca sprak langzaam verder. 'Maar hij had mijn moeder immers nooit ontmoet.'

Freddie was nog steeds in de war. 'Maar hoe...'

'Hij had haar wel al ontmoet. Daar kwam ik toen achter.'

Freddie stond op en liep naar het raam. De zee was ruwer geworden. Golven braken op het strand. Ze voelde zich beroerd. 'Ik begrijp het niet.'

'Ik begreep het ook niet, maar hij legde het me met alle plezier uit. Ik geloof dat hij ervan genoot omdat hij kon zien hoeveel pijn het me deed.' Rebecca ademde diep in. Freddie kon zien dat het nog steeds pijnlijk voor haar was om erover te praten.

'Hij was verliefd op haar geweest. Ze hadden elkaar tijdens de oorlog ontmoet. Haar vader, mijn grootvader, was hoofd van de politie – en jouw vader was in haar dorp gestationeerd. Klinkt haast als een film, nietwaar? Hun blikken ontmoeten elkaar boven een bonnenboekje. Het is bijna grappig – zijden kousen, chocolaatjes, alles.' Ze lachte nu bitter.

Hij had nooit over de oorlog gesproken, bedacht Freddie plotseling.

'Ze werden kennelijk verliefd op elkaar. Ze waren elkaars eerste liefdes. Hij wilde met haar trouwen. Geloof me, hij liet niets achterwege toen hij het me vertelde, maar hij was toen niet wie hij was toen ik hem ontmoette. Ik veronderstel dat hij nooit veel tegen je gezegd heeft over zijn afkomst? Tegen mij in elk geval niet, niet toen we elkaar leerden kennen. Ik neem aan dat ik het wel dacht te weten. Hij was destijds arm, niet geschoold, had de verkeerde achtergrond en was Amerikaan. Haar vader verbood het, zorgde ervoor dat ze elkaar niet meer konden zien. Klinkt belachelijk, nietwaar? Het zou tegenwoordig zo niet meer werken. Ik neem aan dat het toen ook niet altijd werkte, maar bij mijn moeder was dat wel het geval. Hij stuurde haar naar familieleden en liet haar niet meer naar huis komen. Hij maakte een eind aan elke vorm van communicatie tussen hen. Je vader is altijd van haar blijven houden, en is haar altijd blijven haten omdat ze hem zo gemakkelijk had opgegeven. En ik denk dat het feit dat hem dat als jongeman is overkomen bepalend is geweest voor alles wat hij daarna in zijn leven heeft gedaan.'

'Mijn god.' Dat leek niet voldoende.

Rebecca meesmuilde bijna. 'Nogal een klapper, niet? Mijn eigen man is meer dan twintig jaar geleden verliefd geweest op mijn moeder. Hij was met mij getrouwd... Waarom was hij eigenlijk met

265

me getrouwd? Ik heb jaren de tijd gehad om daarover na te denken. Omdat ik op haar leek. Omdat hij een geest te ruste wilde leggen? Omdat hij zich wilde wreken? Wie zal het zeggen?'

Freddie wreef in haar ogen. Het was te veel. 'Hoe wist hij het?''

'Ik denk dat hij de eerste keer dat hij me zag al iets geweten moet hebben. Ik leek erg op haar. En hij had me van alles over mezelf gevraagd – over mijn ouders, mijn grootouders, waar ik was opgegroeid... en ik voelde me zo gevleid omdat het hem interesseerde.' Rebecca snoof.

'En daarom ben je weggelopen?'

'Daarom ben ik weggelopen.'

'Waarom heb je me niet meegenomen?'

'Ik was in paniek. Ik was bang en geschokt. Dus ging ik ervandoor. Ik heb nooit gedacht dat ik je niet zou komen halen. Ik wist alleen dat ik daar zo snel mogelijk weg moest.'

'Waar ging je heen?'

'Terug naar mijn moeder, geloof je dat?'

'Wist ze ervan?'

'Nee. Hij had na de oorlog zijn naam veranderd. Misschien herinnerde ze zich hem niet eens. Toen ik thuiskwam heb ik lang bij haar gezocht naar de geest van een verloren liefde, naar schaduwen in haar gezicht. Die waren er niet. Misschien had ze het zo diep weggestopt dat niemand het ooit had kunnen zien. En misschien bestond het gewoon niet. Misschien had hij zijn hele leven gebaseerd op het soort leugen dat een vrouw een man kan vertellen. Ze trouwde voor het eind van de oorlog met mijn vader. Ze waren samen opgegroeid, hun ouders waren vrienden. Hij was een echte Engelsman, Eton, Cambridge, onderscheiden in de oorlog. Respectabel, saai, maar bevredigend.'

'En je hebt het haar nooit verteld?'

·'Ze was toen al ziek. Ook iets waar ze niet over spraken. Ze was aan het doodgaan en dat hadden ze me niet verteld. God beware me voor gereserveerde Engelsen. Zo'n levenswijze veroorzaakt zoveel schade. Al die geheimen. Ik hoop bij God dat je jouw zoon niet op die manier opvoedt. Ik wilde het haar vertellen – ik wilde de pijn delen. Ik wilde weten wat er gebeurd was. Ik kon het nauwelijks geloven. Dat was moeilijk als je naar haar keek met haar perfect gekapte haren, haar parelketting – ze droeg die elke dag van haar leven, zelfs de laatste – en haar kasjmier twinset. Ze zag er niet uit als een vrouw die het leven van een man kon verwoesten. Ze leek dat niet in zich te hebben.'

Rebecca haalde haar schouders op. 'Ze was stervende. Dat zag je meteen. Ze was te mager, haar ogen waren geel en haar huid was grauw. Ik kon het haar niet vertellen. Ik hield van haar.'

'En ik dan? Hield je van mij?'

Voor het eerst zakten Rebecca's schouders omlaag en zag ze er zo oud uit als ze was. Ze stak haar hand uit, maar liet hem toen weer zakken. 'Ik hield van je. Heel veel.'

'Waarom ben je dan niet teruggekomen? Zelfs al kan ik begrijpen waarom je bent weggegaan, waarom ben je niet teruggekomen?'

'Ik ben teruggekomen. Eén keer.'

Freddie wachtte.

'Net na de dood van mijn moeder. Ik was op het eerste het beste vliegtuig gestapt.'

'En?'

Rebecca sprak heel zacht. 'Ik zag je in het Boston Common, pal voor het huis. Bij de zwanenbootjes. Je was samen met een jonge vrouw. Je droeg een wit broderie-anglaise jurkje, marineblauwe schoentjes en witte sokjes. Je leek wel een engeltje. Je lachte ergens heel hard om en de vrouw lachte met je mee. Ik begon over het gras naar je toe te lopen. Mijn hart ging hevig tekeer.'

Freddie hield haar adem in.

'Toen sloeg je je armen om haar nek en kuste je haar. Jullie zeiden iets tegen elkaar en het leek alsof jij zei: "Ik hou van je", en toen liepen jullie hand in hand, kwebbelend de andere kant op.'

'En?'

'Ik was je kwijtgeraakt. Niet eens kwijtgeraakt – ik had je weggegeven. Je was niet meer van mij. Je was van je vader. Je was van die vrouw. Ik zag in dat terugkeren in je leven nog egoïstischer zou zijn dan eruit verdwijnen. Ik zag dat je het prima maakte. Beter dan dat zelfs.'

'Dat is niet goed genoeg.'

'Waarvoor niet goed genoeg?'

'Niet goed genoeg om mijn vergeving te krijgen.' Freddie voelde zich wanhopig. Wat had ze willen horen? Dat Rebecca vijfendertig jaar in coma had gelegen, of in de gevangenis had gezeten? Iets. Wat dan ook.

Nu riskeerde Rebecca wel een aanraking: ze legde haar hand op Freddies arm. Freddie trok hem niet weg. 'Ik vraag je niet me te vergeven. Dat zou ik nooit doen. Ik heb gedaan wat ik heb gedaan. Ik kan niet om vergeving vragen – of zelfs maar om begrip. Ik was zelf nog een kind.'

'Je was mijn moeder.'

'Ik wist dat ik niet in staat zou zijn jou de stabiliteit te geven die je nodig had en daar kreeg. Ik wist dat ik het helemaal verkeerd zou hebben gedaan. Ik wist wat ik deed toen ik je daar achterliet. En daarbij hoorde ook het besef dat je me misschien nooit zou vergeven. Daar heb ik al die jaren mee geleefd. En ik heb heel lang gedacht dat ik eraan kapot zou gaan. Maar dat is niet gebeurd. Ik ben blijven leven, en jij ook. En je bent gelukkig geweest, hoop ik. Ik heb mezelf lang geleden vergeven, Freddie.'

Withete woede ontplofte in Freddies hoofd. 'Wat heb je gedaan?' Ze trok haar arm ruw terug. Ze kon nauwelijks geloven wat Rebecca had gezegd.

'Misschien kwam dat er niet helemaal goed uit...'

Freddie gaf haar echter niet de kans het anders te zeggen. Ze hoorde zichzelf roepen, rauw en sarcastisch: 'Goed gedaan, mam. Je hebt jezelf vergeven! Wat verschrikkelijk new age van je! Bedankt dat je het me vertelt! Je zag me lachen in het park en dat gaf je het recht om voorgoed uit mijn leven weg te lopen zonder nog achterom te kijken, en om jezelf te vergeven.'

'Zo was het niet.'

Nu schreeuwde ze bijna: 'Zo was het verdomme wel!' Freddie pakte haar jas en tas van de trapleuning waar Rebecca die had neergehangen.

'Ga niet weg.' Rebecca's zachte smeekbede tegenover Freddies groeiende hysterie.

Freddie keek haar moeder aan en beet haar toe: 'Nou, jammer, mam. Nu is het mijn beurt om weg te lopen. Je bent nu immers gelukkig. Je hebt mij niet nodig. Je bent beter af zonder mij.'

Ze smeet de deur achter zich dicht, harder dan ze ooit een deur dicht had gesmeten.

Boven dronk Rebecca haar whisky op en trok toen haar sjaal strakker om zich heen. Ze ging op de rieten stoel zitten om naar de aanwakkerende storm te kijken.

Buiten in haar auto legde Freddie haar hoofd op het stuur en huilde een hele tijd. Daarna reed ze terug naar Matthew en nu vertelde ze hem alles. Ze vertelde hem over Reagan, over Rebecca en over haar vader. En bijna al die tijd huilde ze.

Later vielen ze aangekleed op het bed in slaap.

Ergens midden in de nacht werden ze verkild wakker, trokken hun kleren uit en kropen onder het dekbed. Matt ging dicht tegen haar rug aan liggen. Voor ze weer in slaap viel, stak ze haar hand naar achteren en streelde Matt over zijn wang. 'Dank je,' zei ze.

'Ga met me mee terug.'

Het was de volgende ochtend en hoewel hij het had geprobeerd kon hij zijn verblijf niet verlengen. Hij moest terug zijn voor een vergadering op vrijdag en ze hadden moeilijk gedaan toen hij daar onderuit probeerde te komen. Toen had hij geprobeerd donderdag een vlucht te krijgen zodat hij rechtstreeks van het vliegveld naar de vergadering kon, maar de vliegtuigen zaten vol, dus moest hij morgen vertrekken. Hij vond het vreselijk om haar achter te laten. Ze zag er vanochtend uit als een langdurig zieke – haar ogen waren gezwollen van het huilen en omgeven door een bleek gezichtje.

Ze had dankbaar geglimlacht toen hij haar een kop koffie bracht, maar had het hoofd geschud. 'Dat kan niet. Ik ben hier nog niet klaar. Bovendien is Reagan er ook nog.'

Hij had een hand uitgestoken om haar gezicht aan te raken en ze had die vastgepakt en de palm gekust. 'Dan kom ik terug,' zei hij.

'Nee. Genoeg geweest. Ik kom snel naar huis.'

'Niet snel genoeg.'

'Je wordt ontslagen.'

'Dat zouden ze niet durven.'

'Je krijgt trombose.'

'Dan trek ik wel van die rare steunkousen aan. Ik kom terug.'

'Grace komt deze week naar huis. En ik verwacht op een gegeven moment een beschaamde Reagan terug.'

'En denk je dat dat zal helpen?'

'Ik weet het niet. Misschien moedigt het me aan ook open kaart te spelen met mezelf.'

'Hou op, Fred. Dit is omvangrijk en dat mag het ook zijn.'

'Ik wil het niet.'

'Ik ben bang dat je geen keus hebt.'

'Laat me je in elk geval naar het vliegveld brengen. Ik heb behoefte aan de stad. Ik heb Harry beloofd sportschoenen van Nike voor hem te kopen – die kun jij dan meenemen en naar hem opsturen.'

'Jij weet echt hoe je een kerel kunt verwennen.'

'Ik ben nog niet eens begonnen!'

Boston

In Boston leek alles minder dichtbij. Ze genoten gewoon van het samenzijn. Toen ze die middag hand in hand over straat liepen bedacht ze hoe gemakkelijk het was gegaan. Dit was toch goed. Dit was in orde.

Toen stonden ze weer voor het huis met de lila ramen. Binnen was een feest in volle gang en er hingen witte lampjes voor de ramen. Mensen in avondkleding dronken champagne en een kelner in gesteven wit pak serveerde hapjes op een zilveren dienblad. Matthew sloeg zijn arm om Freddie heen. 'Weet je nog?'

'Natuurlijk weet ik het nog.'

Ze praatten nu al als een stelletje.

'Dit huis lijkt een beetje op ons, vind je niet?' zei Freddie peinzend.

Hij glimlachte. 'Hoe bedoel je dat precies?' Hij sprak op de toon van een kleuteronderwijzer.

Ze gaf hem zachtjes een por tussen zijn ribben. 'Er ging toch iets mis toen ze die ramen maakten? Zoals het voor mij in september misging.' September leek vreselijk lang geleden. 'Maar het is zo goed, zo mooi gebleken.'

Hij vond het een prachtig idee en begon te geloven dat hij toch zijn happy end zou krijgen. Met haar. Dus kuste hij haar opnieuw voor het huis met de lila ruiten, maar nu was het heel anders dan de vorige keer. Hij kuste haar op haar mond en mompelde tussendoor dat ze gek was en dat hij van haar hield als ze gek was en dat hij gewoon van haar hield, punt uit en zij kuste hem terug, van ganser harte.

Hij werd bijna meteen hard tegen haar dij en ze bracht haar hand omlaag om hem beet te pakken.

Maar Matthew kreunde. 'O nee. We gaan dit niet weer in de openlucht doen. Ik geloof trouwens niet dat ik het zou kunnen in deze kou, ook al ben je de opwindendste vrouw op aarde. Jij en ik gaan op zoek naar een bed.' Hij wendde zich van het huis met de lila ruiten af en ze liepen zo snel als ze durfden de straat over, elkaar stevig vasthoudend op het ijzige trottoir.

Het duurde in feite een poosje voor ze een bed vonden, maar zodra de deur van de hotelkamer achter hen was dichtgevallen, begonnen ze elkaars kleren uit te trekken. Toen Freddie naakt was, hield Matthew haar op een armlengte afstand en draaide haar in het lamplicht heen en weer als in een verfijnde dans. Toen draaide hij haar om, kuste haar in haar nek, op haar rug en weer in haar nek, tot ze huiverde van verlangen. Hij duwde haar in de stoel bij het raam en streelde en kuste haar hele lichaam. Telkens als ze probeerde hem aan te raken, duwde hij haar handen weg, dus kromde ze haar rug en gaf zich aan hem over. Ze voelde zich als een prachtig en dierbaar stuk porselein.

Toen ze het niet langer kon verdragen, duwde ze zich tegen hem aan en viel hij verrast achterover op het tapijt. Ze ging schrijlings op hem zitten en kuste hem hartstochtelijk. Ze wilde nu niet dat hij teder was.

Maar dat was hij wel.

Hij was vergeten hoezeer hij het haar daar op het strand naar de zin had willen maken, hoe hij zichzelf had beschimpt omdat hij te snel, te onhandig was geweest, en zij was vergeten dat iemand anders ooit precies had geweten hoe ze het wilde hebben en op een vreemde, prachtige manier leek het net of het voor allebei de eerste keer was.

Hij droeg haar naar het grote zachte bed. Het duurde heel lang en het was perfect. Ze eindigden zittend, zij op zijn schoot, hun benen achter elkaar uitgestrekt, elkaar stevig vasthoudend, nauwelijks bewegend, nauwelijks hun heupen kantelend en elkaar zo zachtjes over het randje duwend naar iets dat zo perfect en zo intiem en zo liefdevol was dat Freddie tranen in haar ogen kreeg. Toen ze Matthew aankeek zag ze dat hij ook huilde.

Uiteindelijk kreeg Freddie kramp in haar linkerbovenbeen. Ze nam Matthews gezicht in haar handen, kuste zijn lippen en wreef met haar duimen over zijn natte wangen. Toen gingen ze liggen, hand in hand onder het dekbed.

'Wauw.'

'Inderdaad, wauw.'

'Wil je nog een keer?'

'Dan moet je me toch even de tijd geven.' Matthew klonk een beetje bezorgd.

'Het was een grapje.' Ze giechelde en hij genoot van dat geluid.

Freddie strekte zich uit en draaide zich om zodat ze op haar zij tegen hem aan lag. Haar achterste lag tegen zijn schoot en hij duwde een paar keer speels. Ze gaf hem zachtjes een tik.

'Wie maakt er nu grapjes, hè?'

Ze lagen een poos stil naar elkaars ademhaling te luisteren en concentreerden zich op hoe het aanvoelde in elkaars armen, hoe ze roken, hoe ze bij elkaar pasten.

Terwijl Matthew in slaap viel, zei ze, net zo goed tegen zichzelf als tegen hem, en net zo goed slapend als wakend: 'Ik hou van je.'

Engeland

Hoe ging die ene grap ook weer? Zoiets als: 'Dokter, dokter, ik denk dat mijn vrouw dood is.' Waarom denkt u dat, meneer?' 'Nou, de seks is nog steeds hetzelfde, maar het strijkgoed stapelt zich op!'

De seks was zeer zeker niet hetzelfde, dat was wel duidelijk, maar wat zag het huis eruit. Mevrouw Harper – alleen Freddie en Harry mochten haar Barbara noemen – had direct na de herfstvakantie een nieuwe heup gekregen en zou nog lang moeten herstellen. Ze was bovendien boos op Adrian, die toch altijd al bang voor haar was geweest. Ze had een reusachtige boezem en sloeg altijd demonstratief haar armen onder haar borsten over elkaar wanneer ze tegen hem sprak. Bij wederzijdse instemming was dat zelden voorgekomen in de pakweg tien jaar dat ze nu bij hen schoonmaakte. Als Freddie niet terugkwam zou mevrouw Harper ook wegblijven. Daar was hij van overtuigd. Het huis had wel iets van een studentenflat. Er lag een onheilspellend uitziende stapel post op het tafeltje in de gang en de planten waren stoffig. Hij had die ochtend geen schone sokken kunnen vinden en een heroïsche tocht met een arm vol wasgoed naar de bijkeuken was gestrand door een lege fles wasmiddel, en de bijna onbegrijpelijke symbolen op de wasmachine.

Weer boven had hij een paar sportsokken van Harry geleend, maar die waren natuurlijk te klein.

Hij had schoon genoeg van de belachelijke onzekerheid waaraan Freddie hen onderwierp. Ze moest maar naar huis komen. Het was nergens voor nodig dat ze in Amerika bleef. Of dat ze bij hem weg bleef. Hij had dat gedoe met Antonia Melhuish opgebiecht en er een eind aan gemaakt. Wat wilde ze nog meer? Een man had toch zeker wel recht op één overtreding, of niet dan? Hij had vrienden die de ene na de andere verhouding hadden, en die hadden nog steeds schone sokken.

Nee, dit was onacceptabel.

Hij had een paar dagen weinig uitgevoerd. Een lege fles twaalf jaar oude whisky was daar getuige van. Nu was het tijd voor actie. De oude militaire discipline flakkerde weer in hem op. Hij zou beginnen met een werkster te zoeken. Daarna zou hij Freddie bellen en de zaak met haar uitpraten, zodat ze terugkwam waar ze hoorde. Daarna zou hij misschien naar kantoor gaan.

Hij voelde zich al veel beter toen hij de Gouden Gids van de plank pakte. Huishoudelijke hulp – schoonmaakbedrijven...

De telefoon ging net over toen hij hem op wilde nemen om te gaan bellen. Geïrriteerd zei hij: 'Ja?'

'Spreek ik met Adrian Sinclair?'

'Ja.'

'Met Clive Dunmore, Harry's mentor.'

'Ja?' Adrian herinnerde zich hem als een muisachtige man die eruitzag alsof hij niet eens een eind zou kunnen maken aan een ruzie tussen eersteklassers. Hij stond aan het hoofd van de schaakclub en had zo'n belachelijk vissymbool achter op zijn auto.

'Ik vrees dat ik naar nieuws heb. We denken dat Harry is weggelopen.'

'Weggelopen? Hoe bedoelt u, "we denken"?'

'Hij is niet meer gezien sinds gisteravond de lichten uitgingen. Het terrein is doorzocht, maar tot dusver duidt nog niets erop dat ze hier zijn – er wordt nog een andere jongen vermist.'

'Wie?'

'Een nieuwe jongen. Michael Wilson? Hij en Harry zijn dit trimester goede vrienden geworden.'

'Ja. Hij heeft het over hem gehad.' Adrian voelde niet echt paniek, Harry was een flinke jongen, maar maakte zich wel zorgen.

'We hebben net Michaels moeder gesproken en zij heeft niets gehoord. We vroegen ons af of...'

'Natuurlijk niet. Dan had ik het u laten weten. Is er iets gebeurd op school? Een ruzie, of slechte punten of iets dergelijks?'

'Niets bijzonders. We hebben met al zijn leraren gesproken en de staf praat nog met de jongens, maar tot dusver heeft dat niets opgeleverd. We vroeg ons af... of er thuis misschien iets gaande is dat...'

'Wat bedoelt u?' Adrian wist natuurlijk precies wat de man bedoelde, maar de richting die dit gesprek uitging maakte hem kotsmisselijk.

'Nou, we weten dat de ouders van Michael onlangs gescheiden zijn. Hij is zelfs als direct gevolg daarvan bij ons op school gekomen.'

Adrian ontkrachtte zijn onuitgesproken vraag. 'Mijn vrouw is al een groot deel van het trimester in Amerika. Haar vader, die daar woonde, is in september overleden en het afhandelen van zijn zaken en zo neemt veel tijd in beslag. Maar ze was in de herfstvakantie thuis. Er was niets mis met Harry toen ze weer vertrok.' Hij vertikte het om zijn privé-leven met dit onbetekenende mannetje te bespreken. De Sinclairs hingen hun vuile was niet buiten. Bovendien was dat niets voor hem.

'Dus mevrouw Sinclair is op het moment afwezig?'

'Ja, dat is ze inderdaad.' Adrian gaf blijk van zijn ongeduld. 'En wat nu? Hoe gaan we hem vinden? Hebt u de politie gebeld?'

'Jazeker. Er is een agent onderweg hierheen. Hij wilde weten hoeveel geld de jongens bij zich konden hebben.'

'Ik heb geen idee. Houden jullie dat dan niet in de hand?'

'Geld voor de snoepwinkel, ja, natuurlijk. En ze worden niet geacht contant geld mee naar school te brengen, maar...'

'Dan weet ik zeker dat hij niet veel had. Ze kunnen niet ver gekomen zijn.'

'Ik hoop het niet.'

'Ik neem aan dat ik beter hier kan blijven. Ik zal wat telefoontjes plegen.'

'Dat lijkt me inderdaad het beste.'

'U belt me zodra er nieuws is?'

'Uiteraard.'

Adrian hing op zonder gedag te zeggen. Dat had hij weer! Hij keek op zijn horloge. Goddank. Hij kon Freddie nu niet bellen, midden in de nacht. Met een beetje geluk was Harry gevonden voor zij wakker werd.

Hij liep naar de voordeur en stapte de straat op. Hij keek in beide richtingen en hoopte tegen beter weten in dat hij de jongen in zijn richting zou zien lopen. Het was bitter koud – veel kouder dan gisteren. Hij rilde onwillekeurig. Harry was ergens buiten.

Hij ging terug naar binnen en dacht er nog even over Freddie te bellen, maar de angst voor haar reactie was sterker dan zijn behoefte aan steun. Zij was de sterkste van hen beiden. Zij zorgde altijd dat alles goed ging. De wasmachine en Harry.

Schuldgevoel was Adrian vreemd. Hij had zich al die tijd met Antonia niet schuldig gevoeld, maar nu stak het als een mes in zijn hart. Harry was weggelopen om wat hij had gedaan. Hij en die Michael moesten elkaar hebben zitten opjutten, en wat dit ook was – een kreet om hulp of een protest – het was Adrians schuld.

Hij liep weer naar de telefoon en drukte op Tamsins snelkiesnummer. Ze nam zelf op. Hij hoorde ontbijtgeluiden op de achtergrond, Meghan die Flannery probeerde over te halen, Willa en Homer die zaten te kletsen.

'Tamsin? Met Adrian.' Hij wachtte niet op een reactie. 'Harry is van school weggelopen. Heb jij misschien iets gehoord?'

'Shit.' Het werd stil achter haar. 'Nee. Natuurlijk niet.'

'Heb je enig idee waar hij heen kan zijn gegaan?'

Tamsin zweeg een paar seconden. 'Nee, maar ik zal het Homer eens vragen. Wacht even.'

Het werd stil – ze moest haar hand over de hoorn houden.

Adrian voelde zijn hart kloppen en was kortademig.

Tamsin kwam terug. 'Hij heeft er niets over tegen Homer gezegd toen hij in de herfstvakantie hier was.'

'Oké.'

'Heb je het Freddie laten weten?'

'Nee, die slaapt nog.'

'Ze zal het willen weten.'

'Ik geloof niet...'

Tamsin onderbrak hem streng: 'Wees niet zo'n lafaard. Je moet het haar vertellen.'

Ze gaf hem altijd het gevoel dat hij zich moest verdedigen. Dat deed ze al zolang hij haar kende. In zijn achterhoofd hoorde hij haar altijd zeggen: 'Ik ken haar beter dan jij. Ik weet beter wat ze zou willen dan jij. Ik hou meer van haar dan jij.' Dat had ervoor gezorgd dat ze nooit vrienden waren geworden.

Ze was nu echt op dreef: 'En sterker nog, je moet haar op de eerste de beste vlucht zien te krijgen. Ik weet zeker dat ze hier wil zijn.'

'Ik geloof echt niet dat dat nodig is.'

Tamsin kreeg rode vlekken voor haar ogen.

'En het feit dat jij niet meteen inziet dat dat precies is wat Freddie wil en nodig heeft is nou juist de reden dat je huwelijk er zo beroerd voorstaat.'

Hij was geschokt en verontwaardigd. Maar toen hij haar tegen wilde spreken, onderbrak ze hem opnieuw: 'Ik geef je een halfuur. Dan bel ik haar zelf. Doe in godsnaam wat je hoort te doen, Adrian.' Ze hing op.

Tien minuten later belde Freddie Tamsin. Ze zei alleen maar: 'O, mijn god.'

Meer hoefde ze niet te zeggen. Tamsin had door de keuken lopen ijsberen sinds ze na het gesprek met Adrian had opgehangen. Ze had paniek en angst gevoeld en ze had het onvergeeflijke god-zijdank-is-het-er-niet-eentje-van-mij gedacht dat alle moeders denken als ze horen dat het kind van een ander iets ergs is overkomen. Ze had de thee opgedronken die Meghan voor haar had gezet, dus ze was klaar voor het telefoontje. Haar stem was zacht, teder en zo kalm als ze kon opbrengen. 'Het is in orde, Freddie. Alles is goed met hem, dat weet ik zeker. Hij is samen met een vriendje. Dat is veiliger dan alleen. Ze kunnen op elkaar passen. En ze hebben vast niets stoms gedaan, dat weet ik ook zeker. Ik ken Harry.'

Het was koud, grauw en regenachtig en ze voelde zich helemaal niet zo vol vertrouwen als ze klonk.

'Denk je?' Het was de stem en de vraag van een klein meisje.

'Daar ben ik van overtuigd.' Tamsin stapte over op praktische zaken: 'Heeft Adrian een vlucht voor je geboekt?'

'Ja, ik neem aan dat ik dat aan jou te danken heb.'

'Hij was niet helemaal goed bij zijn hoofd. Maar hij heeft het dus wel gedaan?'

'Ja, ik kom met de eerste vlucht vanochtend. Het is een paar uur rijden en je moet belachelijk vroeg inchecken, dus ik moet zo gaan. Godzijdank heeft hij me gebeld. Als hij had gewacht tot de ochtend zou ik zoveel tijd verloren hebben.'

Tamsin zuchtte tevreden. 'Wat is hij aan het doen?'

'Nou, hij heeft inmiddels met een agent gesproken – de politie is nu op school. Ze hebben gezegd dat hij thuis moet blijven voor het geval Harry contact opneemt. En de school heeft de politie alles verteld wat ze wisten... wat hij waarschijnlijk aan heeft...' Freddies stem brak. 'O, Tamsin.'

'Ze vinden hem wel. Freddie?' En toen heel vastberaden: 'Ze vinden hem!'

Het was koud. Hij droeg een hemd, een T-shirt en een sweater onder zijn jas, maar hij had het nog steeds koud. Hij had zijn schoolpet over zijn oren getrokken, maar was vergeten handschoenen mee te nemen en zijn vingers waren stijf van de kou. Hij keek naar Michael, naast hem in het bushokje. Zijn neus was rood, maar hij sliep nog steeds. Hoe kon hij in deze kou slapen? Hij gaf hem een duwtje. Als hij wakker werd zou Michael hem misschien vertellen waar ze heen gingen.

Gisteravond was het spannend geweest, wachten tot het licht uit was, aankleden onder de dekens. Het had een beetje als *Mission Impossible* gevoeld om het terrein te verlaten en het was fantastisch geweest toen ze onopgemerkt de buitenwereld hadden weten te bereiken. Ze waren zo snel ze konden een veld over gelopen en hadden gejuicht toen ze dat durfden. Vrij!

Maar toen zei Michael dat ze moesten blijven lopen. Ze moesten zo ver mogelijk weg komen voordat ze gemist werden, zei hij. Hij had het over politiewagens en speurhonden, dus was Harry blijven lopen.

Michael zei steeds maar: 'Dat zal ze leren dat ze mijn leven niet zomaar ongestraft kunnen verkloten.' Dat zei hij heel vaak. En daarna keek hij Harry aan en voegde er nadrukkelijk aan toe: 'Of het jouwe.' Michael wilde dat het snel ochtend werd, zodat zijn ouders in hun afzonderlijke huizen zich zorgen konden gaan maken en zich rot zouden voelen.

Harry was blij dat mam niet thuis was. Ze zouden het haar vast niet vertellen. Hij wilde niet dat zij zich rot voelde. Maar Michael had gelijk: ouders moesten begrijpen dat ze niet alleen maar aan zichzelf konden denken. Michael zei dat hij had gehoord dat zijn moeder er ruzie over maakte met haar moeder. Zijn oma had gezegd dat zijn ouders 'daders' waren, en dat Michael het enige echte 'slachtoffer' was. Harry dacht dat Michael dat woord wel mooi vond. Hij wist niet zeker wat hij ermee bedoelde, maar hij nam aan dat zijn vriend gelijk moest hebben. Als zijn ouders hun eigen leven wilden 'verkloten' was dat hun zaak, maar hij was het 'slachtoffer' en dit zou ze wel leren. Hij had alleen niet verwacht dat het zo koud zou zijn.

Matthew ging net weg toen de telefoon hing. Hij was al laat en reageerde dus wat ongeduldig.

'Ik ben het, Matt.'

'Freddie!' Ze klonk ongelukkig. 'Wat is er aan de hand?'

Hij had niet zoveel tijd om op zijn woorden van troost te oefenen als Tamsin. De angst klauwde naar zijn maag. 'O, arme Freddie. Arme Harry. Weet je waarom?'

'Ik denk het wel. Het is mijn schuld, dat weet ik zeker.'

'In godsnaam, je kunt helemaal niets zeker weten. Zelfs aangenomen dat het met jou en Adrian te maken heeft, dan is dat verdorie nog niet jouw schuld, toch?'

Hij kon horen dat ze huilde en vond het vreselijk – ze huilde en hij kon haar niet vasthouden. 'Bovendien is dat op het moment helemaal niet belangrijk. Het enige dat ertoe doet is dat hij gevonden wordt. En ze zullen hem vinden. Ze moeten hem vinden.'

'Waarom wil je het me niet vertellen?'

'Hou op met zeuren!'

'Nee.' Harry had er genoeg van. Hij had honger, had het ijskoud en begon bang te worden. Echt bang. Hij wist niet waar ze waren of waar ze heen gingen. Hij had al diverse kilometers niets bekends gezien. Het was overweldigend.

'Hou je mond, Harry.' Hij herkende deze Michael niet meer. Eerder, op school, had het geleken of ze gelijken waren, vrienden. Maar nu was het alsof Michael dacht dat hij de leiding had. En hij zei zulke rare dingen. Sinds het laatste uur of zo, terwijl ze langs de weg doorstapten, dacht Harry dat Michael misschien helemaal geen plan had. Nu wilde hij niet eens meer antwoord geven.

Hij keek op zijn horloge. Het was bijna lunchtijd Ze hadden sinds het avondeten van gisteren niets meer gegeten, behalve de KitKats die ze in hun zakken hadden gepropt. En ze hadden een flesje cola gedeeld. Hij had een briefje van tien pond in zijn achterzak. Aan de overkant van de weg was een garage met een winkeltje erbij en hij had gezegd dat hij daar wat chips of zo wilde gaan kopen. Hij hoopte er even te kunnen blijven hangen, zodat hij wat kon opwarmen. Maar Michael had een krankzinnige blik in zijn ogen en zei dat dat niet mocht omdat ze niet konden riskeren dat ze gezien zouden worden. Harry vond dat een beetje overdreven. Hij dacht aan meneer Dunmore en de andere leraren. Ze zouden omstreeks halfacht, uiterlijk acht uur hebben gemerkt dat de jongens weg waren. Wat school betreft werden ze pas een uur of vier vermist. Hij vroeg zich af wat daar nu gebeurde. De angst om alleen buiten te zijn in de kou streed met de angst voor wat er zou gebeuren als ze werden ontdekt. De laatste won.

Michael zakte nu op het bankje in elkaar en zat plotseling te huilen, te snuffen, in zijn ogen te wrijven, zich schamend voor zijn tranen. 'Ik weet niet waar we heen gaan,' bekende hij. 'Ik kan nergens heen.'

Harry wist niet wat hij moest zeggen. Hij voelde zich verraden, maar hij voelde ook een golf van sympathie voor Michael en erkende dat wat er ook gaande was tussen zijn eigen vader en moeder, dat niet hetzelfde was. Hij had niet dat gevoel van verlatenheid. Hij had niet het gevoel dat hij nergens heen kon.

Het machtsevenwicht was plotseling verschoven. Harry's zelfvertrouwen, dat hem ergens tijdens die koude nacht in het bushokje had verlaten, keerde terug.

Michaels tranen bewust negerend zei hij: 'Wacht hier even.' Hij stak de weg over en liep naar het winkeltje bij de garage. Er stond een rij mannen die het allemaal druk leken te hebben en niemand keek naar hem. Er stond zo'n apparaat waar je zelf warme dranken kon maken en hij maakte zorgvuldig twee bekers warme chocolademelk. Daarna pakte hij een grote reep melkchocolade en een paar boterhammen, ondertussen de prijzen bij elkaar optellend. Het wisselgeld was voldoende voor de telefoon en tegen de tijd dat hij weer naar buiten ging had de warmte van de winkel het gevoel in zijn vingers en tenen hersteld.

Op het bankje was Michael opgehouden te huilen, maar hij zat nog steeds onderuit gezakt tegen de rugleuning, zijn kin in de kraag van zijn jas begraven. Hij nam zwijgend de warme chocolademelk aan en at in recordtijd een boterham op.

Harry zei: 'We kunnen beter iemand bellen.' Michael knikte zonder hem aan te kijken.

'Matthew?' Hij kon zich maar twee nummers herinneren, behalve dat van thuis. Tamsin had niet opgenomen en zijn wanhoop was gegroeid toen hij het antwoordapparaat hoorde aanslaan. En hij kende het nummer van Matthews mobiel, omdat Matthew hem die een paar keer had geleend. Hij kreeg van mam geen eigen mobiele telefoon en op school mochten ze die trouwens ook niet gebruiken. Hij belde het nummer en keek bezorgd naar Michael, die zich nog steeds niet had verroerd. Hij dronk nu in elk geval.

Matthews assistente zat tegenover hem in zijn kantoor te stenograferen. 'Ben jij dat, Harry?'

'Ja.'

'Godzijdank.' Matthew blies opgelucht zijn adem uit. Hij keek op de klok boven het hoofd van zijn assistente. Freddie zat nog in de lucht. Arme meid – dit was een hel voor haar. 'Waar ben je?'

Harry gaf de naam van het dorp en het nummer van de telefooncel vanwaar hij belde en Matthew zei dat hij daar moest blijven wachten terwijl hij de school en Adrian belde.

Vijf minuten later belde hij Harry terug. 'Alles goed met je, jongen?'

'Ik heb het koud, ik ben moe en ik heb honger, maar verder is alles in orde.'

'Wat is er gebeurd?'

'We zijn weggelopen, Michael en ik.'

'Is Michael nu bij je?'

'Hij zit buiten op een bankje. Hij is nogal van streek.'

'Jullie zijn een kilometer of achttien van school vandaan. Ze zijn onderweg naar jullie toe. Je vader ook.'

Harry was nu niet meer bang voor wat ze zouden zeggen. Hij was alleen maar blij dat het voorbij was.

'En mam?'

'Ze zit in het vliegtuig. Ik heb haar een sms-je gestuurd. Dat ziet ze zodra ze geland is. Ze maakt zich vreselijk zorgen, Harry. Je hebt haar de stuipen op het lijf gejaagd.'

'Ik weet het. Het spijt me.'

Matthew hoorde Harry's stem beven. 'Ze zal zich meteen veel beter voelen als ze na de landing mijn berichtje leest.'

Harry zei niets.

'Je vader zal er ook wel snel zijn, kerel.'

'Hij wordt vast woest.'

'Nee hoor.'

'Jawel. Hij zal zeggen dat ik hem heb teleurgesteld en me niet heb gedragen zoals een Sinclair betaamt. Dat soort dingen.'

Matthew wist dat het zinloos was om het te ontkennen. Het was precies wat Adrian ook al tegen hem had gezegd. Toen Matthew hem net had gebeld, had hij eerst ongeveer dertig seconden uiting gegeven aan de normale opluchting van een bezorgde ouder, voordat hij exact zei wat Harry verwachtte te zullen horen. Matthew was blij dat hij met hem aan de telefoon was en niet tegenover hem stond – hij was bang dat hij hem dan een klap tegen zijn aristocratische adelaarsneus zou hebben gegeven. Harry had Freddie veel harder nodig.

Hij wilde Harry aan de telefoon houden tot er hulp kwam – hij voelde dat Harry er behoefte aan had om te praten. 'Wil me erover vertellen, Harry?'

'Niet echt.' Toen: 'Ik wil niet onbeschoft zijn...'

'Maak je daar maar geen zorgen over.' Matthew voelde zich nutteloos, maar praatte over de kou, hoe fijn het zou zijn om een warme douche te kunnen nemen en schone kleren aan te trekken, terwijl Harry niet veel meer zei dan ja en nee.

Na een poosje onderbrak Harry hem: 'Meneer Dunmore is hier.'

'Oké, hang dan maar op. En Harry?'

'Ja.'

'Maak je geen zorgen. Je moeder zal er snel zijn.'

Toen was Harry weg.

Abby keek Matthew vragend aan.

'Dat was Harry, het zoontje van een vriendin. Hij was van school weggelopen,' zei hij. 'Het is al in orde. Zijn mentor is net gearriveerd.'

'Waarom belde hij jou?'

'Ik weet het niet.'

Maar hij wist het wel. Hij wist dat Adrian emotioneel een nul was.

Harry had zich van hem losgemaakt, net zoals Freddie dat had gedaan.

Freddie wilde geloven dat ze die intieme steun van niemand anders nodig had. Hij hoopte dat Harry niet op dezelfde manier beschadigd was.

Toen hij weer opkeek, zat Abby nog steeds naar hem te kijken. 'Alles goed met je?' vroeg ze. Ze bedoelde het goed. Toen hij niet meteen antwoord gaf, stond ze op. 'Zullen we dit maar eventjes laten zitten? Ik werk wel alvast een minuut of tien aan wat je me al heb gedicteerd.'

Wat hij het liefst zou willen was een kop thee, maar daar kon hij tegenwoordig niet meer om vragen. Er was een keuken die geen onderscheid maakte tussen de rangen, vol glimmend roestvrij staal en een koelkast vol van thuis meegebrachte lunches van degenen die slaafs diëten volgden waar restaurants en cafés geen rekening mee hielden. 'Dank je, Abby. Ik denk dat ik maar een kop thee ga halen. Kan ik iets voor je meebrengen?"

'Nee, dank je.'

Ze had twintig minuten geleden koffie gedronken met Jessica, de assistente van de senior-partner. Jessica had informatie over Matthew van haar los proberen te krijgen. 'Kom op – hij zit al weken op een andere planeet. Wat is er?'

Abby was loyaal, maar zelfs zij kon niet doen alsof Jessica het mis had. 'Ik weet het niet.'

Jessica leek daar niet van onder de indruk. Abby wist, omdat Jes-

sica het haar had verteld, dat zij precies wist wat haar baas had gekocht voor de verjaardag van zijn vrouw, en natuurlijk hoeveel het
had gekost, zijn boordmaat, dat hij zijn overhemden licht gesteven
wilde hebben en dat hij niet altijd alleen was als hij in zijn club
overnachtte om aan 'grote zaken' te werken.

'Geld, een vrouw of allebei,' begon ze. 'Dat moet wel.'

Jessica keek te veel televisie en las te veel van die blaadjes met
foto's van Hollywood-sterren en hun cellulitis. Volgens Abby kwam
ze elke dag binnen met het voornemen te doen alsof ze bij hetzelfde advocatenkantoor werkte als Ally McBeal.

'Ik weet het echt niet.' Abby had de melk terug in de koelkast
gezet en de deur dichtgegooid om aan te geven dat de discussie gesloten was.

Waarop Jessica met haar *coup de foudre* was gekomen. 'Nou, hij
mag wel oppassen. Blake houdt hem in de gaten. Dat hoorde ik
hem laatst zeggen. Matthew heeft een paar weken geleden een
hoop werk bij iemand anders neergegooid en is er toen vandoor
gegaan. Volgens Blake heeft hij sindsdien zijn hoofd er niet helemaal bij.'

Abby zag hem door de gang naar de keuken lopen. Ze wist dat
Jessica gelijk had – hij draaide niet op volle toeren, of wat voor
dwaze term je er ook voor wilde gebruiken, en ze maakte zich
zorgen. Over hem, ja, hoewel de romantische ideeën die ze ooit
over haar jonge, tot weduwnaar gemaakte baas had gekoesterd,
vervlogen waren onder zijn sombere, onmededeelzame blikken.
Maar ook over zichzelf als hij op het werk in de problemen kwam,
dan gold dat ook voor haar. En ze had de meiden met wie ze een
etage deelde beloofd dat ze twee weken met hen naar Kreta zou
gaan...

In de keuken kon Matthew niet stil blijven staan terwijl het water
begon te koken. Hij liep heen en weer, keek naar de berichten op
het prikbord zonder ze te lezen, opende de koelkast en rammelde
met het kleingeld in zijn zak.

Freddie zou over een uur of zo landen. Hij wilde naar het vliegveld. Hij wilde zo graag naar het vliegveld dat het bijna ondraaglijk was.

Maar hij kon niet. Omdat hij omkwam in het werk. En omdat hij wist dat zijn baas de verandering in hem had opgemerkt. En omdat hij niet zeker wist of ze zou willen dat hij kwam. En omdat Harry niet zijn zoon was. Hij was de zoon van Freddie en Adrian.

Hij kon gewoon niet.

Het water kookte en hij goot het op het theezakje.

Het was een bijna stekend verlangen, maar hij kon niet gaan.

Het vliegtuig was vroeg en de vlucht had eeuwen geduurd. Freddie had eten, koptelefoons en de krant geweigerd. Ze was niet één keer opgestaan. Ze was bang dat ze zou ontploffen als ze iets zei of zich bewoog. Ze had zes uur lang naar haar handen zitten staren, of naar de stiksels op de stoel voor haar. De zakenvrouw van middelbare leeftijd naast haar probeerde een paar keer een gesprek aan te knopen, maar kreeg alleen heel korte antwoorden. Ze kon niet praten. Niet nu er zoiets gaande was. De vrouw gaf het uiteindelijk op en keek naar een film.

Ze deed hard haar best om de beelden uit haar gedachten te weren waaraan ze kapot zou gaan: Harry verdwaald, Harry bang, Harry gewond, Harry dood. Ze repeteerde dingen die ze zou zeggen en probeerde zich wanhopig te herinneren hoe hij rook als je hem vasthield.

Toen ze geland waren keerde ze plotseling terug in de werkelijkheid door de zachte rock die Virgin in al zijn vliegtuigen liet spelen. Ze had niet eens gemerkt dat het vliegtuig de daling had ingezet. Het televisiescherm voor haar gaf de tijd en de temperatuur aan. Zeven graden stond er. Freddie trok haar vest dicht om zich heen. Ze zette haar mobiele telefoon aan zodra de wielen het asfalt raakten en zette meteen het geluid uit. Er kwam een berichtje binnen: HIJ IS VEILIG. XXX — MATT.

Het bordje van de veiligheidsgordels ging uit, maar Freddie kon de eerste minuut niet opstaan. Haar benen wilden niet.

Ze had ook twee voicemail-berichten. Adrian had gebeld om te zeggen dat hij thuis op haar zou wachten met Harry, en Tamsin had gebeld om te zeggen dat ze van haar hield. Matt had haar vast ook laten weten dat Harry veilig was.

Ze had geen bagage. Ze had gewoon wat spullen in een tas gestopt en was vertrokken. Het was druk in de aankomsthal. Ze keek naar de mensen en realiseerde zich toen dat ze Matthew zocht. Maar hij was er niet. Ze voelde zich even teleurgesteld, maar toen zag ze een bord met haar naam erop en ze liep naar de chauffeur die het vasthield. Adrian moest hem gestuurd hebben. Daar had hij tenminste aan gedacht.

Het enige wat er nu toe deed was zo snel mogelijk bij Harry zijn.

Hoewel hij tijdens de herfstvakantie groter had geleken, leek hij nu weer klein, kwetsbaar en bang. Hij vloog in haar armen toen ze de kamer binnenkwam en liet toe dat ze hem lange tijd vasthield, door zijn haren streelde en zachtjes in zijn oor mompelde. Toen ze zijn paniek voelde zakken en zijn hartslag rustiger werd hield ze hem op een afstandje met haar handen op zijn schouders en keek ze hem recht aan. 'Beloof me dat je zoiets nooit meer zult doen.' Ze schudde hem zachtjes door elkaar, maar trok hem toen weer in haar armen en zei boven zijn hoofd: 'Ik was zo bang, Harry. Zo vreselijk bang. Wat nou, als... als...?' Ze maakte de zin niet af, klampte zich alleen maar aan hem vast.

Ze stuurde Harry de douche in terwijl zij een boterham met bacon voor hem maakte. Veel meer had Adrian niet – het was de koelkast van een vrijgezel.

Hij was bijna te moe om te kauwen en zijn ogen lagen diep in hun kassen. Hij at langzaam, maar kon bijna niet wakker blijven. Hij had de hele nacht niet geslapen en moest dat inhalen. Zijn ogen vielen dicht zodra hij in bed lag. Toen ze bij de deur stond, mompelde hij: 'Sorry, mam.'

Ze liep naar hem terug en aaide hem over zijn wang. 'Ga maar slapen. We praten later wel.'

Adrian had een fles wijn opengemaakt en ze nam het glas aan dat hij haar aanbood. Ze was zelf ook moe. Het was een afschuwelijke dag geweest. Ze schopte haar schoenen uit en ging op de grootste bank zitten. Adrian nam tegenover haar plaats.

'Wat een puinhoop,' mompelde ze.

'Ik weet het. Het spijt me.'

Hij leek zichzelf niet en ze voelde een golf van sympathie. Hij hield van zijn zoon, dat wist ze. Ze hadden het weliswaar niet samen of op dezelfde manier beleefd, maar ze hadden het allebei doorgemaakt.

'Het moet vreselijk zijn geweest om in dat vliegtuig te zitten.'

'Dat was het inderdaad. Het zal voor jou ook wel moeilijk zijn geweest om het me te moeten vertellen.'

'Dat zou ik niet gedaan hebben – ik ben niet erg dapper, vrees ik – maar Tamsin heeft me gedwongen.' Hij glimlachte wrang.

'Ze had gelijk. Ik zou het vreselijk hebben gevonden om het niet te weten. Ik ben zijn moeder.'

Adrian keek haar bijna beschaamd aan.

Ze ademde diep in en nam een slok wijn. 'We moeten de zaak bespreken.'

'Freddie...'

Ze stak haar hand op. 'Laat me uitpraten, Adrian, alsjeblieft. Ik heb het allemaal in mijn hoofd zitten en ik moet het nu zeggen.'

Hij stond op, liep naar het raam en keek naar de tuin. Ze ademde opnieuw diep in. 'Het spijt me als het hard overkomt, maar ik denk dat ik het beste eerlijk en duidelijk kan zijn. Ik wil gewoon niet meer met je getrouwd zijn.' Ze kon zijn gezicht niet zien en kon zijn reactie dus niet peilen.

'Het zit al een hele tijd niet goed meer. Het is niet Antonia Melhuish. Ik geloof dat we daar wel overheen hadden kunnen komen als het alleen dat was geweest.' Terwijl ze het zei besefte ze echter dat het nooit alleen dat geweest kon zijn. 'Het gaat veel dieper dan een verhouding. We zijn niet gelukkig samen, jij en ik. We willen niet dezelfde dingen. We zien de dingen niet hetzelfde. We zijn geen stel. Een stel dat getrouwd wil blijven, moet elkaars beste vrienden zijn. Ze moeten dingen hetzelfde voelen, dat doen wij niet.'

'Ik heb nooit het idee gehad dat we alles samen moesten doen.'

'Dat bedoel ik ook niet. Natuurlijk niet. Maar aan het eind van de dag zouden we dezelfde dingen moeten willen.'

'Ik begrijp het niet.'

Verwarring en frustratie stonden in zijn gezicht geëtst toen hij zich naar haar omdraaide. 'Ik wil niet de rest van mijn leven op deze manier blijven leven. Dat wil ik niet meer. Ik verdien beter.'

'Is er iemand anders?'

'Dat heeft er net zo weinig mee te maken als Antonia Melhuish, maar ja, er is iemand anders.'

Nu las ze geschoktheid en woede in zijn uitdrukking. Ze zou niet tegen hem gelogen hebben, maar ze wilde dat hij het niet had gevraagd.

'Wie is het, verdomme?' Toen ze geen antwoord gaf, keek hij peinzend de kamer rond en even later sperde hij zijn ogen open. 'Matthew! Die klootzak!'

'Adrian...'

'Nu begrijp ik het. Hoe lang is dat al gaande? Je laat mij steeds maar mijn excuses aanbieden voor dat gedoe met Antonia en mezelf een stommeling voelen, terwijl al die tijd...'

'Schreeuw niet zo. Harry heeft voor vandaag genoeg meegemaakt.'

'Harry! Het klopt gewoon allemaal. Matthew heeft de genegenheid van mijn zoon van me afgepikt – in godsnaam, Freddie, hij was zelfs de eerste naar wie hij belde toen hij was weggelopen.'

Adrian was nu echt kwaad. Hij zag de dingen eenvoudig, bedacht ze: als je niet met je echtgenoot sliep, dan sliep je met iemand anders.

'Ik bedoel, ik vind het erg dat zijn vrouw dood is, maar dat wil nog niet zeggen dat hij die van iemand anders in kan pikken.'

Hij ging weer luider praten en Freddie was oprecht bang dat Harry er wakker van zou worden. En ze wilde het hem zelf vertellen. Ze wilde niet dat hij erachter kwam doordat hij hen van bovenaan de trap ruzie hoorde maken.

Ze ging zo dicht mogelijk bij Adrian staan en beet hem toe: 'Hou je mond! Als je Harry wakker maakt, vermoord ik je!'

Het venijn in haar stem bracht hem tot zwijgen en brak de betovering van zijn woede. Hij liet zich in de dichtstbijzijnde leunstoel zakken.

'Matthew heeft er niets mee te maken dat het tussen jou en mij niet meer gaat. Hij heeft me niet van je afgepakt – hij kan niets aan zijn gevoelens doen. En ik kan niet worden weggegeven of gepakt. Wat er is gebeurd, is gebeurd nadat jij me hebt verteld – misschien weet je dat nog – dat ons huwelijk voorbij was.'

'Ik heb toch gezegd dat ik me vergist heb. Je hoefde het me niet betaald te zetten!'

Ze wist niet hoe ze tot hem door moest dringen. Zijn gebrek aan begrip was verbijsterend. 'Ik probeerde het je niet betaald te zetten, Adrian.' Ze ging op haar knieën voor zijn stoel zitten en zei langzaam en rustig: 'Kun je niet gewoon luisteren, en nadenken over wat ik zeg?'

Hij knikte.

'Het gaat niet om Matthew en het gaat niet om Antonia. Het gaat om ons. Begrijp je niet dat, als we echt van elkaar hielden, er geen Matthew of Antonia zouden zijn? Daar zou geen ruimte voor zijn. We zouden hen niet zien.'

'Ik hou niet van Antonia.'

'En je houdt ook niet van mij.'

'Hoe kun je dat nou zeggen?'

'Omdat ik het zou voelen als dat wel zo was, Adrian, en ik heb het al heel lang niet meer gevoeld.'

'Je verzint gewoon smoesjes. Je hebt het lef niet om te zeggen dat je niet van mij houdt, dus probeer je het zo te spelen alsof ik niet van jou hou.'

'Oké dan, Adrian. Ik hou niet van je.'

'Wel waar.'

'Nee, dat is niet waar.'

Dit keer zei hij niets terug. Zijn schouders zakten omlaag.

'Ik heb wel van je gehouden, maar ik had waarschijnlijk beter niet met je kunnen trouwen,' voegde Freddie eraan toe.

'Hoe kun je dat zeggen? We zijn gelukkig geweest. We hebben Harry.'

'En we zullen Harry altijd allebei hebben.'

'Ga je hem van me afnemen?'

'Dat zou ik nooit doen.'

Ze voelde dat hij nu echt luisterde. 'Maar ik ga hem wel van die school halen.'

Hij wilde wat zeggen, maar ze onderbrak hem: 'Dat doe ik echt, Adrian. Ik had er nooit mee moeten instemmen om hem daarheen te sturen. Ik vind het vreselijk, en hij ook.'

'Dat kun je niet doen.'

'Dat kan ik wel, Adrian. Drijf de zaak niet op de spits.'

Hij aarzelde. Ze wist dat hij het begreep. Ze zou Harry wel eens mee kunnen nemen naar Amerika.

'Luister,' zei Adrian, 'ik vind het net zo erg dat hij is weggelopen als jij, maar dat had beslist met ons te maken, en niet met de school.'

'Denk je dat hij van huis weg zou zijn gelopen?'

'Ik neem aan van niet,' bond hij in.

Ze zou kunnen zeggen dat de school een van de dingen was die haar van Adrian hadden afgewend. Ze zou kunnen zeggen dat wat ze over haar vader te weten was gekomen haar alleen maar vastberadener had gemaakt om Harry niet te laten opgroeien tot iemand die zijn emoties niet kon uiten. Het was echter niet nodig: ze kon zien dat ze gewonnen had, of in elk geval dat hij haar geloofde, wat Harry betrof en wat hen betrof, zij het nog niet wat Matthew betrof.

Hij zou het waarschijnlijk anders brengen. Ze wist zeker dat Clarissa en Charles dat zouden doen. 'Hij had nooit met een buitenlandse moeten trouwen,' zou de een zeggen. 'Absoluut,' zou de ander antwoorden en daarbij zouden ze knikken en haar verder helemaal afschrijven.

Maar ze zou wel Harry hebben, en Matthew, en zichzelf.

Harry had nooit buiten Europa gevlogen, dus de televisies in de rugleuningen in de toeristenklasse van Virgin waren een bron van grote opwinding. Toen hij ontdekte dat je er Nintendo-spelletjes op kon doen, was hij helemaal door het dolle heen. 'Dit is vet cool.' Hij keek op zijn horloge. 'Ik zou nu bij natuurkunde zitten.' Hij deed alsof hij moest overgeven, rolde met zijn ogen en stak zijn wijsvinger in zijn mond.

'Misschien moet ik je thuis gaan lesgeven, al is het maar tijdens deze reis.'

'Ja hoor, mam. Alsof jij zo veel van natuurkunde weet.' Hij was opgetogen.

'Niet zo brutaal, jij!'

Kinderen van Harry's leeftijd waren fascinerende reisgenoten. Freddie kon zich zijn eerste vlucht nog herinneren, toen hij anderhalf was. Ze hadden een zonvakantie van twee weken geboekt. Na drie uur met Harry hangend in een extra gordel die om haar middel zat, terwijl hij tegen de stoel voor haar schopte, alles bij elkaar schreeuwde en stukjes biologische soepstengel door het vliegtuig gooide, had ze meer behoefte gehad aan een maand in retraite in de Himalaya. Adrian had in de relatieve veiligheid van de stoel aan de andere kant van het middenpad al die tijd in de *Telegraph* zitten lezen en had, zo meende ze, geprobeerd te doen alsof hij alleen reisde. Minstens tien paar ogen boorden vanuit de stoelen achter haar een gat in haar hoofd. De eerste jaren daarna gingen ze niet verder weg dan Devon en Norfolk. En toen Harry eenmaal oud genoeg was, begonnen de jaarlijkse pelgrimages naar ongeacht waar maar een golfbaan was.

Maar nu leek Harry volmaakt tevreden. Hij had een volle tien minuten met zijn stoel zitten spelen, hem omlaag gedaan en weer rechtop laten komen en daarna met het licht zitten spelen. Hij riep zonder duidelijke reden de stewardess en stelde vast dat hij, als hij dat wilde, alle audio- en filmkanalen kon krijgen, inclusief het betaalde filmkanaal en een nogal zwaar klassiek muziekkanaal. Hij dronk twee glazen cola en at zijn piepkleine zakje chips en ook dat van Freddie op.

Daarna bestudeerde hij de veiligheidsinstructies tot in morbide details. Vervolgens zette hij zijn koptelefoon op en stortte hij zich op een of ander computerspel.

Toen ze drie uur in de lucht waren, zette hij eindelijk zijn koptelefoon af. 'Ik snap niet dat je me nooit eerder mee hebt genomen.'

'Dat had ik wel moeten doen. Het spijt me.'

'Zo bedoelde ik het niet. Ik neem aan dat ik eerder te jong was, maar ik denk dat ik het daarginds wel leuk zal vinden. Ik bedoel, om te zien waar je bent opgegroeid en zo. Het wordt vet.'

'Vet gaaf?'

'Vet gaaf.'

'Vet gaaf' was tamelijk goed geformuleerd.

Toen de stewardess de lunch bracht, nam Freddie een klein flesje rode wijn. Ze werd er slaperig van en ze doezelde een poosje, getroost door Harry's nabijheid. Het was alsof je heel erg hoofdpijn had, iets innam, in slaap viel en wakker werd zonder hoofdpijn. Het voelde zo heerlijk dat het weg was. Zo'n soort gevoel was dit.

'Harry? Kunnen we even praten?'

'Tuurlijk.' Hij nestelde zich tegen de zijkant van zijn stoel en keek haar aan. 'Tamsin zei al dat je wel met me zou praten als je daar klaar voor was.'

'O ja, zei ze dat?' Ze woelde door zijn haren. 'Wanneer ben jij zo volwassen geworden?'

Hij schudde haar hand van zich af. 'Ga weg.' En toen: 'Ik eerst. Het spijt me van dat weglopen. Ik wilde dat eigenlijk niet echt. Het was Michael. Ik zeg niet dat hij me gedwongen heeft – dat zou pas echt zielig zijn – maar zonder hem zou ik het niet gedaan hebben. Dat klinkt ook zielig. Ik bedoel maar dat ik weet dat het verkeerd was. Ik zal het nooit meer doen.'

'Hoe zou je het vinden om niet terug te gaan naar die school?'

'Nooit meer?' Zijn gezicht gaf haar het antwoord.

'Nooit meer.'

Ze had jaren geleden haar poot stijf moeten houden. De vrouw die had toegestaan dat Adrian en zijn verdraaide ouders haar zoon wegstuurden was als sneeuw voor de zon verdwenen. En dat was een goed gevoel.

'Waar zou ik dan heen gaan?'

'Nou, dat laat ik tot op zekere hoogte aan jou over. We kunnen een paar scholen gaan bekijken als we weer thuis zijn. Je zou ook samen met Homer naar school kunnen gaan.'

'Naar de openbare school?'

'Zou dat een probleem voor je zijn?'

'Nee, ik zou het fantastisch vinden. Maar wat zal pap ervan zeggen?'

'Het zal iets meer tijd kosten om hem te overtuigen... maar...'

'Hoe zit het met jullie?'

'Aha.' Hij wilde nu alles weten. 'De problemen waar ik het met je over had?' Hij knikte. 'Die kunnen we niet meer oplossen, lieverd. Pap en ik blijven niet bij elkaar.'

'Jullie gaan scheiden.'

'Uiteindelijk wel, ja. Het spijt me.'

'Voel jij je daar ongelukkig bij?'

God! Pas op voor de venijnige vragen. 'Ja, natuurlijk. We vinden het allebei heel vervelend. Niemand gaat graag scheiden, Harry. Als je met elkaar trouwt, beloof je elkaar iets en je denkt dat je altijd getrouwd zult blijven. En als het dan niet goed gaat – en er zijn wel duizend redenen waarom het mis kan gaan met een huwelijk – dan heb je het gevoel te hebben gefaald. En als je samen kinderen hebt, is dat gevoel nog veel sterker – dan heb je gefaald tegenover jezelf, elkaar en je kinderen. Eén groot faalfestijn.'

'Waarom ging het bij jullie mis?'

'Het is ingewikkeld, schat. Je bent echt nog te jong om precies te begrijpen hoe ingewikkeld.' Ze waren geen van beiden tevreden met dat antwoord.

'Ik hou niet meer van pap,' zei Freddie. 'Niet op die manier – niet zoals je zou moeten doen.' Dat was simpel genoeg.

'Houdt hij van jou?'

'Niet op de juiste manier.'

'Houden jullie van iemand anders?'

Nu moest ze voorzichtig zijn. Ze had niet gedacht dat hij die gedachtesprong zo snel zou maken.

'Ik weet niet hoe het bij pap zit, lieverd, daar moet je maar met hem over praten. Ik hou nu wel van iemand anders, ja. Maar je moet weten dat die twee dingen niets met elkaar te maken hebben. Het is niet de schuld van die persoon dat ik niet meer van pap hou.'

Harry was even stil. 'Is het Matthew?'

Was zij de enige persoon op deze verdraaide planeet die het niet had zien aankomen? Zelfs haar eigen zoon leek het eerder te hebben gesnapt dan zij. 'Waarom vraag je dat?'

'Ik zou het fijn vinden als het Matthew was.'

'Waarom?'

'Jullie zouden niet alleen moeten zijn, geen van beiden. Matthew moet iemand anders hebben. Hij is zo verdrietig geweest sinds Sarah doodging. En als je verliefd was geworden op Matthew dan zou ik niet aan iemand anders hoeven te wennen. Ik ben al lang aan hem gewend. Ik vind Matthew aardig. Hij is cool.'

Daar ging ze dan. Harry, haar klein jongen, had de angst van de afgelopen drie maanden in een paar simpele zinnen gedistilleerd. Ze kon hem wel omhelzen. 'Het ís Matthew.'

Harry knikte wijs, liet de informatie een paar seconden tot zich doordringen.

'Cool.'

Adrian had benauwd gekeken toen ze zei dat ze Harry mee zou nemen naar de vs.

'Voor hoe lang?'

Het was niet haar bedoeling hem pijn te doen.

'We zijn voor Kerstmis terug.'

'En wat dan?'

'Ik weet het niet, Adrian. Ik heb tijd nodig om daar over na te denken.'

'Maar je gaat misschien terug daarheen. Om daar te wonen?'

'Het zou kunnen. Ik heb het huis in elk geval. Ik moet nadenken over mijn leven. Maar op het moment heb ik het gevoel dat ik helemaal geen thuis heb. Althans geen fysieke plek die aanvoelt als thuis. Engeland is niet waar ik vandaan kom en in Amerika ben ik lang niet geweest. Ik voel me ontheemd. Maar mijn thuis is waar Harry is en...'

'Matthew.'

Freddie knikte. 'Ik denk het wel.'

'Hij zal nooit Harry's vader zijn,' zei Adrian op verdedigende toon.

'Natuurlijk niet. Dat zal hij niet eens proberen. Waar we ook terechtkomen, Harry zal altijd jouw zoon blijven. Ik zou nooit proberen jullie bij elkaar vandaan te houden. Ik wil jullie geen van beiden pijn doen. Hij houdt van je.'

'Ik hou ook van hem.'

'Dat weet ik.'

Ze zei niet wat Tamsin misschien gezegd zou hebben. Dat hij weinig moeite had gedaan om Harry te zien toen hij maar een uur bij hem vandaan zat. Ze was er niet op uit om punten te scoren. Ze had ooit van hem gehouden.

'En wij dan?'

Dat verraste haar.

'Ik bedoel,' voegde hij eraan toe, 'ben je al naar een advocaat geweest? Moeten we naar een advocaat?'

'Ja, ik denk het wel.'

Hij kromp ineen.

'Adrian! Wat heeft het voor zin? Het is voorbij. We moeten verder. Allebei. En dat kunnen we niet zolang we nog getrouwd zijn.'

Hij schudde zijn hoofd. 'Het is alleen dat je over alle andere dingen zo twijfelachtig lijkt. Maar zodra ik het daarover heb, weet je het opeens zeker. Ja hoor. Scheiden. Zeker weten.' Hij keek haar aan.

'Was het zo vreselijk om met me getrouwd te zijn?'

Dit gesprek kon nergens toe leiden. Freddie legde haar hand op zijn arm.

'Het was niet vreselijk, Adrian. Nee.' Ze ademde diep in. 'Het was gewoon niet genoeg. Niet goed. Het spijt me.'

Hij legde zijn eigen hand op de hare. 'Oké dan.'

Grace was thuis, en Reagan ook. Ze kwamen samen het trapje bij de voordeur af toen de taxi tot stilstand kwam. Reagan klampte zich even aan Freddie vast en zei toen: 'Goed om je te zien, Harry.' Ze keek over zijn hoofd heen naar Freddie. Ze wist hoe goed dat was: Freddie had de vorige week vanaf Logan een bericht voor Reagan achtergelaten bij de Point Inn.

'Ken je Grace nog, Harry?'

'Natuurlijk niet. Hij heeft me in jaren niet gezien.' Grace glimlachte naar hem.

Harry haalde zijn schouders op en zei beleefd: 'Sorry!'

'Onzin! Waarom zou je? Ga nu maar met me mee naar binnen, dan gaan we wat eten – dat vliegtuigvoedsel is niet veel, hè?' Ze slenterden samen naar het huis.

Reagan huiverde en Freddie sloeg een arm om haar schouders. 'Hoe gaat het met je?'

'Oké.'

'Echt waar?'

'Beter, in elk geval.'

'Wat ga je doen?'

'Dat weet ik nog steeds niet. Ik denk dat ik voor de kerst terugga naar Engeland, om wat dingen te regelen.'

'Je zult er welkom zijn. Ik heb met Matt en Tamsin gepraat. Ze zijn niet kwaad op je.'

Matthew was te gelukkig om kwaad op iemand te zijn. Tamsin had zich moeilijker laten overtuigen. 'Niet te geloven dat ze je dat heeft aangedaan.' Ja, dat had meer moeite gekost.

Reagan glimlachte. 'Bedankt. Hoe heb je dat voor elkaar gekregen?'

'We willen gewoon dat je hulp zoekt. We willen niet dat je ongelukkig bent.'

'Ik gá hulp zoeken.'

'Eerlijk gezegd voelen Tamsin en ik ons schuldig dat we je daar niet eerder toe hebben gedwongen.'

'Dat hoeft niet. Hoe is het met Matt?'

'Geweldig.' Freddie ademde diep in. 'Luister, Reagan, je moet weten...' Reagan stak haar hand op om haar tot zwijgen te brengen.

'Jullie tweeën horen samen te zijn. Ik ben blij voor jullie. Echt.'

'Mooi, want hij komt terug.'

'Alweer?' Deze keer klonk het schertsend.

'Wat kan ik zeggen? Hij kan niet bij me wegblijven!'

'Zelfs als dat hem zijn baan kost?'

'Daar zit ik wel wat over in. Al denk ik niet dat ze zo stom zouden zijn hem te ontslaan. Ik weet niet eens zeker of ze dat wel kunnen. We denken er serieus over een poosje hier te gaan wonen. Ik heb Harry van school gehaald... hij en ik hebben allebei een Amerikaans paspoort... we hebben het huis in Boston. Het is misschien een goede plek voor ons terwijl we aan alles gewend raken.'

'Grappig dat je dat zegt, ik dacht namelijk hetzelfde. Ik vind het echt heerlijk in Provincetown. Ik heb het gevoel dat ik daar vrienden zou kunnen maken – de eerste echte vrienden sinds... sinds jullie eigenlijk.'

'Dat is geweldig. Wie zijn het?'

'Nou, de meisjes van de Point Inn zijn vreselijk aardig voor me geweest. En ze kennen veel mensen in het dorp. En...'

Freddie wist bijna wat ze ging zeggen voor ze het echt zei.

'...Ik heb wat tijd doorgebracht met Rebecca.'

'O, ja?'

'Ja. Wees alsjeblieft niet boos. We praten niet over jou. Ik heb haar behoorlijk afgesnauwd die eerste keer, toen ze jou wilde komen opzoeken in Chatham.'

'Ik ben niet boos. Je kunt praten met wie je maar wilt.'

'Ze is aardig, Fred. Ze doet me in veel dingen erg aan jou denken.'

Freddie wist het. 'Het was vreselijk, de laatste keer dat ik haar zag. Ik heb heel vervelende dingen gezegd.'

'Ze was heel bezorgd toen we dat bericht over Harry kregen.'

'Nou ja, met Harry is alles in orde.'

'Godzijdank.'

'Dus je zou in Provincetown blijven?'

'Ik weet het niet – daar heb ik nog niet echt over nagedacht. Ik geloof alleen dat ik een poosje ergens anders moet zijn, weet je. Cosmo en Rebecca hebben kamers in hun huis over die ze verhuren.' Freddie speelde even met het idee en het voelde goed aan.

Grace had ook over haar toekomst nagedacht. 'Ik wil graag weten wat jij ervan vindt.' Ze wilde het huis openstellen voor betalende gasten. Ze zei dat ze haar hele leven voor andere mensen had gezorgd en dat ze wilde blijven waar ze was, maar dat ze zich niet voor kon stellen dat ze hier in haar eentje zou rondhobbelen, en dit leek de perfecte oplossing. Ze kon opengaan wanneer ze wilde, en sluiten als ze liever alleen wilde zijn.

'Ik vind het een fantastisch idee.'

Voor het eerst sinds Freddie aan was gekomen, glimlachte Grace echt van harte.

Het plan begon als een toevallige gedachte, toen ze op een avond in slaap viel. Toen Freddie wakker werd, was het idee er nog steeds. Ze besprak het via de telefoon met Matthew, en die vond het een goed idee. 'Zullen ze het doen, lieverd, denk je?'

'Ik weet het niet, maar als ik het niet vraag, kom ik daar nooit achter. Ze houden allebei van me. Laten we het maar proberen.'

'Wil je niet wachten tot ik er ben over een paar dagen? Ik zou met je mee kunnen gaan.'

Maar dat wilde ze niet.

'Zou je ergens met me heen willen gaan?' had Freddie aan Grace gevraagd. Grace had ja gezegd zonder te vragen waarheen – ze moest het geweten hebben.

Ze vertelde Rebecca dat ze haar op neutraal terrein wilden ontmoeten en stelde de koffieshop aan het eind van een rij winkels voor die dwars op het strand stonden. Er was een terras, een paar treden lager, dat uitkwam op het zand. Grace en zij namen hun koffie mee naar een plek waar vijf verweerde picknicktafels stonden. Ze waren allemaal leeg en Freddie liep naar de middelste. Toen ze ging zitten zag ze het bord aan het hek dat hen scheidde van het strand. Het was een plaatje van moeder aarde in cartoonstijl, felgroen en blauw, en de slogan riep op om verantwoordelijk met je afval om te gaan: HOU VAN UW MOEDER.

Het was koud, maar het waaide niet en als je stil zat was de zon lekker warm.

'Alles goed met je, Gracie?'

Grace glimlachte. 'Zo heb je me al lang niet meer genoemd.'

Freddie hoopte dat het hiermee naar toe nemen van Grace niet de nieuwste op een lange lijst van egoïstische daden was, slechts bedacht om te zorgen dat zijzelf zich beter voelde. Ze wilde dat het iets goeds was voor hen allemaal, zelfs Rebecca. 'O, nee?'

'Nee – toen je klein was noemde je me altijd Gracie.'

Er liepen een paar mensen over het strand. Het leken drie generaties uit een familie – een grootmoeder, een moeder en een jong kind, bijna helemaal verborgen achter een muts en das. De volwassenen hielden het kind ieder bij één hand en zwaaiden hem of haar om de paar stappen een stuk vooruit. Freddie hoorde de stralende lach van het kleintje.

'Hallo.'

Het was Rebecca, en ze was alleen. Ze droeg een spectaculaire jas van een geweven stof in heldere kleuren en met een enorme paarse kraag van namaakbont. Daarbij droeg ze een paarse baret precies schuin genoeg op haar hoofd. Ze zag er fantastisch uit. Freddie zag dat Grace naar haar eigen grijze jas keek: die was duur, en prachtig van snit, maar niet uitbundig van kleur. Ze vroeg zich af of Grace hetzelfde dacht als zij: hoe kan een man van twee zo verschillende vrouwen hebben gehouden? Toen dacht ze aan Antonia Melhuish, en daarna aan Sarah. 'Bedankt voor je komst.' Ze stond op, vreemd formeel.

'Alsof ik weggebleven zou zijn.' Rebecca wendde zich met uitgestoken hand tot Grace. 'Jij moet Grace zijn. Ik ben zo blij om je eindelijk te ontmoeten.' Ze schudden elkaar de hand.

'Ik zal wat te drinken voor je halen. Wat wil je graag?'

'Thee, alsjeblieft. Geen melk en suiker. Earl Grey als ze die hebben.'

Freddie ging naar binnen. Door het raam van de koffieshop kon ze de twee vrouwen zien terwijl ze op de thee stond te wachten, maar ze zag niet of ze met elkaar praatten. Toen ze terugkwam, zette ze de thee neer en ging tegenover hen zitten. Toen begon ze te praten.

'We maken alle drie deel uit van een puzzel. Tot op zekere hoogte hebben we allemaal al die jaren geleefd met ontbrekende stukjes, en ik denk dat dat niet goed voor ons is geweest. We hebben onze levens op een bepaalde manier geleefd omdat die stukjes ontbreken – ik weet dat dat voor mij in elk geval geldt. Mijn vader is dood, dus we kunnen de puzzel niet afmaken, maar we kunnen wel alle stukjes bij elkaar leggen die we hebben. Ik heb stukjes van jullie puzzels en ik weet dat jullie stukjes van de mijne hebben, en van elkaar. We kunnen elkaar het verhaal van mijn vader vertellen. Ik weet niet hoe het met jullie zit, maar ik heb daar wel behoefte aan. We kunnen het leven dat achter ons ligt niet terugkrijgen, maar ik heb er veel over nagedacht en als we dit niet doen – als ík dit niet doe, dan zal het invloed blijven uitoefenen op de manier waarop ik leef, en dat wil ik niet. Daarom wil ik dit doen. En als jullie het niet voor jezelf willen, doe het dan alsjeblieft voor mij.'

Ze keek van de een naar de ander. Grace knikte zwijgend.

Rebecca sprak als eerste: 'Ik denk dat je gelijk hebt.'

'Oké.' Freddie keek naar haar handen, die ze op de tafel in elkaar geslagen had, en naar het spoor van haar lippenstift op de rand van de witte mok. 'Mijn vader, Thomas Valentine, werd geboren in november 1921. Ik weet helemaal niets over zijn jeugd, behalve wat Rebecca me heeft verteld, en ik geloof niet dat ze veel meer wist dan ik.'

'Dat was niet zijn echte naam.' Het was Grace die dat zei. 'Hij heeft zijn naam veranderd na de oorlog.'

Freddie ervoer een geweldig gevoel van opluchting – ze wisten allemaal dingen en zouden die met elkaar delen. Het ging echt werken. 'Waarom?'

'Thomas was wel zijn eigen naam, maar Valentine was de naam van een officier met wie hij in het leger te maken had gehad. Zijn naam was Thomas Jacob.'

Freddie knikte, ze wilde haar niet weer onderbreken. Ze wilde horen wat Grace te vertellen had. 'Ik denk dat hij een redelijk gelukkige jeugd heeft gehad, in het begin. Hij had twee jongere broers. Zijn vader had een winkel in een klein dorp in Maine. Ik kan me de naam niet herinneren, maar zou het wel weten als ik het op een landkaart zag. We zijn er nooit heen geweest.' Ze schudde haar hoofd om haar eigen afdwaling. 'Hij ging naar school – het klonk alsof hij een hele gewone jongen was. Hij had geen foto's van zichzelf als kind, maar hij zei dat hij lang was, nooit problemen had met pesterijen of zo, en goed was in sport. Het ging mis toen hij een tiener was. Toen hebben ze veel pech gehad. Op een nacht was er brand. De winkel brandde af en daarbij overleden zijn broers. Ze waren boven, ze konden niet bij hen komen. Hij wist nog dat hij het wel had geprobeerd, maar het was te heet, het vuur laaide. Hij kon hen niet bereiken. Maar hij zag een van hen voor het raam staan, voor hij door de rook werd bedwelmd, ik neem aan dat hij probeerde het glas stuk te slaan. Hij zei dat hij zijn mond kon zien bewegen, maar niet kon horen wat hij zei. Hij heeft daar zijn hele leven nachtmerries over gehad.

Hij praatte er nooit over, maar ik heb altijd gedacht dat het hem beschadigd moet hebben. Ik denk dat het hem harder heeft gemaakt. Natuurlijk was dat ook de tijd van de Depressie en hoewel het aan de oostkust beter was dan op veel andere plaatsen – Californië en de Dust Bowl en zo – was er niet veel geld. Zijn vader kreeg de zaak niet meer draaiende en Tom moest stoppen met school. Ik weet niet precies de volgorde, maar zijn vader dronk en het ging steeds slechter tussen hem en Toms moeder. Hij zei dat ze nooit over het verlies van haar jongens heen is gekomen.

301

Hij vertelde me ooit dat hij had gedacht dat ze door het verlies van die twee nader zou zijn gekomen tot de ene die nog over was, maar hij had het gevoel dat ze hem wegduwde. Bijna alsof ze het hem kwalijk nam dat hij het had overleefd. Ik weet dat het vreemd klinkt, maar je hoort het wel vaker, niet? Verdriet is iets heel vreemds.

Hij had vreemde herinneringen aan die tijd; ik neem aan dat hij sommige dingen geblokkeerd heeft. Hij herinnerde zich wel de dronken woedeaanvallen en gewelddadige episodes, maar zei dat ze zeldzaam waren. Hij zei dat ze het merendeel van de tijd met hun drieën gewoon een ellendig, grauw leven leidden.

In zekere zin was de oorlog dus een opluchting. Hij vertelde me dat hij in de bioscoop naar het nieuws keek over de soldaten die oorlog voerden in Europa en Afrika, en dat hij bad dat het in Amerika ook zou beginnen. Hij herinnerde zich dat hij het nieuws over Pearl Harbour op de radio hoorde en dacht dat hij waarschijnlijk de enige eenentwintigjarige man in Amerika was die daar blij om was. Het was zijn ontsnappingsmogelijkheid. Hij kon niet wachten tot hij mocht vertrekken en hij is nooit meer terug naar huis gegaan. Zijn moeder overleed tijdens de oorlog en zijn vader hield gewoon op hem te schrijven.

Ironisch genoeg was de oorlog voor hem heel rustig. Het is eigenlijk niet eerlijk als je het zo bekijkt. Zoveel jonge mannen die er helemaal niet heen wilden, werden gedood, terwijl hij wanhopig verlangde naar het vuur van de strijd maar een of andere alledaagse taak toebedeeld kreeg. Hij vertelde me dat hij na zijn opleiding nooit meer een wapen had afgevuurd, de hele oorlog niet. Hij is nooit gebombardeerd of bang geweest. Althans niet van de oorlog.'

'Dat heeft me jaren dwarsgezeten,' zei Rebecca, 'het idee dat hij in het dorpje gestationeerd was waar mijn moeder opgroeide. Het was zo'n slaperig plaatsje. Ik kan me nog steeds niet voorstellen dat het krioelde van de Amerikaanse soldaten.'

Grace keek Freddie vragend aan.

'Hier neem ik het even over,' vervolgde Rebecca. 'Ik weet niet veel over zijn oorlog, maar wel waar hij die heeft doorgebracht. Ik ben daar opgegroeid.'

Nu verscheen er verbijstering op het gezicht van Grace, maar ze vroeg niets.

'Salisbury Plain – daar waren ze gelegerd. Toen ik opgroeide gingen we er vaak op de fiets heen. Het is waar Stonehenge is. In mijn jonge jaren kon je er nog gewoon bij komen, maar nu is het helemaal afgezet. Destijds kon je je fiets tegen de stenen zetten en erop klimmen. We gingen er in de zomer vaak heen, mijn vriendin en ik.

Het was een snoezig dorpje. Je kon de huizen aan de hoofdstraat alleen bereiken via kleine bruggetjes – er liep een stroom doorheen. We hadden een kerk, een postkantoor, drie kroegen en een school. Niet dat ik daarheen ging, natuurlijk. Ik ging naar een particuliere meisjesschool in Salisbury, een eindeloze hobbelige busreis verderop. Ik gaf al mijn zakgeld uit aan gerstesuiker, omdat dat hielp tegen de misselijkheid. We woonden in het huis waar mijn moeder haar hele leven al woonde. Het was het grootste huis van het dorp, alleen de pastorie kwam in de buurt. Het was Georgiaans, helemaal symmetrisch, onberispelijk wit gepleisterd en met grote ramen. Het stond vol antiek en lelijke grote schilderijen. Mijn moeder zei altijd dat het niet was veranderd sinds zij klein was, maar ik heb nooit geweten of ze dat als positief zag of niet.

Haar jeugd was net zo beperkt en gereglementeerd als de mijne en ze moet dat vreselijk hebben gevonden, maar dat weerhield haar er niet van mij hetzelfde aan te doen. Wat zeggen ze ook weer over de zonden van de vaderen? Als ze me ooit ook maar iets had verteld over wat er in de oorlog was gebeurd... maar dat deed ze niet.'

'Wat was er dan gebeurd?' vroeg Grace.

'Mijn moeder en Thomas werden verliefd op elkaar.'

Grace was duidelijk geschokt: haar ogen flitsten heen en weer terwijl ze probeerde te bevatten wat Rebecca had gezegd.

'Dat heb je dus nooit geweten?' vroeg Rebecca haar.

'Nee, dat wist ik niet.'

'Waarom dacht je dat ik was weggegaan?'

'Wacht even,' onderbrak Freddie. 'Wat weet je nog meer over hen?'

'Alleen wat ik jou heb verteld toen je in mijn atelier was.' Rebecca keek weer naar Grace. 'Ik vertelde Freddie wat hij mij heeft verteld. Hij betrapte me in bed met een minnaar en explodeerde, schold me uit voor alles wat lelijk was en zei toen dat ik net zo was als mijn moeder.'

'En heb je voor die tijd nooit geweten dat ze elkaar hadden gekend?'

'Natuurlijk niet. Hij wist wel, waarschijnlijk vanaf onze eerste ontmoeting, wie ik was, maar hij had er nooit iets over gezegd. Dat kon hij immers niet, toch? Maar toen vertelde hij het me wel. En hoe!'

'Wat gebeurde er?'

'De ouders van mijn moeder stuurden haar weg, haalden hen uit elkaar. Hij was niet goed genoeg. Hij was Amerikaan, hij was geen officier en hij had geen geld.'

'En dat was dat?'

'Kennelijk wel. Ik geloof dat hij haar haatte omdat ze het had toegelaten.'

'Zou ze een keus hebben gehad?'

'Natuurlijk.' Dat was Freddie. 'Het was de twintigste eeuw, hoor, niet de Middeleeuwen. Als ze had gewild, had ze voor hem kunnen vechten.'

'Dus ze hield niet echt van hem?'

'Dat is een stukje van de puzzel dat we nooit zullen vinden,' zei Rebecca. 'Ik wou dat ik het lef had gehad het haar te vragen. Maar destijds kon ik het niet verdragen om aan hen samen te denken.'

'En de dood van je moeder?'

'Ze stierf kort nadat ik Thomas verliet. En met mijn vader heb ik er nooit over gepraat. Hij heeft het waarschijnlijk nooit geweten.'

'Maar je kende je moeder. Wat denk je?'

'Ik geloof niet dat ze van hem gehouden kan hebben. Als dat wel zo was, zou het ergens in de rest van haar leven tot uiting zijn gekomen. Zoiets tekent je, nietwaar? Het laat een duimafdruk, een voetstap achter op de kaart van de persoon die je wordt.'

Grace knikte. 'Zij heeft wel merktekens op hem achtergelaten.'

'Precies.' Rebecca keek met iets van verbazing naar Grace. 'En denk maar eens aan de vergelding.'

'Bedoel je...' stamelde Grace '...bedoel je dat hij met jou is getrouwd... uit wraak?'

'Dat, of om haar te vervangen. Om te proberen mij net als haar te maken. En eerlijk gezegd weet ik niet wat erger zou zijn geweest.'

'Als het uit wraak was, zou hij toch zeker gewild hebben dat je moeder het wist.'

'Heeft ze het nooit geweten?' vroeg Freddie.

'Volgens mij niet – ik heb het haar nooit verteld. En hij had immers zijn naam veranderd, nietwaar? Ze waren niet op onze bruiloft en hebben hem dus nooit gezien. Mijn ouders wilden hem niet ontmoeten – ze waren vreselijk boos op me.'

'En toen jij het ontdekt had?' vroeg Grace.

'Zoals ik al tegen Freddie heb gezegd was ze toen stervende.'

'Dus je hebt helemaal niets gezegd?'

'Ik heb het haar niet ronduit gevraagd. Ik probeerde haar zover te krijgen dat ze het me zelf vertelde. Ik zat uren aan haar bed. Ik vroeg haar naar haar jeugd, naar mijn vader – ik heb haar elke mogelijke kans gegeven het me te vertellen, maar dat deed ze niet.'

'Dan kan ze niet van hem gehouden hebben,' zei Grace. 'Ze heeft het je niet verteld omdat het niet in haar ziel gebrand was.'

'Dat weet je niet.' Een deel van Freddie wilde geloven dat ze wel van hem had gehouden. Het Tamsin-deel, het deel dat nog steeds geloofde in een hartverscheurende, onbeantwoorde liefde. Ze kreeg medelijden met haar vader bij de gedachte dat zijn hele leven was bepaald door iets dat voor Rebecca's moeder misschien niet zo veel betekend had.

'Hij heeft het me nooit verteld. Hij had het me kunnen vertellen. Hij had het me móéten vertellen.'

'Hij had het ons allemaal moeten vertellen.'

'Hoe verging het hem aan het eind van de oorlog?' vroeg Freddie.

'Hij kwam terug naar de vs. Zoals ik zei ging hij niet meer terug naar Maine. Hij ging naar Washington en bedacht zichzelf daar opnieuw, met de achternaam van die man. Hij was geobsedeerd door succes, gedreven. Ik geloof niet dat hij ook maar iets heeft gedaan waar hij niet beter van kon worden. Hij werkte, ging naar de avondschool, haalde diploma's. Natuurlijk moest hij verhuizen toen hij dat allemaal had bereikt. Amerika is niet zo heel anders dan Engeland – dat was het in elk geval niet in de jaren vijftig. Werk en opleiding waren toen niet voldoende voor een carrière in de advocatuur – je moest de juiste achtergrond hebben. Dus kwam hij in de jaren vijftig naar Boston.'

'En verzon het allemaal zelf.'

'Inderdaad. Het was één grote leugen.'

'Het is vreemd,' zei Rebecca. 'Het feit dat hij mijn moeder kwijtraakte was verantwoordelijk voor al zijn succes. Het was alsof hij met alle geweld het soort man wilde worden waarmee ze wel had mogen trouwen, ook al kon hij haar dan niet krijgen.'

'En jij was het op één na beste?' opperde Freddie.

'Dat dacht ik destijds wel. Hij was op het laatst zo gemeen. Maar we waren in het begin heel gelukkig. Ik denk dat hij gewoon in de knoop zat. Hij had al zijn tijd en energie erin gestoken om zichzelf tot een belangrijke advocaat te maken, met geld op de bank en een groot huis op Beacon Hill. Respect krijgen. De juiste mensen kennen. Maar ik geloof niet dat hij ooit zijn eigen brokstukken weer aan elkaar heeft gelijmd.'

'Rebecca heeft gelijk. Hij was een gebroken man toen ik hem leerde kennen, en ik heb hem nooit kunnen lijmen.' Grace glimlachte zwakjes. 'Ik heb wel het deel van hem kunnen repareren dat bemind wilde worden om wie hij zelf was. Dat geloof ik wel. Ook al vertelde hij me niet alles, ik zal altijd geloven dat we echt van elkaar hebben gehouden.'

'Dat was ook zo, Grace,' zei Freddie.

'Maar dat andere heb ik nooit in orde kunnen maken. Ik heb nooit een goede vader van hem gemaakt.'

Beide vrouwen keken naar Freddie, wier wangen brandden.

'Hij hield van je, maar hij was geen goede vader,' voegde Grace eraan toe.

'Waarom niet?' vroeg Rebecca aan Grace. 'Hij hield van haar zodra ze geboren was. Dat kon ik zien.'

Rebecca dacht aan de lange man die de kleine baby vasthield. Hij had heel kort een kus op haar eigen kruin gedrukt, haar haren nog nat van de inspanning van de bevalling, en was toen recht naar het wiegje gelopen. Freddie had bijna in een van zijn handen gepast. Rebecca herinnerde zich het donzige haar en de kleine vuistjes die door de lucht maaiden. En de verbijstering op zijn gezicht.

'Hij heeft me nooit over zijn jeugd verteld, over zijn broers en alles. Als hij dat wel had gedaan, had ik hem misschien beter begrepen,' zei Rebecca.

'En je bent weggegaan omdat hij je over je moeder vertelde?'

'Ja. We waren al een tijd niet gelukkig meer. Ik wilde toch al weg. Maar toen ik dat hoorde, moest ik weg.'

'Waar ging je heen?' vroeg Freddie.

'Zoals ik zei, eerst terug naar Engeland, maar dat loste niets op – ik had daar niet kunnen blijven. Dus kwam ik terug naar Boston. Toen zag ik jou voor het eerst, Grace. Hij moet je bijna meteen hebben aangenomen – hij wist dat ik nooit meer bij hem terug zou komen.'

'Hij dacht dat je misschien terug zou komen voor Freddie,' zei Grace.

'Dat heb ik gedaan. Dat heb ik haar verteld. Eén keer. Ik zag jullie samen in het Common.'

Freddie kneep even in de hand van Grace.

'Het was niet alleen dat jullie zo gelukkig leken,' vervolgde Rebecca. 'Ik was niet jaloers of zo. Ik voelde me alleen ongelooflijk triest. En ik wist dat ik niet goed genoeg was. Ik wist niet zeker of ik dat ooit wel zou zijn, maar toen was ik het in elk geval niet.'

'Waar ging je toen heen?'

'Overal en nergens. Het was een beetje een zelfvernietigingstocht. Ik heb mezelf helemaal kapotgemaakt voor ik mezelf weer kon gaan opbouwen. Ik had de vrijheid waar ik zo naar had verlangd – en die heb ik benut, geloof me. Ik gebruikte drugs, ik dronk, ik bracht mezelf in gevaarlijke situaties op gevaarlijke plaatsen. Het klinkt romantisch en je denkt dat je zoiets in films hebt gezien, maar dat is niet zo. De ergste stukken waren vreselijk. Absolute dieptepunten. Ik denk dat ik vergetelheid zocht.'

'En ik bracht intussen jouw dochter groot.' De stem van Grace klonk niet boos of veroordelend. Ze hield gewoon de chronologie in de gaten.

'Dank je daarvoor.' Nu pakte Rebecca de hand van Grace beet.

'Dank je. Ik wist voor ik wegging dat ze het goed zou hebben.'

'Het was meer dan goed. Grace was geweldig.' Freddie voelde een golf van loyaliteit, maar daar stond nu niet langer woede tegenover. Alleen verdriet, en spijt.

Er kwam een stel het terras op met mokken met iets erin, maar ze zagen wat er gaande was en gingen terug naar binnen.

Rebecca lachte haar luide lach en veegde haar ogen droog. 'We moeten eruitzien als een stel gekken.'

'Zijn we dat dan niet?' Grace glimlachte ook. 'Wat was je redding?' vroeg ze.

'Wíe was mijn redding. Ik kwam op een gegeven moment terug naar de oostkust. Ik kan me niet eens herinneren hoe of waarom. Ik wist dat ik niet bij jou in de buurt kon komen, Freddie, en ik stond opeens in de haven en in plaats van mezelf in het water te storten nam ik een boot en die bracht me hier. Ik werd clean, vond een baan en ontmoette uiteindelijk Cosmo.'

'De man met wie je samenwoont?'

'Ja.'

'Hebben hij en jij een gezin?' De vraag van Grace klonk bijna al te beleefd. Koetjes en kalfjes, te midden van dit alles.

Rebecca lachte weer. 'Cosmo en ik? Nee. Hij is homo. Er is geen Cosmo en ik, behalve dat we elkaars beste vrienden zijn.'

'Er is dus nooit iemand anders geweest.'

'Nee, geen man, geen kinderen.' Rebecca klonk nu weer ernstig. 'Noem het mijn boetedoening. Of een zeldzaam stukje zelfkennis.'

'Of nog een tragedie,' zei Grace.

Ze zwegen alledrie even.

'Heb je de foto's gekregen die ik je gestuurd heb?' vroeg Grace aan Rebecca.

'Allemaal. En daar wil ik je voor bedanken.'

'Ik wil wandelen,' zei Grace.

De drie vrouwen stonden op en liepen het strand op.

'Heb je het gevoel dat je je puzzel compleet hebt, Freddie?'

'Voorzover dat mogelijk is.'

'En? Wat voel je?'

'Ik ben niet boos meer, behalve misschien op hem.'

Ze liepen verder.

'Ik kan nooit meer vrede met hem sluiten.'

'Hij stierf vol liefde voor jou. Daar zat voor hem een zekere vrede in.'

'En dat zal ik ook tot de mijne moeten maken. Al die verspilde jaren, voor ons allemaal.'

'Ze waren voor mij niet verspild,' onderbrak Grace haar. 'Ik had jou, ik had hem. Ik wou alleen dat ik hem beter had kunnen begrijpen.'

'Ik wou dat we dat allemaal hadden gekund.'

Later liep Rebecca met Grace en Freddie naar Freddies auto. Freddie keek toe terwijl de twee andere vrouwen afscheid namen. Ze hielden een paar seconden elkaars handen vast. 'Ik heb nog niet gezegd dat ik het erg voor je vind dat je hem verloren hebt,' zei Rebecca.

'Dank je.'

Freddie probeerde de blik te lezen die ze uitwisselden, maar kon dat niet.

Rebecca kwam naar haar kant van de auto. 'Wat zijn je plannen?' vroeg ze.

'Daar begin ik zelf nog maar net over na te denken.'

Rebecca knikte.

'Ik bel je.' Freddie realiseerde zich terwijl ze dat zei dat ze het inderdaad zou doen.

'Je weet me te vinden.'

Freddie kuste haar bijna, maar het was nog te vroeg.

Rebecca bleef op straat staan en keek de auto na tot die uit het zicht verdwenen was, draaide zich toen om en liep de heuvel op, naar huis.

Cosmo wachtte al op haar. Hij deed de deur open en sloeg zijn armen om haar heen. 'Beter?'

'Beter, Cos.'

'Herinner je je het schilderij in zijn werkkamer op Beacon Hill nog?'

Freddie had daar ook aan zitten denken. 'Dat moet Rebecca's moeder zijn geweest, niet Rebecca.'

Grace knikte. 'Stel je voor hoe Rebecca zich gevoeld moet hebben toen ze zich dat realiseerde. Arm ding.'

'Grace!' Het verbaasde Freddie dat Grace haar moeder verdedigde.

'Ze was nauwelijks meer dan een kind. En het moet een schokkende realisatie zijn geweest – misschien nog wel schokkender dan jij en ik ons kunnen voorstellen, Freddie. Vraag jezelf eens af wat jij gedaan zou hebben.'

'Ik zou míj niet achter hebben gelaten.'

'Dat kun je niet zeggen.'

'O, nee?'

'Nee, dat kun je niet. Ze was helemaal alleen. Je hebt haar horen zeggen dat ze geen vrienden had tot wie ze zich kon wenden. De man van wie ze had gehouden had haar verraden op de meest afschuwelijke manier die je je maar kunt voorstellen. En haar familie – die waren al geen haar beter, toch? Ik begrijp heel goed waarom ze is weggelopen.'

'Maar jij hebt nooit een kind gehad, Grace.' Ze had er al spijt van terwijl de woorden nog uit haar mond kwamen.

Grace keek naar haar in haar schoot gevouwen handen. 'Nee, Freddie. Dat klopt.'

'Het spijt me, Grace.'

'Waarom? Je hebt gelijk. Ik heb nooit een kind gehad, dus ik kan het niet weten.'

'Hebben mijn vader en jij het er ooit over gehad?'

'Hij wist dat ik een kind wilde, maar het kwam gewoon niet.'

'Heb je je dan niet laten behandelen of zo?'

'De tijden waren anders, dat weet je. Bovendien geloof ik niet dat je vader dat had kunnen verdragen – hij was erg op zichzelf.'

'En kijk eens wat dat met ons allemaal heeft gedaan.'

'Hij was nu eenmaal zo, Freddie.'

'Maar je wilde wel kinderen met hem?'

'Natuurlijk. Maar ik wil niet dat je de indruk hebt dat het onze levens heeft verwoest, dat we ze niet konden krijgen. We hadden jou.'

'Jij had mij.'

'Hij ook. Hij was zo trots op je, Freddie.'

Ze zwegen tot ze Chatham binnenreden. Toen vroeg Freddie: 'Je wilt dat ik haar vergeef, is het niet?'

'Ik denk dat het zou helpen.'

'Wie?'

'Ons allemaal, maar vooral jou.'

Toen ze terugkwamen was Reagan weg en Harry in de tuin.

'Ik ga een poosje liggen,' zei Grace.

'Bedankt dat je meegegaan bent.'

'Graag gedaan.'

'Maakte het je van streek om haar te zien?'

'Nee. Wat zich tussen hen heeft voorgedaan is al heel lang geleden. Het is zoals je zei – alsof een deel van mijn vragen, waarvan ik van sommige niet eens wist dat ik ze bij me droeg, beantwoord zijn. En ik vond haar aardig. Dat had ik niet per se verwacht, maar ik vond haar aardig.' Ze klonk verbaasd.

Ik vind haar ook aardig, dacht Freddie.

Ze schonk zichzelf een glas melk in en overwoog even Matt of Tamsin te bellen, maar besloot dat nu niet te doen. Ze liep een poosje door het huis en kwam terecht in de werkkamer van haar vader. Ze kon het gevoel niet kwijtraken dat ze er verkeerd aan deed de deur te openen en naar binnen te gaan. Er zat geen slot op, dus ze had er naar binnen gekund wanneer ze maar wilde. Misschien was alles aan haar vader zo geweest – misschien had ze het gekund als ze het gewild had. Het gaf haar een ongelooflijk triest gevoel.

Ze keek naar alle foto's van zichzelf. Die zou je toch niet hebben als je niet van iemand hield, of wel? Deze kamer had niets openbaars. Het was de plek waar hij, in zijn eentje, had zitten nadenken over zijn leven en naar de foto's van zijn dochter had zitten kijken.

Ze begon te geloven wat Grace haar had verteld. Dat hij trots op haar was geweest. Dat hij van haar had gehouden. Ze vroeg zich alleen af waarom hij er nooit in was geslaagd haar dat te laten merken. Waarom hij het nooit had geprobeerd. Ze keek naar een foto waarop ze een piepkleine Harry vasthield. Ze vertelde Harry elke keer als ze hem sprak dat ze van hem hield. Ze wist zeker dat hij het ook voelde, als een schild tegen de wereld. Vertelde ze hem niet telkens weer dat niemand in zijn leven ooit zo van hem zou kunnen houden als zij, of zo veel als zij? En dat was toch waar?

Als haar vader haar niet had geleerd hoe belangrijk het was een kind te laten weten dat je het liefhad – en Rebecca kon het ook niet zijn geweest – dan moest Grace dat hebben gedaan. Grace en Tamsin. Ze werd plotseling overspoeld door dankbaarheid omdat ze hen in haar leven had.

Door het raam van haar vaders werkkamer kon ze Harry zien. Grace had ergens een fiets voor hem opgescharreld en hij had met houten planken en stenen een stormbaan gemaakt in de voortuin. Hij sprong met zijn fiets over een rij lege conservenblikken.

Ze had dit onafhankelijke kind nooit eerder gezien. Op school was hij altijd omringd door andere jongens. Thuis was zij er altijd, vastbesloten iets leuks te maken van de beperkte tijd die ze samen hadden. En Adrian. Hier was hij anders. Hij had nog niet één keer gezegd dat hij zich verveelde, of dat hij iemand miste. Hij praatte soms als een volwassene met Grace, Reagan, haar en Matthew. Hij sliep twaalf uur per nacht en at als een paard. En hij wilde constant buiten spelen. Als hij niet één van hen – meestal Reagan – kon overhalen om iets met hem te gaan doen, vermaakte hij zich prima alleen op zijn fietsparcours en met het maken van kampvuren. Grace had hem laten zien hoe hij marshmallows moest roosteren aan een stokje en ze dan bij precies de goede zachtheid en kleverigheid tussen twee koekjes met een laagje pure chocolade erop moest leggen. Wanneer ze naar hen keek, zoals ze samen bij het vuur zaten, en terwijl ze nu naar hem keek, voelde ze zich voor het eerst in jaren kalm en vol vertrouwen wat hem betrof. Voor het eerst sinds hij een baby was wist ze zeker dat goed was wat ze deed. Ze had het gevoel dat ze hem had gered. En ze bedacht hoe vreemd het was dat doen wat goed was voor haarzelf ook goed bleek te zijn voor hem. Begrepen alle ouders dat maar.

Die avond bij het eten omhelsde ze Grace. 'Je had gelijk wat Rebecca betreft. Ik wil niet zijn zoals mijn vader. Ik wil niet rancuneus en gereserveerd zijn. Ik wil de mensen van wie ik hou niet kwijtraken.'

Grace klopte op haar arm en glimlachte.

Een paar dagen later kwam Matthew. Die avond trof ze hem aan in haar bed, een boek lezend dat hij van de plank had gepakt. Hij keek op toen ze binnenkwam en zich naar hem toe haastte. Ze hield van deze ongekunstelde man die zijn emoties zo duidelijk liet blijken en niets achterhield. Die geen geheimen had. Ze had haar hele leven naar hem gezocht, maar het had zo vreselijk lang geduurd voor ze zich dat realiseerde. 'Het spijt me dat ik me zo lang voor je verborgen heb,' zei ze zacht tegen zijn borst.

'Dat deed je alleen omdat je wist dat ik je zou vinden.' Hij kuste haar in haar nek.

'En godzijdank heb je dat gedaan.'

Thanksgiving

De telefoon ging vroeg genoeg om ervan te schrikken. Freddie nam de hoorn op, graaide haar ochtendjas van het voeteneind van het bed en trok hem aan.

'Freddie?'

'Tamsin? Wat is er?'

'Hij is er, Freddie.'

'O... Het is een jongen!'

'Willoughby.'

'Willoughby.' Freddie dwaalde door haar literaire geheugen, maar Tamsin onderbrak haar gedachtegang.

'Je weet wel, Jane Austen.' Ze klonk ietwat ongeduldig.

'Natuurlijk!' Freddie had geen flauw idee, maar wat dan nog? Willoughby. Ze vond het een mooie naam. Laten we wel wezen, het had veel erger gekund. Dit kind zou in elk geval Will worden genoemd – o hemeltje, Willa en Will. Het leken wel personages in een leesmethode voor eersteklassertjes. Maar nog altijd beter dan die arme Homer en Flannery. 'Wanneer is hij geboren?'

'Gisteravond, elf uur zevenenveertig. Ik heb nog wel gebeld, maar je was er niet en ik wilde het niet inspreken op de voicemail. Ik zit de hele ochtend al te popelen om met je te praten en vroeger dan dit durfde ik je niet wakker te maken.'

'Een Thanksgiving-baby!'

'Ik neem aan van wel – daar had ik nog niet bij stilgestaan.'

'Het is fantastisch! Wacht, waar bel je vandaan?'

'Van thuis. Ben gisteravond naar het ziekenhuis gegaan, heb hem eruit gefloept en was voor het ontbijt weer thuis. Flannery heeft niet eens gemerkt dat ik weg was, dus ze was behoorlijk verbaasd toen ze vanmorgen de baby zag.'

'Is dat wel een goed idee, meteen naar huis gaan? Zou je niet meer rust krijgen als je een poosje in het ziekenhuis bleef?'

'Onzin! Ik ben veel liever hier. Ziekenhuizen zijn afschuwelijk tegenwoordig. Bovendien heb ik Meghan, en Neil neemt een paar dagen vrij. Eerlijk gezegd weet ik niet eens of ik de keus had. Geen hechtingen, niet ingescheurd, geen medicijnen – tenzij je dat grote glas rode wijn meetelt dat ik gisteravond gedronken heb – en maar een paar pufjes gas. De vroedvrouw keek even snel naar hem en we konden gaan.'

'Klinkt een beetje ongeïnteresseerd.'

'Nou, we leven niet meer in de jaren vijftig, hoor. Geen maand in een sanatorium voor jonge moeders.'

'En hoe was het?'

'Zwaar. Deed verdomd zeer, geen greintje waardigheid – je weet hoe het gaat. Eigenlijk voel ik me wel een beetje een Amazone. Een beetje Xena de Warrior Princess. En ik vind dat moment zo geweldig, vijf minuten later, als je denkt: ach, het was zo erg nog niet, dit kan ik best nog een keer!'

'Toch niet wéér!'

'Nou, misschien ook niet – maar wie weet? Maar misschien moet ik dat nog maar niet tegen Neil zeggen.'

'Arme Neil. Hoe is het met hem?'

'Zoals altijd. Door het dolle heen. Behandelt me alsof ik Jeanne d'Arc ben.'

'Ik wou dat ik erbij was.'

'Ik ook. Maar het is nog maar een paar weken, nietwaar? Ik zal Meghan vragen je een foto te e-mailen – zij is goed in dat soort dingen.'

'Hoe ziet hij eruit?'

'Op wie lijkt hij, bedoel je? Hij is hemels. Het is zuiver Homer toen die net geboren was, of liever gezegd, zoals Homer eruit zou hebben gezien zonder het tang-effect!'

Freddie lachte. 'O, god, ja, ik herinner me zijn arme hoofdje.'

'Je gezicht! Je dacht dat het zo zou blijven! Alsof een van onze voorouders een buitenaards wezen was.'

'Ik ben zo blij voor je, Tams, gefeliciteerd – heel hartelijk gefeliciteerd! Ik ga naar FAO Schwartz en koop de grootste teddybeer voor hem die ze hebben.'

'Waag het niet! Neil zegt dat hij opstapt als er in dit huis ook nog maar één knuffel bijkomt.'

'Alsof hij dat meent.'

'En je krijgt het niet door de beveiliging op het vliegveld heen.'

'Oké dan, een kleintje. We smokkelen het wel langs Oberführer Bernard. Die arme jongen moet toch iets hebben dat van hemzelf is. Waar is hij nu?'

'Hier. Ik delf mijn eigen graf, zoals mam zou zeggen. Hij ligt aan zijn moeders omvangrijke boezem. Ik denk trouwens dat hij wakker wordt.'

Op dat moment klonken de schrille kreten van de pasgeboren Willoughby door de telefoon.

'Ooo! Ik hoor hem. Hallo, Willoughby!'

'Wacht even – ik wil alles over jou horen. Geef me alleen even om hem aan te leggen.'

Even luisterde Freddie naar het zachte gemompel van Tamsin tegen haar baby terwijl hij haar borst pakte. Haar stem was melodisch en troostend. Ze was er heel goed in, en dat was niet alleen een kwestie van oefening. Freddie had twee handen, een worstvormig kussen en al haar concentratie nodig gehad om Harry de borst te geven, en in de eerste week had dat vaker wel dan niet geleid tot tranen en een telefoontje naar de wijkverpleegster. Ze kon Tamsin voor zich zien, de telefoon tegen haar oor geklemd. Willoughby's kleine hoofdje in een hand en de andere aan haar knopen. Bij haar zag het er altijd zo simpel uit. Toen was ze weer terug. 'Oké. Kom maar op.'

'Ik weet niet waar ik moet beginnen.'

'Bij Matthew! Waar anders? Hoe staat het er met hem voor?'

'Er is nog genoeg ander nieuws! Mijn vader, mijn moeder, al die dingen die we moeten uitzoeken...'

'Dat is allemaal het verleden. Matthew is de toekomst. Daarom is hij belangrijker.'

Freddie hield van de manier waarop Tamsin tot de kern van de zaak doordrong. Ze had waarschijnlijk gelijk, al was het niet zo dat ze de rest opzij schoof, maar gewoon prioriteiten kon stellen. 'En daar ben je van overtuigd, is het niet?'

'Absoluut. Al langer dan jullie zelf, waarschijnlijk.'

'Echt waar?'

'Echt waar! En hou nu op met plagen en vertel. Waar is hij?'

Even voelde Freddie zich weer zestien. Ze giechelde. 'Hij ligt boven in mijn bed te slapen.'

'Dat is niet waar!' Matthew stond achter haar en kuste haar in haar nek. 'Wie kan er nou slapen met al dat gegil hier? Ben jij dat, Tams?' Hij boog voorover om de stem van zijn vriendin te kunnen horen.

'De baby is geboren, een jongetje, gisteravond – een Thanks-giving-baby. Ze maken het allemaal prima!' Freddie vertelde hem de hoofdlijnen.

'Dat is fantastisch!' Matthew straalde.

'Geef hem de telefoon even,' beval Tamsin. Freddie stak haar hand op en trok Matthews hoofd naar voren zodat de hoorn tussen hen in was en ze allebei konden luisteren. 'Het is inderdaad fantastisch, en hij is prachtig, en je ziet hem wel als jullie thuiskomen, maar kun je nu even ophoepelen? Ik wil met Freddie over jou praten!'

Matthew lachte. 'Ik ga wel even thee zetten. Ik hou van je, van jullie allebei – allemaal.'

Freddie keek hem na toen hij de trap af liep, nog slaperig over zijn hoofd wrijvend. 'Vreselijk subtiel!'

'Dat stadium zijn wij al lang voorbij, Fred. Oké, ga verder.'

Freddie kroop met de telefoon terug in bed en trok het dekbed tot onder haar kin omhoog. Tamsin aan de andere kant van de lijn was een emotionele kruik en ze liet zich achterover zakken in de kussens om met haar beste vriendin te praten.

'Ik voel me net een tiener.'

'Prima. Hoe is hij?'

'Is dat een serieuze vraag of een perverse?'

'Hangt ervan af wat je aan me kwijt wilt...'

'Hij is fantastisch. Echt waar. Het klikt... het klikt gewoon.'

'Dat is geweldig.'

'Waarom klink je helemaal niet verbaasd?'

'De enige verbazing wat mij betreft is dat het nog zo lang heeft geduurd.'

'Hij zegt dat hij al heel lang deze gevoelens voor me heeft, en ik heb het nooit gemerkt. Zagen jullie het wel allemaal?'

'Nou, allemaal weet ik niet. Ik zag het natuurlijk wel, maar ik ben een buitengewoon intuïtief mens.' Ze lachte. 'En ik ken jullie beter dan wie dan ook, denk ik. Aan de andere kant, Neil zag het ook en die is ongeveer zo intuïtief als een aardappel.'

'Het is niet waar! Dat geloof ik niet.'

'Kom nou! Ik neem aan dat je jezelf niet toestond het te zien of te voelen. Dat is alles. Je zat aan Adrian vast en wilde niet uit dat huwelijk stappen, zo is het toch? Hij heeft je een grote dienst bewezen, als je het mij vraagt, door je met die vrouw tot handelen te dwingen. Hoe staat het er trouwens voor?'

Freddie wilde niet aan Adrian denken. Er was geen ruimte voor hem in haar bewustzijn met al het geluk van dit moment. 'Ik weet het niet.'

'Ga je van hem scheiden?'

'Ik denk dat we van elkaar gaan scheiden. Daar heb ik nog niet echt over nagedacht. Dat gedeelte lijkt zo onbelangrijk als je de belangrijkste hebt geregeld, vind je niet?'

'Je zult er toch gauw over na moeten denken.'

'Ik weet het.'

'Hoe is het met Harry?'

'Oké. Geweldig. Hij gaat er fantastisch mee om. Kinderen zijn verbazingwekkend, vind je niet?'

Ze zwoer dat ze Tamsin neer kon zien kijken op het hoofdje van Willoughby Bernard toen ze heel zacht antwoordde: 'Nou en of.'

'Ik bedoel, hij accepteert dat met Matt allemaal zonder problemen. Het is alsof er tussen hen niets veranderd is, ik neem aan omdat ze toch al een goede band hadden. Wat Adrian betreft gaat het tot dusver goed. Het lijkt althans wel goed te gaan.'

'Het komt echt wel in orde met hem.'

'Ik weet het. We zijn echt opgelucht.'

'Dus het is al wij, nietwaar?'

'O ja. Het is beslist wij. Het is meer wij dan ik het volgens mij ooit heb meegemaakt. Als je begrijpt wat ik bedoel.'

'Ik weet het.'

Ze zwegen even, maar toen gilde Tamsin meisjesachtig door de telefoon. 'Ik ben zo jaloers, dat nieuwe-romantiek-gedoe. Ik hou meer van Neil dan van mijn eigen leven, maar niets op aarde is mooier dan een nieuwe liefde. Geluksvogel!'

Freddie genoot. 'Ik weet het! O, Tams, het is alsof iemand net alle lampen aan heeft gedaan. Het is helemaal niet alsof ik samen ben met mijn vriend. Alleen is dat natuurlijk wel zo. Ik ben samen met mijn vriend, mijn geweldige vriend, maar het is helemaal niet raar, begrijp je. Het is alsof mijn geweldig vriend plotseling een ongelooflijk sexy, schattige, grappige, fantastische...'

'Dat is hij altijd al geweest.'

'Maar toen was het anders. Ik hou van hem.'

'En hij houdt van jou.'

'Sinds wanneer weet jij dat?'

'Echt zeker? Na dat etentje van jullie in Boston. Toen vertelde hij het me. Ik bedoel, ik vermoedde het al langer. Maar toen heeft hij het me echt verteld. Hij vond dat zo verschrikkelijk.'

'Ik weet het. Ik was in de war.'

'Dat weet hij ook. Hij was zo kwaad op zichzelf om zijn beroerde timing. Hij was bang dat hij het voorgoed had verpest.'

'Waarom heb je me dat niet verteld?'

'Freddie!'

'Ik weet het, ik weet het. Ik neem aan dat ik daar nog steeds niet aan wilde denken. De timing moet gewoon goed zijn.'

'En is die nu goed?'

'Ik kan me nauwelijks iets beters voorstellen.'

Matthew duwde de slaapkamerdeur open, twee mokken thee in zijn handen.

'Dat hoor ik graag.'

Freddie hoorde Willoughby tegenpruttelen. Die jongen gaf nu al blijk van een fantastisch gevoel voor timing.

'Oeps. Het lijkt erop dat ik me aan een veeleisende man moet gaan wijden.' Tamsin gaf Freddie een voorzetje. Het komisch duo was het na al die jaren nog niet verleerd.

'Ik ook.'

'Hou van je, mis je, tot gauw.'

'Hou ook van jou, mis je, zie je gauw.'

Ze gaven elkaar een luide zoen in de lucht door de telefoon en hingen op.

'Wat, jij ook?' Matt had zijn ochtendjas uitgedaan en stond op het punt weer naast haar in bed te kruipen.

Freddie voelde een golf van pure lust en stak haar hand naar hem uit. 'Ze moet zich aan een veeleisende man wijden. Ik zei, ik ook.'

'Dat is maar al te waar.' Hij sprak tegen haar geopende mond en begon haar toen te kussen en aan te raken. En opnieuw verloor ze zichzelf in het nieuwe wonder dat zij samen vormden.

Later die ochtend ging Matthew alleen weg. Hij deed zijn best zich niet te veel aan Freddie en Harry op te dringen. Vooral aan Harry. Er gebeurde heel wat voor de jongen en hij had zijn moeder af en toe voor zichzelf nodig. En nu was Matt degene die bij haar in bed kroop, die haar vasthield terwijl ze in slaap viel. Hij kon het nog nauwelijks geloven. Zijn polsslag versnelde als zij een kamer binnenkwam. Hij verlangde voortdurend naar haar, maar voelde wel dat hij zich begon te ontspannen. Hij had niet meer zo'n haast, omdat hij geloofde dat hij alle tijd had, en dat was een heerlijk gevoel.

Vandaag had hij gezegd dat hij wat boodschappen zou doen. Grace had geprotesteerd en Freddie en Harry hadden gevraagd of hij mee langs het strand ging wandelen, maar hij vond het prima zo. Reagan was eerder al weggegaan om te gaan rennen en was nog niet terug. Freddie was nog aan het bijkomen met een mok koffie en hij had een kus op haar hoofd gedrukt en was vertrokken. Ze hadden nog geslapen na het telefoontje van Tamsin en waren daardoor allebei wat duf.

Een kleine kilometer van huis zag hij Reagan lopen, en hij ging naast haar rijden en draaide het raampje omlaag.

'Hé!'

'Jij ook hé.' Ze kwam naar hem toe en leunde naar binnen.

'Wat is het koud. Zal ik je even thuis afzetten?'

'Je gaat de verkeerde kant op.'

'Ik kan wel omdraaien.' Hij glimlachte. 'Ik meen het. Je rent niet eens.'

'Dat heb ik al gedaan. Ik rust nu uit.' Reagans neus was rood en haar adem kwam in wolkjes naar buiten. 'Waar ga je trouwens heen?

En waar zijn de andere Waltons?' Het was echt iets voor Reagan om dat te zeggen, maar er lag een nieuwe klank in. Het klonk niet stekelig.

Matthew wilde al antwoord geven, maar ze had door zijn raampje iets gezien aan de andere kant van de weg en luisterde niet echt naar hem.

'Aarde aan Reagan.'

'Sorry. Luister, Matt, ik moet gaan. Bedankt voor het aanbod. Ik zie je straks wel, oké?'

'Eric!'

Hij draaide zich om, zag haar en bleef staan.

'Hoi.'

'Hoi.'

Het was echt koud. Eric had zijn handen diep in zijn zakken gestoken en zijn pet laag over zijn voorhoofd getrokken. Hij schuifelde van de ene voet op de andere. 'Hoe is het met je?'

'Het spijt me.' Ze gooide het eruit en wist niet wat ze daarna moest zeggen.

'Nee, het spijt mij.' Die reactie had ze niet verwacht. 'Ik had niet zo moeten drammen. Het ging me helemaal niets aan. Je was me niets verschuldigd.'

'Nee, je had gelijk. Ik had gelogen.'

Eric schokschouderde. Reagan wilde dat hij het zou begrijpen. 'Ik zat vreselijk in de knoop.'

'Zat?'

Ze glimlachte quasi-zielig. 'Waarschijnlijk nog steeds, maar het gaat veel beter.'

'Daar ben ik blij om.' Leek hij nou nerveus?

'Ik wilde gewoon mijn excuus aanbieden omdat ik zomaar was weggelopen.'

'Dat is wel goed.'

Ze zwegen een paar seconden en keken elkaar aan, maar het was te koud om lang stil te blijven staan.

'Ik moet gaan openen. Ga je even mee voor een kop koffie?'

Reagan keek naar haar voeten, knikte even maar zei toen: 'Nee. Maar bedankt, Eric.'

Hij was niet het antwoord. Hij was leuk, sexy en lief; hij was het soort kerel waarin ze zichzelf gemakkelijk zou kunnen verliezen. Maar hij was niet het antwoord.

Hij schokschouderde weer. 'Zie ik je dan nog eens?'

'Misschien.' Ze begon weer te rennen. Tien meter verderop draaide ze zich om zonder stil te blijven staan. Eric keek naar haar. 'Misschien.' Deze keer riep ze het en hij schonk haar zijn open, sexy glimlach alvorens zich om te draaien en weg te lopen.

Freddie ging nog een keer naar Rebecca voor ze naar huis vloog. Ze wilde dat ze kennismaakte met Matthew. Ze wist zelf eigenlijk niet eens waarom.

'Waar zal het op uitdraaien, denk je, met je moeder?' vroeg Matthew haar onderweg.

'Wel, ik weet niet of ik haar ooit als moeder zal gaan zien. Eigenlijk ben ik deze herfst Grace steeds meer op die manier gaan zien. Dat met Rebecca is alleen biologisch. Ik ben nu niet boos meer en ik denk dat ik het zover begrijp als ik ooit doen zal. Waarmee ik wil zeggen dat ik begrijp waarom ze het heeft gedaan, maar tegelijk, zelfs na alles wat er gebeurd is, weet dat ik het zelf nooit zou kunnen. Niets zou me ertoe kunnen brengen Harry in de steek te laten. Maar moeders zijn mensen, nietwaar. Ik ben één soort moeder, zij is een andere soort. En Grace is misschien wel de beste soort. Dat met Harry is iets dat heel diep van binnen zit, iets fysieks. Ik heb van Grace de liefde van een moeder gekregen omdat zij die te vergeven had en geen eigen kinderen had om hem aan te geven. We zijn allemaal verschillend. Mijn liefde voor Harry lijkt helemaal los te staan van die voor zijn vader. De liefde van Grace en van Rebecca voor mij was daar wel nauw mee verweven. Grace gaf me haar liefde als onderdeel daarvan, en Rebecca trok zich erom terug.'

Matthew glimlachte. 'Is het echt zo simpel?'

'Simpel is niet het woord dat ik zou gebruiken.' Ze moest bijna lachen. 'Maar ik denk dat het duidelijk is. En het is in orde. Ik voel me bevrijd van de dwang om de zonden van mijn ouders in mijn eigen leven te herhalen.'

'Dat heb je met Harry nooit gedaan.'

'Niet met Harry, nee, maar wel met mijn vader – ik heb nooit geprobeerd een betere band met hem te krijgen. Het was net een stom spel. Toen hij zich van me terugtrok, leerde ik me ook terug te trekken – van hem en van Grace. Kijk eens hoe gemakkelijk ik van dat alles ben weggelopen. En Rebecca. Denk je niet dat, als ik hem aan zijn hoofd had gezeurd, had aangedrongen, hem niet met rust had gelaten, hij me misschien jaren geleden al zou hebben verteld waar ze was? Zelfs Adrian. Het is lang geleden al misgelopen met dat huwelijk. Niet verschrikkelijk mis, maar het zat niet goed. Ik deed er niets aan, maar stapte er ook niet uit. Het is een schoolvoorbeeld van een leven dat maar voor de helft is geleefd. Ik heb een rommeltje gemaakt van alle belangrijke relaties in mijn leven en had dat niet eens in de gaten.'

'Nee, dat is niet waar. Kijk maar naar Harry, kijk maar naar Tamsin, Sarah en Reagan. Dat zijn allemaal volledig functionerende, gezonde, emotioneel verbonden relaties. Kijk maar naar mij...'

Ze legde haar hand op zijn knie. 'Jij bent een toepasselijk voorbeeld. Dat zou ik ook verpest hebben als jij niet zo volhardend was geweest.'

'Volhardend! Wat een afschuwelijk woord.'

'Je weet wat ik bedoel.'

Hij glimlachte. 'Ik zou nooit ergens anders heen zijn gegaan.'

'Nooit?'

'Nou, oké, nooit is wel veel gezegd, maar ik zou je nog wel een poosje achterna zijn blijven zitten.'

'Was dat wat je deed?' Ze keek hem met sprankelende ogen zijdelings aan.

Hij trok waarschuwend zijn wenkbrauwen op, maar zijn ogen sprankelden net zo hard.

Cosmo was er ook. 'Ik hoop dat je het niet erg vindt, maar ik moest gewoon kennis met je maken.' Freddie stak haar hand naar hem uit, maar hij trok haar in een korte omhelzing.

'Sorry, een knuffel leek me gewoon veel toepasselijker.'

'Cosmo!' Rebecca keek hem waarschuwend aan, maar Freddie vond het niet erg.

Cosmo was immers ook een stukje van de puzzel.

'Wat lijk je toch veel op je moeder.'

Rebecca reageerde snel: 'Alleen wat uiterlijk betreft.'

Freddie was daar niet meer zo zeker van als ze misschien ooit was geweest. 'Ik hoop dat ik er half zo goed uitzie als jij als ik zo oud ben als jij.'

'Kan niet anders,' verzekerde Cosmo haar. 'Het zit in je genen. Kijk maar naar die jukbeenderen!' Hij was waarschijnlijk de meest nichterige man die ze ooit had ontmoet, en ze kon niet anders dan hem aardig vinden. Tegelijk vroeg ze zich af hoe hij het ooit voor elkaar had gekregen om als hetero te leven. Welke priester die bij zijn volle verstand was zou hem ooit met een vrouw in de echt hebben verbonden?

'Dit is Matthew.' Ze trok aan zijn hand en hij kwam naar voren, zodat hij naast haar stond.

'Hij is mijn Cosmo,' zei Freddie, realiseerde zich toen de implicaties van wat ze had gezegd, boog iets naar Rebecca over en zei zacht: 'Alleen is hij hetero.'

'Wat jammer! Maar het betekent niet dat hij me niet kan helpen een fles wijn open te maken en een paar glazen te halen, of wel?' Cosmo nam Matthew mee naar de keuken.

Toen ze alleen waren gingen de twee vrouwen zitten.

'Niet de man van de trouwfoto's?' Rebecca glimlachte.

'Hij was getrouwd met een van mijn beste vriendinnen. Sarah is drie jaar geleden overleden bij een auto-ongeluk. Matt en ik zijn goede vrienden gebleven en nu zijn we veel meer geworden dan dat.' Het was voor het eerst dat ze het hardop zei. En Rebecca was degene aan wie ze het vertelde.

'Ik ben blij voor je.'

'Dank je. Ik ben ook blij voor mezelf.'

De volgende opmerking kwam eruit voor die zich goed en wel in haar hoofd had gevormd. 'Ik wou dat jij niet alleen was.'

Rebecca glimlachte lankmoedig. 'Ik ben niet alleen, Freddie. Cosmo is al het gezelschap dat een echtgenoot zou zijn, en meer dan dat. We hebben vrienden, veel vrienden. Ik heb mijn werk...'

'Maar...'

'En ik heb minnaars wanneer ik daar zin in heb. Sorry als dat je shockeert. Natuurlijk zal die voorraad waarschijnlijk opdrogen als ik ouder word,' ze grinnikte, 'maar ik neem aan dat mijn belangstelling ook zal afnemen. Dat hoop ik tenminste.'

'En is dat niet vanwege mijn vader en mij?'

'Niet helemaal. Dat is het lang wel geweest, maar nu is het gewoon zoals ik het wil. Echt waar.'

Cosmo en Matt waren terug met de wijn. Matt keek vaag geamuseerd.

'Zo, mensen,' zei Cosmo, 'blijven jullie met de kerst op de Cape? Je hoeft niet zo naar me te kijken, Rebecca, liever,' – hij kon haar gezicht niet zien, maar het was duidelijk dat hij haar gelaatsuitdrukking kende – 'ik vraag niet of ze hier komen wonen. Ik weet dat jij het allemaal langzaam aan wilt doen, maar ik zeg barst maar, je leeft maar één keer en je bent heel lang dood, als je begrijpt wat ik bedoel.'

Freddie begreep dat eindelijk.

'En als ze met Kerstmis op de Cape zijn, dan moeten, *moeten*, MOETEN ze naar het feest komen. We doen het elk jaar. Het is een legende, geloof me.' Hij rekte het woord uit tot LE-GEN-DE. Matt twijfelde daar niet aan.

Freddie moest lachen. Hij was besmettelijk. 'Ik geloof je, Cosmo, maar we zijn er niet.' Ze keek Rebecca aan. 'Ik moet naar huis, anders zullen ze denken dat ik geëmigreerd ben. We hebben daar ook nog wat dingen af te handelen. Bovendien ís het mijn thuis.'

'Jammer. Maar je komt wel terug.'

Freddie dacht van wel.

'Je vriendin Reagan?' Rebecca leunde naar binnen door het autoraampje, dat Freddie omlaag had gedraaid zodat ze kon zwaaien. 'Het komt wel goed met haar.'

'Daar ben ik blij om. Ze mag van geluk spreken dat ze jou aan haar zijde heeft.'

'Dank je.'

Freddie kuste haar bijna.

Toen de auto wegreed, sloeg Cosmo een arm om Rebecca's schouders. 'Ach, moeder, is onze kleine meid geen prachtige vrouw geworden?' Het was een opmerking uit een of andere soap uit de jaren vijftig.

Ze stompte hem in zijn maag, maar liet zich toen door hem omhelzen. 'Ik zal misschien nooit kunnen zeggen dat ik trots op haar ben, maar ik ben beslist trots dat ik haar ken.'

En dat was goed genoeg.

'Had je willen blijven met Kerstmis?' vroeg Matthew toen ze terugreden.

'Nee. We moeten naar huis. Ik heb die wolk van een baby nog niet gezien, en Harry moet Adrian zien. Jij zult je vader zien, en Sarahs ouders.'

'Ik dacht dat we misschien samen konden gaan.'

Freddie glimlachte. 'Dat zou best kunnen.' Toen: 'Maar ik wil dat Grace de kerst bij ons viert.'

'Heb je het haar al gevraagd?'

'Nee, maar dat ga ik nog doen. Misschien vanavond. De vluchten zullen al wel aardig vol raken.'

'Denk je dat ze het zal doen?'

'Ja. Het is weer net als vroeger tussen haar en mij. En ze is dol op Harry.'

Londen: eerste kerstdag

Het was niet precies een schilderij van Norman Rockwell, maar het kwam er dichtbij. De kalkoen was enorm en goudkleurig. Tamsin had hem de hele nacht laten braden in haar vijftig jaar oude Aga-fornuis en was met de kalkoen op haar schoot naar hen toe gekomen, tegen Neil roepend dat hij niet te hard door de bochten moest gaan. Freddie keek de tafel rond. De kinderen hadden de spruitjes geschild en ze vreesde dat het een interessante mengeling van smaak en stevigheid zou worden, want Homer had de zijne nauwelijks aangeraakt en die van Willa waren tot op het lichtgroene hartje teruggesnoeid. Flannery had de hele ochtend Quality Street gesnoept en had een ruige chocoladebaard, waar ze een afdruk van op Willoughby had achtergelaten toen ze hem een kus gaf. Hij keek toe vanuit zijn wipstoeltje, dat op een van Freddies beukenhouten aanrechtbladen stond. Hij droeg een petje dat eruitzag als een kerstpudding en een babypakje waarop stond dat hij 'Mammies Kleine Knalbonbon' was, maar gelukkig was hij zich van al die vernederingen niet bewust.

Tamsin zat op de bank te slapen. Haar handen lagen op haar waterbedbuik en naast haar stond een onaangeroerd glas champagne. Neil hielp Meghan met tafel dekken en telkens als hij langs Tamsin kwam, hield hij even in om naar haar te kijken of haar aan te raken. Hij was altijd zo als ze pas een baby had gehad. Alsof hij niet kon geloven dat ze zo knap, zo sterk en zo dapper was. Alsof hij niet kon geloven dat hij het geluk had dat ze de zijne was.

Freddie herinnerde zich dat ze naar Tamsin in het ziekenhuis ging toen Homer net geboren was. Het was toen allemaal zo nieuw voor hen allebei, Freddie met een onpraktisch grote bos gladiolen ('omdat ik zo blij ben') en een binnengesmokkelde fles Bailey's,

Tamsin in een enorm wit Laura Ashley-nachthemd, huilend en giechelend om de twee natte vlekken op tepelhoogte die steeds groter werden. Homer absurd klein, rood en boos, met een punthoofd, dat bij de slapen blauw en ingedeukt was. Tamsin had naar Freddies gezicht gekeken toen die in het plastic bedje keek. 'Ja, het ís maar tijdelijk. Arm knulletje – het had op het laatst wel iets van *All Creatures Great and Small*. Het zullen mijn ongelooflijk smalle heupen wel zijn die het zo moeilijk maakten.' Ze snoof, lachte weer en huilde weer.

Freddie nam haar stevig in haar armen.

'Kijk uit! Ik heb daar beneden het Tapijt van Bayeux en het doet verdraaid zeer.'

'Jakkes.'

'O, ja. Jakkes zegt nog niet genoeg, geloof me.'

Freddie was toen een paar maanden zwanger van Harry en probeerde niet aan die kant van het verhaal te denken. 'Hij is prachtig.'

'Hij ziet er raar uit.'

'Tams!'

Tamsin had gegrinnikt. 'Oké, hij is meer dan prachtig. Hij is fantastisch. En ik ben een dik vet genie.'

'Dat ben je.'

'En jij bent peettante.'

'Echt waar?'

'Wie zouden we het anders vragen?'

'Reagan en Sarah?'

'Er kom nog wel meer baby's voor hen. Jij eerst. Hij zal alle hulp nodig hebben die hij krijgen kan en je moet me beloven dat jij de verdorven, immorele peettante wordt. Neil staat erop om zijn broer en mijn broer tot peetooms te maken en met hen valt geen lol te beleven.'

'Hij zal alle hulp nodig hebben die hij krijgen kan omdat jij hem Homer noemt, niet omdat hij serieuze peetooms krijgt. Krijg ik de kans om bezwaar te maken bij de doopvont? Je weet wel, de duivel en al zijn kwade werken verwerpen, plus de naam Homer?'

'Nee, die krijg je niet. Het is een heldhaftige naam.'

'En hij zal er een heldhaftig strijd door moeten leveren. Nog niet eens één dag moeder en je mishandelt hem nu al!'

Maar Freddie was zo gelukkig en trots geweest toen ze Homer zes weken later vasthield terwijl de bevende oude dominee een eierdopje koud water in zijn kleine nek gooide en hij begon te brullen.

En Reagan en Sarah waren ook nog aan de beurt gekomen. Sarah had Willa gekregen en Reagan vorig jaar Flannery. Alledrie, Tamsin, Sarah en Reagan, waren ze peettante van Harry – Freddie trok zich niets van tradities aan – ook al had Adrian hen de drie heksen genoemd en had hij de hele dag lopen mompelen over listen, betoveringen en salamanderogen. Niemand had ook maar enige notitie van hem genomen, of van het kinloze wonder van Sandhurst dat hij als enige peetoom had mogen inbrengen. Het was een van die gouden dagen geweest die ze samen deelden, en een van de zijden linten die hen bijeenbonden.

Voor ze in slaap was gevallen, had Tamsin met Freddie naar Matthew en Neil zitten kijken die het houten winkeltje in elkaar probeerden te zetten dat de kerstman nogal gedachteloos voor Flannery had uitgekozen. Ze stonden hopeloos te lachen en Flannery liep tussen hen in met een speelgoedhamer te zwaaien, waarmee ze hen beurtelings op hun hoofd sloeg, tot Matthew haar optilde en haar kietelde tot ze het uitschaterde.

'Kun je een geheimpje bewaren?' fluisterde Tamsin.

'Bijna zeker niet,' zei Freddie.

'We gaan jullie vragen om peter en meter van Willoughby te zijn.'

Freddie keek haar aan.

'Samen, weet je. Als stel.' Ze leek zo tevreden met zichzelf dat Freddie ontroerd was. 'Neil vraagt het straks aan Matthew.'

'Mag dat dan twee keer?'

'Ik zou niet weten waarom niet. Wat vind je ervan?' vroeg Tamsin.

'Ik zeg dankjewel. Dat zouden we heerlijk vinden.'

Ze antwoordde ook voor Matthew. We zouden het heerlijk vinden. We zouden heel gelukkig zijn. We zíjn heel gelukkig. We. Het voelde goed.

Tamsin grijnsde als de Cheshire-kat. 'Alle mensen van wie ik hou zijn gelukkig.'

'We zijn aardig op weg.'

Er stonden plotseling tranen in Tamsins ogen. Ze veegde ze weg. 'Verdraaide hormonen.'

'Kun jíj een geheimpje bewaren?' Nu was het Freddies beurt.

'Zeker weten.'

'We gaan proberen een baby te krijgen.'

Tijdens hun laatste ochtend op de Cape had Matthew, half rechtop in de kussens, naar haar liggen kijken terwijl ze zich aankleedde. Ze genoot ervan, zoals hij naar haar keek. Zijn blik was bezitterig, trots en vol lust. Ze hadden de vorige avond urenlang de liefde bedreven, tot ze er duizelig van was. Het huis was stil geweest – Reagan en Grace hadden een onwillige Harry meegenomen om kerstinkopen te doen – en ze hadden gespeeld, samen eten gekookt in de keuken en daarna televisie gekeken. Ze waren beneden op de bank begonnen, als een stel tieners, en in bed geëindigd via de douche en zelfs de trap – een nieuw en niet echt comfortabel idee voor hen beiden. Ze had naderhand fantastisch geslapen en had zich nog heerlijk loom gevoeld toen het grijze, winterse zonnetje hen wakker maakte. Ze gooide hem zijn T-shirt van de vorige avond toe. 'Sta op, luilak, en hou op zo naar me te kijken.'

Hij had zijn benen uit bed gezwaaid, was naakt naar haar toe komen lopen en had haar omhelsd. 'Ik zal nooit ophouden zo naar je te kijken.'

'Oké.'

Hij volgde haar naar de badkamer, trok een ochtendjas aan terwijl zij in de spiegel naar zichzelf keek en sloeg toen zijn armen om haar middel. Ze keken naar dit nieuwe tafereel, Matthew en Freddie. Freddie zag plotseling de ronde doordrukstrip met kleine roze pillen in haar toilettas zitten en voelde een steek van paniek. 'Shit! Ik ben gisteren vergeten er een te pakken.'

Hij keek nog steeds naar hen beiden in de spiegel en grinnikte.

'Goed,' zei hij.

'Hoezo goed?'

'Gewoon goed. Gooi ze maar weg.'

'Matt...'

'Freddie.'

'Gewoon zomaar?'

'Gewoon zomaar.'

Toen had ze gelachen en de strip over haar schouder gegooid. Hij kwam tegen de douchedeur en viel op de grond. Ze bleven nog een poosje breed naar elkaar glimlachend voor de spiegel staan.

'Ooo!' riep Tamsin nu uit en de jongens keken op.

'Waar hebben jullie het over?'

'Dat doet er niet toe. Gaan jullie nou maar door met dat winkeltje voor Flannery te groot is om ermee te spelen.'

Matthew knipoogde naar haar.

Reagan en Harry waren weg. Een week geleden was Reagan eropuit gestuurd om Harry's hartenwens te gaan kopen, een mountainbike. Freddie had daar geen verstand van en had Reagan gevraagd er een te halen. Harry was duidelijk verrukt geweest van het resultaat. Hij had, bijna zoals de kleine jongen die hij nog maar zo kort geleden was geweest, naar adem gehapt toen hij de fiets die ochtend in de gang had gevonden met een grote strik eromheen en een lang lint eraan dat bij het voeteneind van zijn bed begon. Hij noemde de fiets 'vet cool'. Reagan was in fietstenue naar hen toe gekomen – 'Kerstochtend! Wat een fantastische tijd om te fietsen... de straten zijn praktisch leeg, dus ik heb niet één keer hoeven schelden' – en ze waren samen vertrokken om hun eetlust op te wekken voor het kerstdiner. Harry vond Reagan helemaal geweldig. Freddie zei dat tegen Tamsin. 'Ik ben bang dat het het begin van een kleine verliefdheid zou kunnen zijn...'

'Daar zou ik me niet te druk om maken. Het zal Reagan goed doen. Het zijn Reagans verliefdheden waar we ons zorgen om moeten maken, niet de verliefdheden van anderen voor haar.'

'Je bent gemeen.'

'Je weet dat ik van haar hou. Ook al doet ze het met iedereen.'

'Tamsin!'

Adrian had rond het ontbijt gebeld. Freddie had opgenomen.

'Vrolijk kerstfeest,' had hij gezegd.

'Jij ook.' Het was de eerste kerst die ze niet samen doorbrachten sinds ze elkaar al die jaren geleden hadden ontmoet. Freddie had bijna medelijden met hem. Hij was bij zijn ouders, wat waarschijnlijk een ware bezoeking was. Ze zouden naar de kerk gaan, sherry drinken met de uitgedroogde buren en daarna zou er een stijve, formele lunch worden geserveerd in de grote, koude eetkamer. Al die tijd zou zijn moeder een langdurige schimprede tegen haar, en waarschijnlijk ook tegen Adrian houden. Morgen had hij in elk geval Harry. 'Als je zeker weet dat je het goed vindt,' had hij gezegd.

'Natuurlijk.' Ze had hem gerust willen stellen. 'Harry zou het niet anders willen. Je bent zijn vader. Natuurlijk moeten jullie een deel van de kerstdagen samen doorbrengen.' En ze had eraan toegevoegd: 'Ik zou het zelf ook niet anders willen, Adrian.'

Hij klonk zo dankbaar dat het haar pijn deed. Hij had haar niet verlaten. Ze hadden elkaar verlaten. Ze wilde niet meer terug, ook al wist ze dat hij dat wel wilde, en waarschijnlijk altijd zou blijven willen.

Ze had eerder ook al met Rebecca gesproken, voor de hordes waren gearriveerd. Op de een of andere manier had ze geweten dat ze zou bellen.

Het was laat op kerstavond, of beter gezegd vroeg op eerste kerstdag op de Cape toen ze belde. 'Kun je me horen? Freddie?' En ze hoorde haar wel, maar slechts met moeite. Er klonk een luide beat op de achtergrond en ze hoorde nu en dan vuurwerk, en veel geschreeuw en gelach. 'Cosmo houdt een *Mardi Gras* op kerstavond. Ik zweer je dat ik hier de enige heteroseksuele persoon ben. En praktisch de enige die niet verkleed is als een lid van de Village People.'

Freddie lachte.

'Ik ben voor een paar minuten naar mijn atelier gevlucht. Ik word hier te oud voor!'

'Onzin.' Zelfs Freddie wist dat dat niet waar was.

Ze hoorde een deur dichtslaan en toen werd het stiller. Het klonk alsof Rebecca was gaan zitten. 'Ik wilde je een vrolijk kerstfeest wensen, Freddie.'

'Ik ben blij dat je gebeld hebt.'

'En een gelukkig nieuwjaar.'

'Dank je.'

Ze wilde haar moeder vragen om naar Engeland te komen en Harry te ontmoeten. Om haar te leren kennen, bij haar te zijn.

En dat zou ze doen. Maar niet nu. Voor nu volstond het dat Rebecca had gebeld, dat ze aan de andere kant van de lijn, aan de andere kant van de Atlantische Oceaan was, en haar een gelukkig kerstfeest wenste. Ze hielden de lijn nog even zwijgend open, vol van dingen die ze niet konden zeggen, en waarschijnlijk nog niet hoefden te zeggen.

'Vrolijk kerstfeest, Rebecca.'

'Reagan is fantastisch op de mountainbike, mam! Dat heb je me nooit verteld!'

Freddie schonk Tamsin een waarschuwende blik, en die verbeet een lach.

'Ik kan niet geloven dat jullie even oud zijn!' vervolgde Harry.

'Oké, Harry,' zei Neil. 'Dat soort opmerkingen valt meestal niet goed bij vrouwen.'

'Nou en of. Je hebt het ook over mij, Harry, vergeet dat niet.' Tamsin zat Willoughby op de bank de borst te geven, wat Harry uitermate gênant vond. Hij bevestigde met een licht hoofdknikje dat hij haar had gehoord.

Hij bloosde en meesmuilde naar zijn moeder. 'Je weet wel wat ik bedoel.'

Reagans wangen zagen rood en haar ogen sprankelden van de fietstocht. Ze zag er op de een of andere manier ook mooier en lichthartiger uit. Ze keek Matthew stralend aan toen hij haar een glas champagne aanreikte. Freddie herinnerde zich iets wat ze tegen hen beiden had gezegd vlak voor ze was vertrokken. Ze had Freddie omhelsd en zich daarna tot Matthew gewend. 'Het ging achteraf gezien toch niet om jou.'

Matthew had beschroomd zijn schouders opgehaald.

'Het ging om mij, en om wat jij vertegenwoordigde. Ik denk dat het dat was.' Ze zei het als een student die een complex probleem had opgelost.

Toen had hij geglimlacht. 'Vertel me nou niet dat de betovering is verbroken!'

En Reagan had hem, vrij hard, tegen zijn arm gestompt. 'Jawel, ik denk dat de drug is uitgewerkt.' Ze bekeek hem schattend van boven tot onder. 'Je ziet er nu... eigenlijk maar gewoontjes uit... als ik echt eerlijk mag zijn.'

Ze hadden allemaal gelachen. Toen had Matthew haar omhelsd en was ze vertrokken.

Freddie wist nog steeds niet of ze het echt gemeend had, of dat ze het had gezegd om hen gerust te stellen. Maar nu ze naar haar keek, kon ze best geloven dat het waar was.

De lunch werd opgediend. Matthew stond aan het hoofd van de tafel de kalkoen te snijden, terwijl iedereen borden doorgaf en elkaar hielp. De kinderen trokken knalbonbons open en gilden om de grappen, die Homer en Harry stiekem zachtjes opsmukten. Grace moest gedwongen worden op te houden Flannery's eten fijn te snijden en te gaan zitten, Meghan kreeg een telefoontje uit Sydney op haar mobiel net toen Neil een toast wilde uitbrengen, Tamsin probeerde Willoughby in de kromming van haar arm in slaap te wiegen, wat erg onwaarschijnlijk leek met al dat lawaai, en Freddie keek gewoon maar naar hen allemaal en glimlachte. Nu vroeg Neil om hun aandacht door met een mes tegen de zijkant van zijn glas te tikken. Zelfs Flannery hield even haar mond.

'Ik wil graag een toast uitbrengen. Vrolijk kerstfeest, voor iedereen. Voor de chefs, de bordenwassers, en bovenal de leden van de Tenko Club, en hen die het geluk hebben van hen te houden.'

Wat, heel typerend voor Neil, helemaal perfect was.

Ik wil graag de volgende mensen bedanken (en omhelzen):

Voor hun steun en hun Hercules-inspanningen waarmee ik mijn voordeel gedaan heb en, die ik bovenmatig waardeer, Sue Fletcher en alle briljante mensen die met haar samenwerken bij Hodder & Stoughton, en Stephanie Cabot en haar fantastische team bij William Morris.

Voor hun eskimo- en vlinderkussen, Tallulah en Ottilie.

Voor hun vriendschap, hun tolerantie en hun voortdurende bereidheid me prachtige verhalen te vertellen, Tim Barker, Peter en Suzanne Cluff, Will Norris, Kate Osborne, Nick en Nicky Spence en opnieuw, de Leesgroep, Nicola, Maura, Jenny en Kathryn.

En zoals altijd mam en pap, zonder wie...